Drömfångaren

UNNI LINDELL

Drömfångaren

Översättning Margareta Järnebrand

Av Unni Lindell

Ormbäraren 2000

Drömfångaren 2001

Sorgmantel 2002

Nattsystern 2003

Rödluvan 2004

ISBN 91-642-0109-0

© Unni Lindell 1999

Originalets titel: Drømmefangeren

Omslagsform: Johannes Molin/Ateljén

Omslagsbild: Getty Images

Tryckt i Danmark hos Nørhaven Paperback A/S 2006

*Livet kan bara mätas efter hur man lever i
förhållande till evigheten.*

MORRIS L. WEST

OM JAG INTE hade blivit så provocerad av att se på er genom fönstret skulle ni ha sluppit det här spelet. Och jag skulle ha sluppit det. Och polisen skulle ha haft mindre att göra.

Men jag har inte vett att lämna er i fred. Vi har allesammans kommit till ett vägskäl där vi möts och där jag bestämmer.

Jag möter er i staden, i källaren och i skogen. Det spelar mig ingen roll. Jag iakttar er, och ni vet inte om det. Men till slut får ni äran att möta mig.

Jag vill att du ska ge dig själv ett främmande namn. Detta för att du ska få ett annat förhållningssätt till dig själv.

Den här metoden, som har utvecklats under loppet av många år, har visat sig ge mycket goda resultat. Jag har givit mig själv namnet Noll Nalen.

Jag vill bevisa att världen inte går framåt på det mänskliga planet. Och att vi måste lära oss att leva med oss själva sådana vi är.

Även om bara trettiofyra av flera hundra tempel och andra byggnader har grävts ut i mayaindianernas heliga stad Palenque har den en oerhörd dragningskraft.

De kom och reste sina praktfulla städer med pyramider och palats, och sedan försvann de. Ingen vet varifrån de kom, och ingen vet vart de tog vägen. Det tusenåriga mysteriet är på intet sätt löst. Försvinnandet är lika höljt i dunkel som ursprunget.

Det hävdas att de här människorna, som var specialister på astronomi, levde mellan tretton himlar och nio underjordiska världar. I himlen fanns solen, månen, stjärnorna och molnen. I underjorden huserade fruktansvärda härskare.

Året var uppdelat i arton månader, var och en bestående av tjugo dagar, plus fem dagar av olycksdiger karaktär. Dessa fem dagar krävde stor försiktighet med botövningar, däribland fasta.

Över världen vilade ett konstant hot om förintelse. Fyra världar hade existerat före dem; de levde i den femte.

Den första tidsåldern ödelades av rovlystna jaguarer, den andra av stormar, den tredje av vulkanutbrott och den fjärde av översvämningar. Även den femte skulle en dag gå under, till följd av jordbävningar.

Världen var cyklisk, och upprepningen av död och återfödelse gällde såväl människor som gudar. Varje natt gick solen ner i underjorden och måste kämpa för att föda en ny dag.

För några år sedan inleddes utgrävningarna av en mindre pyramid som ligger strax intill Pacals gravmonument. Där hittade man skelettet av en kvinna. Hon hade mer än tio stentavlor med sig i graven. Stentavlorna berättade att hon hade många barn, men att hon hade varit en dålig mor.

Vad jag vill visa genom att dra fram den här historien är att världen egentligen inte har gått framåt. Vi har samma problem och glädjeämnen i dag som människorna hade på den tiden. Om vi inte gör något åt det kommer också vi att gå under.

På detta sätt vill jag belysa smärtan – och dess bearbetning. Jag vill att du ska förstå att smärtan lever sitt eget liv i alla dina privata världar.

Du ska inte ta död på smärtan utan uppmuntra den att komma fram i ljuset. Endast då kan du fånga dina drömmar och använda dem på ett positivt sätt. Jag vill att du ska vara modig. Du ska vara din egen drömfångare.

Det faktum att du känner avsky när du står och steker kött i ditt kök i dag betyder inte att du för tid och evighet måste känna likadant.

Det faktum att du i dag känner att din kropp är din fiende betyder inte att du inte kommer att förlika dig med den en dag.

Jag vill att du ska böja dig för Noll Nalen och hans insikt. Och för hans kunskaper och välvilja. Noll Nalen, alias Smärtan, vill in i din själ. Hjälpa dig med det du inte förstår. Han vill att du ska tömma din tomhet i honom. Endast så kommer du att finna styrkan.

Februari året därpå

HAN STOD I MÖRKRET, intill trädstammen, och iakttog henne genom det stora, upplysta fönstret.

Ljuset inifrån föll ut över den vita snön som en gul, fyrkantig matta. Utebelysningen på väggen fick trädet att kasta en skugga som lade sig över den gula fyrkanten och bildade ett nytt, platt träd på marken.

Det susade svagt i de kala trädkronorna. Det blåste en skarp, isande vind. Det var onsdagen den 17 februari. Han hade stått här dagen innan också. Och dagen dessförinnan.

Snart skulle allt vara över. Och då menade han allt. Drömmen skulle vara tillgänglig för henne. Drömmen om ett liv i fred.

Han drog den bruna skinnjackan hårdare om sig. Ansiktet var allvarligt och koncentrerat. Han stod bara femton meter ifrån henne. Det enda som skilde henne från honom var en trävägg och en dörr. En liten trävägg och en liten dörr. Kanske skulle hon snart öppna dörren för att släppa in litet frisk luft. Kanske skulle hon öppna den för att släppa ut en katt. Han hade gott om tid. Hon visste inte att han stod och väntade på henne. Hon visste inte att han hade följt efter henne de senaste dagarna. Hon visste inte ens vem han var. Den isande vinden strök över ansiktet på honom. Då ringde mobiltelefonen i hans ficka.

PLÖTSLIGT STEG THERESE GEBER ut på trappen utanför dörren. På avstånd såg hon ut som en marionett. Det var något stelt och onaturligt över henne. Det var nästan skrattretande att det skulle ske så här, att hon skulle komma ut ensam, precis som han hade tänkt sig. Precis som han hade hoppats.

Det var henne han hade väntat på. Han hade drömt om det här länge. Drömt om att de skulle mötas och att hon skulle förintas. Therese var dålig på att leva, och det tänkte han göra något åt. Han skulle förgöra henne.

Och nu kom hon verkligen emot honom. Hon tog plats inuti hans ögon. Hon fyllde hans huvud och bröstkorg och mage. Bilden av henne blev till en enda stor teater.

I gatlyktornas bleka sken virvlade ett lätt duggregn. Höstfärgade löv yrde genom luften ner mot honom.

Hennes fötter kilade lätt nedför stentrappan. Rörelserna var rörelser för sista gången. Hon skulle aldrig mer springa nedför en trappa. På några sekunder var hon nere. Hon hade inga ytterkläder på sig. Hon hade dragit ner tröjärmarna över händerna för att hålla värmen.

Bilarna körde förbi på den våta asfalten. Han stod dold bakom raden av parkerade bilar och kände egentligen ingenting. Han stod blickstilla och väntade. Det var nu eller aldrig.

Hon såg sig om till höger och vänster och sprang sedan över gatan. Håret fladdrade kring axlarna på henne.

Han hade föreställt sig den här stunden in i minsta detalj. Han hade stått så här flera gånger på olika platser och väntat på henne. Men tillfället hade egentligen aldrig yppat sig. Inte förrän nu.

Han kastade en snabb blick bort mot Café Arcimboldo. Han såg väninnorna genom det stora fönstret, såg en av dem resa sig och gå bort till disken. Sedan vände han sig om och tittade åt båda håll längs trottoaren. Gatan var tom. Han hoppades att han skulle lyckas bevara lugnet, visste att det var helt avgörande nu.

I korta glimtar manade han fram bilderna av henne sådan hon skulle se ut efteråt. Hennes kropp, livlös. Ansiktet utan någon andedräkt. Dödsmasken skulle kanske bära ett starkt uttryck av skräck. Han bestämde sig för att det skulle bli hennes sista uttryck.

Han drog upp händerna ur fickorna och gjorde sig beredd.

Therese Geber slank in mellan de parkerade bilarna. Hon ryckte till när hon fick syn på mannen. Hon kände genast igen honom.

Han stod alldeles stilla med Slottsparken, med flera stora jordhögar, en grävmaskin och en parkerad lastbil, vilande tung och mörk bakom ryggen på honom. Han liksom lutade sig mot mörkret. Visste att det stod på hans sida.

Hon blev först förvånad men hämtade sig snabbt igen och försökte strunta i honom och låtsas som ingenting.

Han såg att hon hade tänkt säga något. Han såg att bilnyckeln hängde och glittrade i hennes hand. Metallen hade fångat upp ljuset från gatlyktan.

"Hallå", sa han lågt.

Hon svarade inte, log bara hastigt men ändrade sig och sa hej i alla fall.

Han såg sig hastigt omkring en gång till. Ingen syntes till, bara bilarna som snabbt susade förbi med skenet från gatlyktorna blänkande i lacken.

Hon stack in nyckeln i låset och öppnade bildörren. Hon var på väg att sträcka sig in i bilen. Skyndade på som om ingenting skulle komma att hända.

"Vänta ett slag", sa han och gick lugnt bort till henne. Hon rätade på sig och stirrade frågande på honom.

Det var egentligen lättare än han hade tänkt sig. Därför att han var snabb, och därför att han tog henne med överrumpling.

Tillfälligheterna stod verkligen på hans sida. Trottoaren låg fortfarande öde.

Han överraskade sig själv. Det var en sak att sitta i ett ljust rum och planera och fantisera. Att göra det i verkligheten var något helt annat.

Han skärpte sina sinnen till det yttersta. Han var inne i labyrinten. Någonting inom honom ledde honom och visade hur han skulle göra. Någonting sa det till den andra. Den tredje och fjärde förde det vidare till den femte, som skrek åt den sjätte.

Han vräkte omkull henne på marken och sparkade igen bildörren med foten. Han fick en tott av hennes hår i munnen. Minsta rörelse hos henne åtföljdes av häftiga andetag. Han noterade att hon genomfors av en kylig klarsyn. Han tryckte underarmen över munnen på henne. Hennes ögon spärrades upp i skräck och vantro. Han drog henne i håret. Slet loss en stor tuss som han stoppade ner i fickan. Han slog henne i ansiktet. Han satte sig grensle över henne och klämde åt så hårt han kunde om halsen på henne medan han dunkade hennes bakhuvud i asfalten flera gånger. Det hördes några ihåliga dunsar från hennes huvud när det träffade trottoaren. Han dunkade så hårt att han nästan kunde höra henne dö.

Han var någon annanstans. Han dansade. Krafterna kom inifrån och gav honom nya krafter. Han hörde dånet från trafiken som närmade sig. Det hade blivit gult och sedan grönt ljus. De parkerade bilarna dolde dem. Han skärpte sinnena till det ytter-sta. Han tittade ner på henne. Han märkte snabbt att hennes skräck hade förlamat henne totalt. "Så du kan vara rädd du ock-så?" väste han åt henne.

Han började sudda ut henne ur sitt medvetande. Han älskade känslan av att hata henne.

Hans spel fick en prägel av konst. Han skulle trolla bort hen-ne. Till att börja med försökte hon vrida sig loss. Lade armarna bakom ryggen, som om de var vingar hon ville frigöra.

Hon försökte skrika, men han överröstade henne med sitt lugna prat.

Hennes skrin påminde om luft. De var fina och ljusgröna, som regnet, och hade fastnat i halsen på henne.

Han var inte medveten om någonting omkring sig. Hon ville upp igen. Hon ville inte till Himlen. Hon hade uppenbarligen ett otäckt namn på döden.

Så småningom kände han att även han längtade efter att slip-pa ifrån det här eländet. Han var trött. Det värsta var att han började genomskåda sin egen rädsla. Det här var ingen döds-dans, det var ett maratonlopp.

Och han höll på att förlora, tills han ett stycke bort såg en gammal kvinna som sakta kom traskande emot dem.

Tiden stod stilla. Han till hälften drog, till hälften jagade henne ett stycke in på gräsmattan. Han drog henne brutalt in i mörk-ret, där det fanns svarta trädstammar och skuggor, en stor gräv-maskin, jordhögar och en smutsig presenning som var spänd över fördjupningen i marken.

Gatlyktorna kastade gula fläckar på gräset, pekade på de halv-ruttna löven men hade ändå inte tillräckligt långa fingrar för att nå dem. Bakom en jordhög vräkte han omkull henne på nytt.

Han lade sig på knä och klämde till med händerna om halsen

14

på henne igen. Hon låg med bakhuvudet nere i den varma sörjan. Hon gulnade under hans händer.

Efteråt, när han reste sig och borstade av kläderna, var han andfådd och rädd. Bruset från gatan hade överröstat alla ljud. Han registrerade att det kom en taxi och en motorcykel. En rad med personbilar körde förbi. Sedan blev det tyst igen. Ljussignalerna borta i gathörnet visade rött.

Den gamla kvinnan hade kommit ett gott stycke närmare i sin egen långsamma takt.

Han strök sig snabbt över ansiktet och märkte inte att han fick en brun strimma av jord över kinden. Han böjde sig ner och lyfte upp henne till hälften. Han lade armen om midjan på henne och släpade henne med sig ännu en liten bit in i Slottsparken, mot en mindre jordhög som var delvis inhägnad av ett provisoriskt ståltrådsstängsel. Han tänkte att han kunde gräva ner henne här, i jorden, eller kanske täcka över henne med presenningen.

Han reste sig och noterade att en man med en hund gick förbi på trottoaren. Hunden nosade och nosade och nosade, men den var för dum för att berätta något som helst för ägaren och lät sig till sist släpas vidare.

Någon skrattade högt utanför konstnärskaféet. Han hörde musik på avstånd och ett regelbundet susande från en luftkanal i väggen på det gamla stenhuset tvärs över gatan.

Hjärtat hamrade i bröstet på honom. Verkligheten höll på att hinna ifatt honom. Han fick plötsligt syn på bilnyckeln. Den låg borta på trottoaren och blänkte. Den måste ha ramlat ur dörren när han sparkade igen den.

Han kunde se att den skvallrande gatlyktan speglade sig i nyckelknippan. Då rörde Therese Geber försiktigt på sig igen och stönade lågt.

Han kände svetten svida i armhålorna. Han vände sig om och

sparkade till henne och lade sig sedan rasande ner på knä igen. Kan du inte för fan se till att dö? Han slöt händerna kring hennes hals en sista gång och klämde till så hårt han kunde. Han höll kvar greppet tills han kände hur det började värka i överarmsmusklerna. Han använde krafter han egentligen inte hade. Han använde dem en gång till. Och än en gång. Plötsligt förstod verkligheten honom. Då hörde han äntligen att hon dog.

DEN GAMLA DAMEN gick Wergelandsveien fram i sina egna tankar.

Hon hade varit och hälsat på en skolkamrat som fyllde åttioett. De hade pratat om gamla tider över en sockerkaka och ett par koppar te. Hon gick sakta, lätt framåtböjd, och tittade då och då på de parkerade bilarna. Hon hade ett barnbarnsbarn på fem år som redan var en hejare på bilmärken. "Volvo", mumlade hon högt för sig själv. "Saab och Mercedes." Hon log uppgivet när hon passerade två bilar som hon inte visste namnet på. Hon tänkte på boken hon hade givit sin väninna och hoppades att väninnan inte skulle upptäcka att hon hade läst den själv först. Väskan bar hon över axeln.

Plötsligt dök det upp en man rakt framför henne. Hon ryckte till och kände genast rädslan skölja genom kroppen. Han såg arg ut, och han hade en strimma jord längs ena kinden. Hans hår hängde plaskvått ner i pannan. Mekaniskt tog hon ett hårt grepp om sin axelväska med båda händerna.

Men mannen vände ryggen åt henne och böjde sig snabbt ner och tog upp någonting från marken.

Den gamla kvinnan fortsatte gå i samma tempo, som om ingenting hade hänt. Hon vågade inte stanna. När hon kom i jämnhöjd med mannen vände han sig mot henne. "Mina bilnycklar", sa han lågt, "jag tappade dem."

Den gamla kvinnan nickade och kände hur hjärtat hamrade innanför revbenen. "Ursäkta", sa hon, "jag blev så rädd."

Mannen log nervöst mot henne. "Ingen fara", sa han.

"Jag förstår", sa hon och log försiktigt tillbaka.

Mannen öppnade bildörren och närmast kastade sig in i den bruna bilen och startade motorn. Han svängde ut från parkeringsrutan och körde ner mot centrum.

Den gamla kvinnan var arg på sig själv. Hon stod kvar och samlade sig ett ögonblick. Det var idiotiskt av henne att vara så rädd. Hon kastade en snabb blick in i Slottsparken, där grävmaskiner hade grävt upp marken och stökat till den vackra gräsmattan. Skuggorna från jordhögarna föll som långa, grå ränder över trottoaren. Skulle de då aldrig bli färdiga med det här otäcka grävandet? Slottet låg där som en dyster, mörk koloss i bakgrunden.

Regnet smakade sött på hennes läppar. Hon drog kappkragen tätare om sig och intalade sig att hon måste skärpa sig. Hon noterade att en ung kvinna kom småspringande nedför den breda trappan från Kunstnernes Hus. Hon lade märke till att den unga kvinnans hår rörde sig i vinden och att luggen delvis föll ner i ansiktet på henne.

Den gamla kvinnan gick vidare. Hon hade lyckats skaka av sig olustkänslorna. Nu tänkte hon på en liten prydnadsfigur som hon hade sett på Glasmagasinet. Kanske den kunde vara något att ge väninnan i julklapp?

TANJA GEBER KILADE med lätta steg nedför trappan. Stadens larm låg som en låg, olycksbådande underton bakom det täta septembermörkret. Nittonåringen hade inga ytterkläder och sprang lika hastigt nedför trappan som tvillingsystern hade gjort tio minuter tidigare. Hon höll armarna i kors över bröstet för att liksom hålla regnet och kylan ifrån sig.

Hon kastade en hastig blick över gatan och stannade förvånat. Bilen var borta. Den bruna gamla Opeln stod inte kvar längre. Det var konstigt. Hon tittade på den tomma parkeringsrutan och gick några steg längre fram och spanade åt båda håll längs Wergelandsveien. Men både systern och bilen var borta. Hon fick en kväljande känsla i maggropen, men samtidigt arbetade sig något som liknade irritation upp inom henne. Hon kände att hon började frysa. Regndropparna hade redan lagt sig i hennes hår och trängt in mellan trådarna i den mjuka angorajumpern. Hon såg sig omkring en gång till innan hon vände om och snabbt kilade tillbaka uppför trappan, fortfarande med armarna hårt lindade kring livet.

Det var onsdagen den 16 september, och klockan var 21.09. Det var en mörk, svart höstkväll. Det var en alldeles särskilt sorglig dag, en dag som Tanja Geber aldrig någonsin skulle glömma.

Exakt klockan 22.07 ringde telefonen hemma hos Berit och Rolf Geber i Asker. Det var flickornas mor som svarade.

"Mamma", började Tanja upphetsat. Hon ringde från en

automat inne på restaurangen.

"Ja?"

"Vi är inne i stan, på Arcimboldo."

"Var?"

"På Arcimboldo, kaféet i Kunstnernes Hus."

"Å, jaså. Vad gör ni där?"

"Sitter och pratar."

"Dricker ni?"

"Nej, mamma, lägg av."

Berit Geber suckade i andra änden av luren. "Har ni trevligt, då?" frågade hon.

"Ja ... eller nej, jag vet faktiskt inte. Du förstår, Therese skulle bara springa ut till bilen för att hämta 'Henne'. Hon skulle visa oss någonting."

"Vilken henne?"

"Tidningen 'Henne'"

"Jaså."

"Vi ... Ida och Hanne och jag, satt kvar inne och väntade. Men sedan kom hon inte tillbaka."

Berit Gebers röst hade fått en orolig klang. "Har det hänt något, är det det du försöker säga?"

"Nej, jag vet inte, men bilen är borta." Dottern hade höjt rösten ett par snäpp. Det var svårt att höra vad modern svarade på grund av det ständiga klirrandet av glas och sorlet från folk som gick förbi, pratande och skrattande.

"Har bilen blivit stulen, är det det du menar?" Berit Geber hade satt sig ner på stolen bredvid telefonbordet. Tanja Geber kunde höra hur lillasystern kommenterade samtalet och ställde frågor i bakgrunden. Hon hörde också modern säga till henne att bilen hade blivit stulen.

"Nej", ropade Tanja i luren, "bilen är borta, och det är Therese också. Hon måste ha blivit sur för någonting. Du vet ju hurdan

Therese är", tillade hon, "men jag kan bara inte fatta det, för hon var inte sur. Inte egentligen."

Modern svarade inte.

"Kan du inte be pappa åka ner till Fredboes vei för att se om Therese har kört hem, se efter om bilen står i garaget? Vi har försökt ringa, men det är ingen som svarar."

"Ja, men han är inte hemma, Tanja, han är på Lionsmöte", svarade Berit Geber uppgivet. "Och jag kan inte påstå att jag har någon vidare lust att åka dit ner nu. Det orkar jag helt enkelt inte. Jag hade tänkt gå och lägga mig tidigt. Kan ni inte bara vänta en stund och se om hon dyker upp? Om inte får ni väl ta tåget hem", sa Berit Geber.

"Okej", sa Tanja trumpet. "Det ser ut som om vi skulle bli tvungna till det", avslutade hon, lade på luren och gick tillbaka till de nyfikna väninnorna.

KOMMISSARIE CATO ISAKSEN vid mordroteln i Oslo distraherades för ett ögonblick av en solkatt som dansade över papperen framför honom. Han höll på att städa undan två arkivpärmar från den stora hög med dokument som låg på hans skrivbord. Han kände att en förkylning var i annalkande. Just nu var den ivrigt sysselsatt med att äta sig in i huvudet på honom. Han följde solkatten med blicken. Den dansade snabbt fram och tillbaka ett par tre gånger innan den gled upp längs väggen och försvann.

Han lutade sig tillbaka på stolen och fick plötsligt syn på den förvanskade bilden av sitt eget ansikte som flöt ut i ställampan framför honom. Stålet fungerade som en skrattspegel. Cato Isaksen blev sittande och stirrade på sig själv. Han såg en trött fyrtiofemåring med tunt, ljust hår. På ena sidan svällde hans ansikte ut på ett groteskt sätt och slutade i ett hudfärgat, smalt streck.

Han kastade en hastig blick på klockan. Den var fem i tio på fredagsförmiddagen. Kalendern på väggen visade den 18 september.

Han tog sig samman och reste sig. Sammanträdet skulle börja klockan tio.

Innanför de sotiga glasrutorna på polishuset i Grønland hade höstsolen redan skapat en tung och instängd värme. Det vilade ett slags uppgivenhet i luften. Travarna med dokument växte och växte. Två mord de senaste dagarna. En knivhuggning. En ung pojke hade mördat en klasskamrat. Och en frustrerad äkta man hade satt eld på huset.

De skulle antagligen aldrig ta slut, brotten. Naturligtvis skulle de inte det. Världen gick inte framåt. I varje fall inte när det gällde råhet och ondska.

Cato Isaksen hälsade kort på sin chef, den medelålders polisintendenten Ingeborg Myklebust. Hon var femtioett år gammal och nästan en och åttio lång. Egentligen en stilig kvinna med rödaktigt hår som övergick i grått längst inne vid hårrötterna. Hon bar praktiskt taget alltid kjol eller klänning. Cato Isaksen hade ett aningen ansträngt förhållande till henne. Det hade blivit bättre en lång period, men nu var det märkbart sämre igen. Han visste inte riktigt hur det kom sig. Han valde att tro att det hade något med personkemi att göra. Men han måste erkänna att hennes naturliga auktoritet provocerade honom. Han drog ut en stol och satte sig och nös kraftigt. "Ursäkta", sa han och grävde i fickan efter sin näsduk.

Utredarna kom släntrande in på intendentens kontor, en efter en. Först Preben Ulriksen, en ung, smått överlägsen typ som fortfarande bodde hemma hos sina föräldrar i Stabekk. Han skramlade med stolen och nickade frejdigt åt Cato Isaksen. Sedan i tur och ordning: inspektör Roger Høibakk, Cato Isaksens närmaste medarbetare, Asle Tengs, en jovialisk, gråhårig utredare med massor av erfarenhet, och till slut Thorsen och Billington. De båda sist anlända arbetade nästan alltid tillsammans och utgjorde närmast ett eget litet team.

Ingeborg Myklebust hade kallat utredarna till ett brådskande möte klockan tio. Hon såg trött och en smula uppgiven ut, trots att hon var mycket nöjd med att de redan hade lyckats klara upp mordbrandsfallet i Sagene.

"Men", sa hon och ögnade hektiskt igenom några papper

framför sig, "ni har säkert hört att vi tyvärr har ett nytt fall med högsta prioritet." Hon lät höra ett kort skratt: "Jag hade egentligen hoppats på ett par dagars lugn och ro. Det skulle vi allihop ha behövt. Men, men." Intendenten drog handen genom det rödaktiga håret och fortsatte: "En ung kvinna hittades flytande i vattnet utanför Aker Brygge vid niotiden i morse."

Cato Isaksen stirrade uppgivet framför sig. Känslan av att ha bomull i huvudet hade blivit ännu starkare och dämpade ljuden omkring honom.

"Ja, ja", sa Asle Tengs, "då är det bara att sätta i gång igen."

Roger Høibakk böjde sig lätt framåt och drog upp sin kam ur bakfickan. Ingeborg Myklebust tittade snabbt ner på papperet hon hade framför sig. "Mord", sa hon. "Kvinnan hade märken på halsen och i huvudet. Ellen Grue ringde. På ena sidan var visst nästan allt hår bortslitet."

"Usch!" Preben Ulriksen gjorde en grimas. "Äckligt", sa han.

Roger Høibakk drog hastigt kammen genom håret.

Ingeborg Myklebust såg på dem allihop i tur och ordning. Cato Isaksen antecknade något på ett papper som han hade liggande framför sig.

Assistent Randi Johansen, som var nygift och hade tagit mannens efternamn, kom småspringande in i rummet. De bruna lockarna fladdrade kring huvudet på henne. "Jag ber om ursäkt", sa hon och log snabbt mot Roger. "I dag är det jag som kommer för sent", sa hon lågt och gav honom en klapp på axeln.

Ingeborg Myklebust avfärdade henne med en irriterad handrörelse. "Nu räcker det", sa hon.

Randi Johansen hittade en stol och satte sig snabbt.

Intendenten vände sig allvarligt mot Cato Isaksen. "Fallet är ditt", sa hon.

Cato Isaksen blundade ett ögonblick och kände hur förkylningen bet sig fast allt stadigare. Det kliade och sved i halsen.

"Tack ska du ha", sa han sarkastiskt.

Roger Høibakk gäspade högljutt.

"Tidningarna har redan börjat ringa", fortsatte Ingeborg Myklebust, "men vi har inte gått ut med hennes identitet än. Vi försöker få tag i föräldrarna. Hon hade sitt körkort i fickan."

"Oslokvinna?" frågade Randi Johansen och tog ett äpple ur keramikskålen som stod mitt på det ovala ekbordet.

"Hon var från Asker." Ingeborg Myklebust bläddrade i sina papper. "Jag fick det här faxet alldeles nyss", sa hon. "Hennes körkort låg i en ficka tillsammans med ett par hundralappar. Den mördade heter Therese Geber och bodde på Fredboes vei 57 ute i Asker."

Ingeborg Myklebust tittade bort på Cato Isaksen, som själv bodde i ett radhus i Frydendal i Asker. "Vet du någonting om henne?" frågade hon.

Han skakade på huvudet. "Nej", sa han. "Jag har aldrig hört talas om henne. Men Asker är stort", tillade han. "Fredboes vei vet jag däremot var det ligger. Det är de där höga husen alldeles intill motorvägen. Hagaløkka heter området."

"Ja, inte vet jag", sa Ingeborg Myklebust med tonvikten på jag. Hon rättade till sin vita blus. "Jag känner inte till de där trakterna", tillade hon, "men ni får åka ner till Aker Brygge och prata med teknikerna. Den mördade har förts till rättsmedicinska. Brottsplatsundersökarna är redan i full gång där nere. Butiksägarna är visst ursinniga över att hela området är avspärrat."

"Hela Aker Brygge?" Roger Høibakk småflinade och fiskade upp den svarta kammen ur bakfickan igen.

"Låt för Guds skull den där kammen vara, Roger", sa Ingeborg Myklebust trött och tillade att de givetvis inte hade spärrat av hela Aker Brygge men stora delar.

Cato Isaksen nös igen, och Randi såg medlidsamt på hans blanka ögon. "Du är visst inte riktigt kry", sa hon.

"Nej", erkände Cato Isaksen, "det kan jag lova dig att jag inte är."

"Men du kan inte gå hem nu", fastslog Ingeborg Myklebust strängt.

"Jag har inte ens tänkt tanken." Cato Isaksen tittade irriterat på henne och reste sig. Inte undra på att hon har fått öknamnet Margaret Thatcher, tänkte han.

"Jag tar med mig Roger och Randi och åker dit ner", sa han kort.

"Jag följer med jag också", sa Preben Ulriksen och reste sig.

"Det är inte nödvändigt", sa Cato Isaksen snabbt. "Du kan avsluta rapporterna jag gav dig i morse", fortsatte han och instruerade sedan Asle Tengs, Thorsen och Billington om vad de skulle göra. Sedan gick han snabbt ut ur rummet. Preben Ulriksen blängde efter honom.

Han nös två gånger till medan de gick längs korridoren mot hissen ner till garaget.

"Men vad i helvete?" sa inspektör Roger Høibakk och flinade. "Det var som fan."

Cato Isaksen snöt sig kraftigt. "Det här är ta mig tusan ingen vanlig förkylning", sa han.

"Du är väl inte allergisk?" Roger Høibakk såg frågande på honom och blinkade åt Randi. "Du har ju skaffat katt. Har du inte?"

Cato Isaksen skakade på huvudet. "Det är inte katten", sa han.

Han hade planerat att ta ledigt över sönernas höstlov, som började om en vecka. De hade blivit erbjudna att låna en stuga av några grannar. Den låg någonstans uppe på Norefjell. Bente hade redan tackat ja. Hon var eld och lågor över erbjudandet. Frågan var bara om han kunde ta ledigt. Han hade på känn att det här fallet skulle komma att bli besvärligt.

Han tänkte på vad de hade pratat om i går kväll, om de skulle ta med sig treåringen Georg eller inte. Bente sa ärligt att hon helst ville slippa. Georg var Catos son i ett kortvarigt förhållande med en annan kvinna. Även om Bente så småningom tog det ganska bra hade de ändå ständiga diskussioner. Det hade varit en lång väg att gå. Det hade varit en tung tid för Bente när Cato för fyra år sedan lämnade henne och de båda tonåriga sönerna till förmån för den tio år yngre Sigrid Velde. Nu var det två år sedan han hade flyttat tillbaka till sin familj igen. För honom hade det varit två tämligen förvirrande år.

Han hade väl förmodligen haft en dröm om att allt skulle bli som förr. Och det hade det väl nästan blivit också, men någonting var ändå förstört för alltid.

"Var så god, fru Johansen", sa Roger Høibakk och öppnade dörren till den civila Opel Corsan åt Randi. "Och hur står det till med äktenskapet, förresten?" frågade han.

"Tack, bara bra", sa hon snabbt och kröp in i baksätet.

Cato Isaksen nös igen.

"Berätta om katten, vet jag!" Roger Høibakk satte sig på passagerarsidan och såg spänt på sin chef. Cato Isaksen startade motorn och körde ut ur garaget. Randi log i baksätet och drog skinnjackan hårdare om sig.

Cato snöt sig och skakade på huvudet. "Det är inte katten, har jag sagt", sa han.

"Har den fått något namn än?" Roger Høibakk grävde fram en chokladbit ur fickan och började dra loss papperet.

"Ja", sa Cato Isaksen kort.

"Vilket då?"

Cato Isaksen svarade inte. Han koncentrerade sig på körningen. Men Roger Høibakk gav sig inte. Han knycklade ihop papperet och upprepade sin fråga. "Vad heter katten?" frågade han och gav sin chef en lätt knuff i sidan.

Cato Isaksen tittade på honom och smålog. "Marmelad", sa han efter en liten paus.

"Marmelad?" Roger Høibakk stoppade in chokladbiten i munnen, lutade sig tillbaka i sätet och skrattade högt. "Marmelad", flinade han, "bra namn."

Just som de körde in i parkeringshuset på Aker Brygge slog det Cato Isaksen att det var Georghelg igen. "Satan", mumlade han för sig själv.

"Vad är det?" Randi lutade sig en aning framåt.

"Nej, det var ingenting." Cato Isaksen stannade bilen. Han hoppades att det här med kvinnan i vattnet inte skulle hindra honom från att hämta sonen i avtalad tid. Han tittade på klockan. Om fem timmar, vid fyratiden, hade han lovat att hämta treåringen.

Hälften av den stora, stenlagda öppna platsen var avspärrad. De obligatoriska rödvita banden hade för länge sedan satts upp. Säkrandet av spår pågick för fullt. Cato Isaksen böjde sig under avspärrningsbanden och gick bort mot brottsplatsundersökarna. Roger och Randi gjorde likadant.

En stor skara nyfikna hade fattat posto utanför avspärrningarna. Uniformsklädda ordningspoliser försökte få folk att dra sig tillbaka. "Seså", vädjade de, "här finns ingenting att se."

"Men vad är det egentligen som har hänt?" frågade en tonårig pojke nyfiket.

"Vi kan inte avslöja någonting nu", sa den unge polisen och uppmanade på nytt folk att gå därifrån. En kvinnlig polis videofilmade folkmassan. Det var något de hade börjat med på senaste tiden. Det var särskilt viktigt vid anlagda bränder, eftersom gärningsmannen ofta sökte sig tillbaka till brandplatsen. Men även i mordfall kunde det vara viktigt att kartlägga dem som självmant uppsökte brottsplatsen.

Höstsolen speglade sig i byggnadens glasytor. Utestolarna stod staplade utanför restaurangerna. Tio femton meter från La Piazza satt tre tekniker på huk och sysslade med någonting. Cato Isaksen gick bort till dem. "Hittar ni något?" frågade han och nickade mot en av dem.

Brottsplatsundersökarna reste sig. "Hej, hej", sa de och hälsade på chefen för utredningen i tur och ordning, och sedan skakade de på huvudena. "Det vet vi inte", sa en av dem. "Liket påträffades flytande i kanalen där borta. Vi har bara provisoriskt spärrat av ett parti därför att vi hittade blodfläckar på marken", sa han. "Men vi vet ju inte om de har något med fallet att göra. Vi säkrar givetvis alla tänkbara spår."

"Naturligtvis", sa Cato Isaksen och kände samtidigt en frossbrytning gå genom kroppen. Trots att luften var ljum låg hösten ändå och lurade i solstrimmorna som löpte över asfalten. Han strök sig trött över ansiktet. På ett ställe låg en liten hög med våt aska, som om någon hade bränt en tidning eller något annat papper.

Ellen Grue, en av brottsplatsundersökarna, kom emot honom. Hon var liten och mörk med ett vackert, osminkat ansikte. "Hallå där", sa hon. Hennes röst hade som vanligt en liten skärpa i kanterna. Cato Isaksen hade alltid betraktat henne som otillgänglig. Till att börja med hade han försökt vara vänlig och inleda ett samtal när de träffades. Det senaste året hade han bara sagt det allra nödvändigaste när de arbetade tillsammans.

"Hämta några skoskydd", ropade hon bort till en av de andra teknikerna.

"Hittar ni något?" Cato Isaksen tittade ner på henne.

"Ingenting hittills", sa Ellen Grue. "Vi tar prover på blodet och finkammar området." Plötsligt lyfte hon handen och lade den mot hans panna. "Är du inte i form?" frågade hon.

Han skakade hastigt på huvudet. "Nej", sa han kort.

"Du känns litet varm", sa hon.

Han log snabbt. "Ja", sa han.

Hon blev stående och såg allvarligt på honom en liten stund, och sedan log hon. "Stackars du", sa hon.

Cato Isaksen tittade förvånat ner på henne. Han kände fortfarande den lätta beröringen av hennes hand mot pannan.

En polis från ordningsavdelningen kom bort och räckte honom ett par blå skoskydd av plast. Cato Isaksen tackade frånvarande, böjde sig ner och drog dem över skorna. Sedan nickade han kort mot Ellen Grue och gick bort till Randi och Roger, som stod tillsammans med två av de andra brottsplatsundersökarna borta vid kanten av kanalen. Fyra tomma flaggstänger reste sig som spetsiga spjut mot himlen. Den gröna, välvda bron som gick över den konstgjorda kanalen påminde honom om Venedig. Två yachter låg förtöjda på vänstersidan om bron. Flera utredare hade gått ombord på båtarna.

Cato Isaksen vände sig mot Roger och Randi. "Det är ju inte säkert att hon blev islängd just här", sa han.

Roger Høibakk skakade på huvudet. Den långe, mörke ungkarlen såg allvarlig ut. "Hon kan ju ha förts hit någon annanstans ifrån. Ska jag be någon att höra sig för i områdena runt omkring?"

"Ja", sa Cato Isaksen, "gör det."

Roger Høibakk gick en bit bort och tog upp sin mobiltelefon.

"Jag tror att ni får åka ut till Asker nu med detsamma", sa Cato Isaksen och såg på Randi. Han försökte förgäves hejda en hostattack. "Ni måste underrätta de anhöriga", sa han och harklade sig. "Eftersom hon bara var nitton år räknar jag med att det först och främst är föräldrarna", tillade han och vände sig bort.

"Okej", sa Randi och nickade mot Roger, som hade avslutat telefonsamtalet.

De undrade om han skulle komma efter senare.

"Ja", sa Cato Isaksen, "så snart jag kommer ifrån."

Havsluften drev in över den öppna platsen, medan solen, som var mörkt orangefärgad, bländade honom.

"Det kom en kraftig regnskur i natt, vid femtiden", sa en av brottsplatsundersökarna. "Den kan ha sköljt bort litet av varje."

"Ja, det är inte precis någon fördel", sa Cato Isaksen och rätade på sig. Borta vid restaurangen Beach Club ägnade sig flera poliser åt att ta in vittnesmål från de anställda.

"Jag tror att jag får ta en sväng tillbaka till kontoret", sa han till brottsplatsundersökarna, som genast satte sig på huk och började arbeta igen. "Jag måste försöka samordna informationen som kommer in", mumlade han för sig själv och gick sakta tillbaka igen över den stora, öppna platsen. Han tänkte på Ellen Grues lätta beröring. Han tittade bort på henne. Hon satt på huk tillsammans med en annan tekniker. Cato Isaksen log hastigt och gick vidare.

Just som han skulle böja sig under avspärrningen ringde mobiltelefonen. En journalist från NRK ville att han skulle ställa upp på en intervju. Han noterade att det ena skoskyddet var på väg att spricka. "Jag vet inte om jag har något att bidra med", sa han. "Än så länge vet jag inte mer än du."

En av brottsplatsundersökarna ropade på honom. Han vände sig mot honom och avslutade samtalet med journalisten. Då ringde mobiltelefonen igen.

REDAN VID LUNCHTID hade Bente Isaksen ringt till polis-huset och blivit upplyst om mordet. Hennes man var inte anträffbar därför att man hade hittat ett lik i hamnbassängen. Just nu befann han sig på brottsplatsen och skulle antagligen bege sig till den mördades familj efteråt. Dessutom måste han följa upp den preliminära rapporten från brottsplatsen.

Bente Isaksen stålsatte sig. Hon visste allt om makens arbete. Visste hur oförutsägbart det var. Hon hade lärt sig att tackla de ständiga besvikelserna.

Hon kokade sig en kopp te och satte sig vid köksbordet. Hon skulle jobba natt på sjukhemmet men började inte tjänstgöra förrän klockan tio. Hon var öm i vaderna efter allt spring under gårdagsnatten.

Hon bläddrade på måfå i en veckotidning. På ett ställe fanns en så kallad berättelse ur verkligheten, om en kvinna som var styvmor. Slutklämmen var att det alltid var barnet som var för-loraren när föräldrarna gick skilda vägar.

Utanför fönstret såg hon den röda katten gå förbi på gång-vägen. Hon reste sig, gick ut i farstun, öppnade dörren och ropade på den. Katten kom med detsamma. Den gick med svansen högt i vädret, liksom triumferande. Den spann när den kom in i hal-len. "Vill du ha mat?" Bente gjorde rösten len och ljus. Hon böj-de sig ner och kliade djuret bakom örat. Katten snodde sig runt hennes ben, gned sig sakta mot hennes kraftiga vad och jamade högt. "Ja, du är en fin pojke", sa hon mjukt.

Katten hade verkligen gjort underverk. Fjortonåringen Vetle var kanske allra mest entusiastisk. Han hade blivit mycket lugnare sedan den kom i huset. De misstänkte att pojken inte trivdes något vidare i skolan. Han sa ingenting, men han hade inte många kamrater. Han var emellertid mycket aktiv i fotbollslaget.

Hon hade också lagt märke till att djuret hade en gynnsam effekt på sjuttonåringen, Gard. Han både pratade och kelade med katten, men helst när ingen såg på. Gard var nästan aldrig hemma. Han var rastlös och verkade trött men ägnade ingen tid åt skolarbetet trots att andra årskursen på samhällsvetenskaplig linje utan tvekan var mycket arbetskrävande. Varenda eftermiddag och kväll drev han omkring tillsammans med kompisarna. Bente hade sett honom i Askers centrum flera gånger. Hon oroade sig för äldste sonen. Det skulle bli föräldramöte på Askers gymnasium. Bente hade glömt att tala om det för Cato. Det var inte Gard som hade berättat det utan grannen i radhuslängan bredvid. De hade en dotter i samma klass.

Efter att ha läst artikeln om den elaka styvmodern bestämde sig Bente Isaksen för att hämta Georg. Hon hade fortfarande svårt att acceptera Catos son och hade ingen som helst lust att träffa Sigrid. Men veckotidningsartikeln hade träffat en öm punkt hos henne och givit henne dåligt samvete.

Blotta tanken på att Cato hade lämnat henne och pojkarna den där gången räckte för att få det att vända sig i magen på henne. Smärtan var djup och svart. Den var besläktad med skräcken som emellanåt gjorde att hon hade svårt att somna. Hon försökte intala sig att det viktigaste var att Cato var tillbaka. Hon hade svalt en hel hord kameler, men förlåta honom helt kunde hon inte. Även om han hade kommit tillbaka igen var de ju faktiskt skilda på papperet. Det plågade henne, men hon tänkte inte börja tjata på honom om att han skulle gifta sig med henne på nytt.

Alltihop var liksom för absurt. Och pojkarna hade väl inte riktigt fattat att allt inte var precis som förr. De visste inte att föräldrarna egentligen var skilda.

Hon ställde in tekoppen i diskmaskinen och gick upp på övervåningen för att byta om. Hon drog jumpern över huvudet. På magen hade hon små silverfärgade streckmärken efter graviditeterna. Hon tog på sig en blå blus och jeans. Luften i sovrummet var sval, nästan kylig. Hon tittade bort på den nybäddade dubbelsängen. Egentligen hade hon mest lust att krypa ner under täcket igen. Nattskiften tog knäcken på hennes företagsamhet.

Bilen stod parkerad vid garagelängans ena kortvägg. Några kladdiga höstlöv hade lagt sig på framrutan. Hon samlade ihop dem i en våt hög och kastade dem på marken. Det var Cato som använde garaget till sin civila polisbil. Det var viktigare att han kunde ge sig i väg i full fart om något hände. Hon satte sig i den gamla röda Polon och körde in mot Oslo.

Hon ville inte att det skulle vara så, men hon kände sig fortfarande osäker i relationen till Sigrid. Cato hade försäkrat henne om och om igen att hon inte behövde vara rädd. Han skulle aldrig mer gå ifrån henne. Och hon trodde på honom. Han var verkligen tillbaka hos henne. Det hade varit intensivt till att börja med. Nästan som den första tiden de var tillsammans. Men vardagen hade hunnit ifatt dem igen. Nu var allting som förut. Eller nästan som förut. Dagarna gick åt till arbete och familj. Men smärtan från den gången hade ändå gjort något med hennes självförtroende. Och Georg skulle för evigt vara ett levande bevis på hans felsteg. Men hon hatade inte pojken. Han var söt och näpen och snäll. Visserligen var treåringen en smula vild, men det hade hennes egna söner också varit.

DEN MÖRDADES FÖRÄLDRAR, Berit och Rolf Geber, bodde i ett förhållandevis stort enfamiljshus alldeles intill Vardåsen Skisenter i Asker. Läget var fint, med en vacker utsikt över fjorden och Oslo långt borta.

Randi Johansen och Roger Høibakk parkerade den civila polisbilen vid vägkanten och gick tillsammans in genom den öppna grinden. En grön Golf stod parkerad på uppfarten.

Cato Isaksen hade deklarerat att han skulle komma efter senare. Han var bara tvungen att knyta ihop några trådar och inhämta ytterligare en del information först.

Redan innan de såg henne hörde de de skrapande ljuden från räfsan. Randi Johansen körde nervöst ner händerna i fickorna på den svarta skinnjackan och gick sakta uppför stentrappan längs husgaveln. Detta var det värsta med det här jobbet: att informera de anhöriga om att någon i familjen hade blivit mördad.

Berit Geber var bakom huset, uppe på den lilla gräsmattan som sträckte sig likt en liten platå från husväggen och bort mot skogen.

Hon höll på att räfsa löv på den fuktiga gräsmattan. Hon befann sig helt i sin egen värld. Tankarna rusade genom huvudet på henne. Oron för dottern som hade varit försvunnen i ett och ett halvt dygn malde i hjärnan. Hon kunde inte minnas att hon någonsin hade varit så rädd.

Det var ännu tidigt på hösten, och de flesta löven hängde fortfarande kvar på träden, men hon hade ett behov av att uträtta något. Hon hade varit uppe hela natten, men klockan sex i morse hade hon fallit i en tung, orolig sömn som hade varat i ett par timmar. När hon vaknade och fortfarande inte hade hört något från maken och vännerna som var ute och letade efter Therese i skogen kom hon fram till att hon måste gå ut i trädgården för att sysselsätta sig. Hon hade inte kunnat äta något. Magen kändes som ett svart hål.

Randi Johansen blev stående och betraktade den mördades mor i några korta sekunder. Berit Geber hade knutit en skotskrutig scarf runt huvudet. På fötterna hade hon vita seglarstövlar.

Den kvinnliga mordutredaren drog ett djupt andetag och började gå emot henne för att slå hennes liv i spillror.

Berit Geber ryckte till och tittade hastigt upp. Hon slängde ifrån sig räfsan och betraktade den kvinnliga polisen i skinnjacka och jeans som sakta och allvarligt kom emot henne. En stilig, mörk man kom efter henne uppför trappan. Med ens visste hon det. Att det var dags för den stund som hon alltid hade fruktat. Löven på träden rörde sig inte. Luften var död och vindstilla. Hon stod i trädgården, men ändå stod hon inte där. Plötsligt var hon ingenstans. Ända sedan hon blev mamma hade hon tänkt på den här stunden. Hon hade avskytt tanken på den och skjutit den ifrån sig och drömt mardrömmar om den. Och manat fram den för att påminna sig själv om att den kunde komma. Men innerst inne trodde hon aldrig att hon skulle behöva uppleva den. Att det var sådant som bara hände andra. Det trodde väl alla.

Men nu var den inne. Stunden. Den borrade sig in i henne och lade sig bakom skriket. Och hålet i magen växte sig ännu större och ännu svartare.

"Vi är från polisen", sa Randi Johansen lågt och sträckte fram handen.

Berit Geber kände en våldsam röd värme fara genom kroppen. Värmen var en isande kyla som kom och kom och kom.

Randi Johansen såg hur kvinnans ansikte långsamt rämnade. Hon insåg att den här modern, från och med nu och i evig tid, skulle vara tillintetgjord.

Efteråt satt hon hopsjunken i den vackra soffan i det ljusa vardagsrummet och berättade med låg röst för utredarna att hennes man hade hittat dotterns bil på parkeringsplatsen uppe vid Semsvann kvällen innan. "Bilen var låst och nyckeln borta. Vi kontaktade polisen med detsamma", grät hon, "och berättade att Therese var försvunnen. De frågade om hon var självmordsbenägen, men det var hon ju inte. Vi sa att hon inte var det, men de trodde oss inte." Berit Geber dolde ansiktet i händerna. Hon tänkte på regnet som hade trummat mot taket tidigt i morse. Hon hade egentligen vetat det redan då.

Plötsligt gick det upp för henne vilket enormt arbete hon hade framför sig. Det skulle ta månader, kanske år, innan hon skulle kunna känna en liten smula glädje igen. Hon tog sig samman och försökte slå tankarna ifrån sig. Hon kunde inte sitta här och räkna på hur länge det skulle dröja innan hon kunde leva igen. I stället måste hon koncentrera sig och tänka på Gud. Tanken var gul och stark men slocknade igen med detsamma. Hon orkade inte med tanken på Honom, som skulle vara hennes ljus och liv. Han som skulle leda henne genom det djupaste mörker. Hon slog Honom ifrån sig med ett styng av dåligt samvete och lyfte ansiktet ur händerna. Hon mötte utredarnas blick och reste sig nervöst och frågade om de ville ha kaffe.

"Ja, tack", sa Roger Høibakk snabbt. Men Randi Johansen skakade huvudet. "Jag ska koka kaffe åt dig i stället", sa hon.

Då bröt Berit Geber samman i häftig gråt. Randi satte sig bredvid henne i soffan och lade armen om henne.

Roger Høibakk gick bort till fönstret. Han halade upp kammen ur bakfickan och drog den ett par tre gånger genom sitt mörka hår. "Fan", mumlade han för sig själv med stela läppar. Han avskydde den här delen av jobbet.

"Min man och ungdomarna är fortfarande ute och letar", grät Berit Geber. "Jag hade alldeles glömt bort dem. Tanja också", tillade hon. "Thereses tvillingsyster. De har varit ute hela natten."

"Så polisen har inte varit med och letat?" Randi talade lugnt och med låg röst.

Berit Geber skakade på huvudet. "De sa att hon säkert skulle komma till rätta igen, att de inte hade resurser. Men de trodde nog egentligen att hon hade tagit livet av sig där ute. Min man har fått ordna allting själv. Han vet ingenting än", sa hon. "Herregud, han vet ingenting." Hon reste sig och började hektiskt vanka av och an i vardagsrummet.

DET HÖGA GRÄSET var visset och gult. Det låg kletat mot marken efter regnskuren. De hade letat hela natten. De var kalla och våta. Regnet hade kommit vid femtiden. Det hade visserligen inte varat så länge, men det var kraftigt medan det pågick. Rolf Geber hade känt skräcken växa där han sprang omkring och letade. Den gula käglan från ficklampan såg ut som en ond sol.

Luften var fuktig. De hade traskat kors och tvärs igenom skogen, men ändå på måfå. Rolf Geber var besviken på polisen. Det var inte acceptabelt att avfärda oroliga anhöriga på det sätt de hade gjort. Men polisen hade inte resurser att leta efter självmordsbenägna personer, som de uttryckte sig.

Therese Geber var nitton år, och hon hade bara varit borta i ett dygn. I regel kom de till rätta igen. Polisen hade försökt lugna honom. "I nittionio procent av fallen kommer de tillbaka igen", hade vakthavande sagt. Han hade tillagt att hon kanske hade träffat någon.

Rolf Geber var en kraftig, inte särskilt lång man med vänligt utseende. Skräcken för att hitta dottern död, kanske halvvägs nere i en myr, ersattes av den allra värsta vissheten när han fick underrättelsen via mobiltelefonen. Therese hade, som polismannen vid Asker og Bærums polisstation hade sagt, träffat någon. Hon hade träffat en mördare. Hon var död. Therese hade hittats, och hon var död.

Han kunde inte förmå sig att fråga polisen, som presenterade sig som Roger Høibakk, om var de hade hittat henne. Han hade nog med att ta till sig tragedin. Men han förstod inte riktigt. Han hade sagt något om att hon hade hittats inne i Oslo. Han ville inte förstå. Men han hade sagt att hon hade hittats, och att hon var död.

Rolf Geber satte sig på en sten som bara var en sten. Han hörde de svaga ljuden från träden. Han hörde vattnet som kluckade från en liten bäck, och ljud från djur som prasslade i buskarna. Platsen bar bilderna mot honom. Viskade att döden var en stor käft. Av jord är du kommen. Jord skall du åter varda.

Musklerna i ansiktet drog mungiporna nedåt. Han kämpade desperat mot gråten. I halsen hade ett häftigt illamående bitit sig fast.

Han hörde rösterna närma sig, men han tittade inte upp. Han såg deras fötter med gummistövlar och joggingskor som var grå av vatten och lera. Ungdomarna som hade hjälpt till att leta stannade framför honom.

Den täta skogen öppnade sig inuti hans huvud, om och om igen. Den täta skogen, med vassa grenar och mörka träd och tjärnar och högt gräs.

Beskedet han nyss hade fått sköt som en blixtrande fysisk smärta genom hans kropp.

"Pappa?" Tanja kom tveksamt ända fram till honom, lutade sig lätt mot honom och lade handen på hans axel.

Han hörde att hon var rädd, men han kunde ändå inte svara.

"Vad är det, pappa?" Hon såg på mobiltelefonen som han satt med i handen, och hon visste att han hade fått beskedet.

Tanja Geber stirrade ett litet ögonblick ner på fadern, sedan vände hon helt om och trängde sig förbi kamraterna. Hon var inte medveten om dem. Gick bara lugnt över den öppna gläntan, över ett djupt, lerigt dike och vidare längs den smala vägen bort mot bilen. Hon grät inte. Hon mötte en man som var ute och joggade och en kvinna med en hund och ett barn i bärsele på ryggen.

Hon bara gick och koncentrerade sig på att andas. Men i korta, fragmentariska stötar lade sig tyngden av förlusten till rätta i mellanrummen mellan hennes hjärtslag och kämpade för att övertyga hjärnan om att sanningen verkligen var sann. Therese var död. Hon lyfte handen till ansiktet och kände att det rann ur ögonen på henne. Sedan började hon springa.

BENTE ISAKSEN PARKERADE på en ledig plats och steg ur bilen. Det var länge sedan hon hade varit här. För två år sedan hade hon smugit runt här en sen kväll och spionerat på Sigrid genom ett fönster i trappuppgången i huset mittemot. Svartsjukan hade brunnit som en het låga inom henne. Hon hade varit i total obalans och inte vetat själv vad hon kunde komma att hitta på. Men den dominerande känslan hade ändå varit sorg. Nu kände hon hur något av samma sorgliga stämning återvände.

Så här i efterhand förstod hon att hon hade sökt upp mannens älskarinna som ett slags experiment i självplågeri. Det hade fungerat bra. Det hade tvingat henne att gå ända till botten med sig själv.

Cato hade berättat att Sigrid hade skaffat sig en pojkvän, en lärare som tydligen var anställd vid samma låg- och mellanstadieskola som hon. Det kändes skönt att höra. Det gjorde allting mycket lättare. Vissheten om den här pojkvännen dämpade rädslan för att Cato skulle lämna henne igen.

Hon gick bort till en telefonkiosk och ringde hans mobilnummer. Han svarade med detsamma, och hon berättade för honom att hon tänkte hämta Georg. Att hon faktiskt redan var inne i stan. Hon hörde på hans röst att han blev förvånad. "Jättebra, Bente", sa han varmt, "tack ska du ha. Jag kommer givetvis så fort jag kan, men du vet ju hur det är", tillade han.

Hon öppnade den bruna porten med det ojämna blyglasfönstret

och steg in i den mörka trappuppgången. En trehjuling och en barnvagn stod borta vid brevlådorna. En hög med reklam som ingen ville ha låg slängd borta i ena hörnet.

Det luktade mat. Kokt fisk eller något. Väggarna bar spår av ålder. Målningen flagade på flera ställen.

Hon lade handen på ledstången och återupplevde känslan av smärta. Allt kom tillbaka. Lukten och den dunkla belysningen utlöste de plågsamma minnena. Den förtvivlade känslan av ensamhet och övergivenhet som kändes som en obotlig sjukdom. Den satt plötsligt på plats i mellangärdet igen. Hon blev stående en liten stund innan hon tog sig samman och började gå uppför trapporna.

Hon förstod inte riktigt varför Sigrid fortfarande bodde kvar inne i stan. Hade hon inte ständigt talat om att pojken skulle ha haft det bättre någon annanstans? Någonstans med frisk luft, någonstans där han kunde gå ut och leka ensam.

Fyra trappor upp stannade hon framför dörren, som fortfarande var grönmålad, och samlade sig en smula innan hon ringde på. Skylten där det hade stått Cato och Sigrid var givetvis borttagen. Nu fanns bara två små hål efter skruvarna. Hennes hjärta hamrade i takt med stegen som närmade sig innanför dörren. När Sigrid Velde öppnade ryckte hon ändå till av det knäppande ljudet, som fortplantade sig längs stenväggarna som ett litet eko. Mekaniskt backade hon en halvmeter.

"Hej", sa hon snabbt och försökte le.

Sigrid öppnade dörren helt och tittade förvånat på henne. "Å, är det du", sa hon och strök undan en ljus hårlock som hade lossnat ur hästsvansen. Hon såg trött ut. Hon kastade en blick på sin klocka.

"Du kommer tidigt", sa hon.

Bente nickade. "Cato fick ett fall", sa hon, "som vanligt", tilllade hon och log hastigt en gång till.

Sigrid såg forskande på henne. Det bleka ansiktet var helt osminkat. "Det där vet vi väl allt om båda två", sa hon allvarligt.

Bente såg genast att Sigrid var gravid. Hon hade en välformad bula på magen. Hon kunde kanske vara i sjätte månaden. Den ljusa tunikan hade en syltfläck längst ner till vänster. En tung matlukt osade från lägenheten. Det var härifrån det luktade kokt fisk.

Georg kom tultande i strumpbyxor och tröja. Han hade en stor bil i famnen och röda syltrester kring munnen.

"Han tycker inte om fisk", sa Sigrid, "så han har ätit smörgås med sylt." Hon ryckte hastigt på axlarna. "Jag orkar inte bråka för jämnan", urskuldade hon sig.

"Han ska få middag ute hos oss", sa Bente, böjde sig ner mot pojken och sa käckt: "Hej."

Men pojken lät sig inte bevekas. Han svarade inte, tittade bara på modern och vände sig sedan om och ställde ifrån sig bilen på golvet. Han började ge ifrån sig höga brummanden medan han häftigt drog bilen fram och tillbaka över det brunmålade golvet.

"Men kom in, vet jag." Sigrid tog ett par steg bakåt, och Bente steg in i den avlånga hallen.

"Jag hoppas att det inte gör något att det är jag som hämtar honom", sa hon och stack ner händerna i kappfickorna, "men Cato hade faktiskt inte kunnat komma ifrån förrän sent i kväll."

Sigrid skakade på huvudet. "Nej då", sa hon trött, "men han kommer väl hem innan pojken ska lägga sig? Jag vill ju gärna att Georg ska träffa sin pappa så mycket som möjligt."

"Det är klart", sa Bente.

Sigrid blev stående och betraktade henne. Ett trött litet leende gled över hennes mun. "Du har väl sett det?" Hon lade ena handen över magen. "Cato har kanske berättat det också?"

Bente nickade. "Ja", sa hon snabbt, trots att det inte var sant. Cato hade inte sagt ett ord om Sigrids graviditet. "Hur långt är du gången?"

"Drygt fem månader."

"Så roligt", sa Bente men hörde genast hur dumt det lät. "Ja, det är ju trevligt för Georg att få syskon."

Sigrid vände sig bort till hälften. Bente insåg för sent att hon hade sagt något dumt. "Ja, han har förstås Gard och Vetle", började hon, "men de är så stora. Gard är ju sjutton."

Sigrid stod kvar med ryggen mot henne. Hon öppnade den översta lådan i en gammal avlutad byrå. Hon tog fram en jacka och en täckoverall. "Han ska flytta in här", sa hon och vände sig mot henne igen.

Ett kort ögonblick kände Bente den gamla skräcken skölja igenom kroppen i en våldsam våg. Med en kraftansträngning tog hon sig samman.

"Pappan?" frågade hon.

Sigrid nickade. "En kollega", sa hon.

"Så roligt. Vad heter han, din pojkvän?"

Sigrid blev plötsligt osäker. Det kom något trotsigt över henne. "Hamza", sa hon snabbt.

"Jaså", sa Bente och vände sig mot Georg, som räckte henne sin stora bil.

"Han är hemspråkslärare", fortsatte Sigrid och tog fram en liten väska.

De båda kvinnorna såg på varandra, och Bente kände plötsligt en stark värme för Sigrid. Hon kunde ha tyckt om henne. De kunde ha blivit goda vänner under andra omständigheter.

"Jag var hos svärmor i går", sa Sigrid plötsligt.

"Svärmor?" Bente såg förbryllat på henne.

"Ja, förlåt, jag kallar henne fortfarande svärmor. Catos mamma", tillade hon.

Bente letade efter en skymt av skadeglädje i hennes ansikte men hittade ingen.

"Jag vill att Georg ska ha en relation till sin farmor, förstår du.

45

Mina föräldrar är ju döda båda två."

Bente nickade. Catos mamma var *hennes* pojkars farmor också, men det var länge sedan de hade hälsat på henne på sjukhemmet. Cato orkade inte, och pojkarna hade alltid annat för sig. Men hon bestämde sig på fläcken för att hämta svärmodern och ta henne med ut till Asker. Kanske redan i nästa vecka. Eller kanske hellre till jul. De skulle ju resa bort några dagar under höstlovet, hon och Cato och pojkarna. Bara de fyra.

Georg stretade emot när Sigrid böjde sig ner för att sätta på honom overallen. Han ville ha med sig sin röda brandbil.

"Ska ha med den till pappa", sa han bestämt och räckte ut tungan åt modern. Sigrid tittade bort på Bente. "Den är kanske för stor, vännen min", sa hon. "Och gör inte så där är du snäll. De lär sig allt möjligt på dagis", sa hon och skakade på huvudet.

"Det går så bra", sa Bente. "Han kan ta med sig brandbilen om han vill."

"Ja", sa Georg högt, "det vill jag." Sedan började han gnola på en melodi.

CATO ISAKSEN KÖRDE TILLBAKA till polishuset. Han fick ett samtal från Roger Høibakk, som bad honom skicka ut ett par brottsplatsundersökare till Semsvann i Asker.

"Bilen hittades där redan i går kväll", sa han, "av den mördades far. Den var låst, och nyckeln var borta. Dessutom måste du skicka upp någon till Wergelandsveien, till Kunstnernes Hus. Therese Geber och hennes väninnor var där i onsdags kväll. Det var där hon sista gången sågs i livet. Hon skulle visst bara ut till bilen för att hämta en veckotidning eller vad det var. Bilen stod parkerad alldeles utanför", sa han allvarligt, "på andra sidan gatan, mot Slottsparken."

"Ett ögonblick." Cato Isaksen förde handen till pannan. Febern dunkade i tinningen. "Det här liknar ju ingenting. Liket hittades i hamnbassängen och bilen i Asker. Hur har den kommit dit? Sa du inte att hon sista gången sågs i livet vid Kunstnernes Hus?"

"Hon gick till bilen på Wergelandsveien vid tjugoettiden i onsdags kväll, eller, för att vara helt exakt, strax efter tjugoett. Hon var i sällskap med tvillingsystern och ett par andra väninnor. De hade först varit på höstutställningen, och efteråt satte de sig på kaféet och drack vin och pratade. Familjen säger att de inte förstår någonting av händelseförloppet. Men Therese Geber gick ut till bilen för att hämta något. Sedan dess är det ingen som har sett henne."

"Ja, enkelt ska det tydligen inte vara", sa Cato Isaksen uppgivet. "Hon kanske stötte ihop med mördaren ute vid bilen, är det det du menar?"

"Jag vet inte", sa Roger Høibakk. "Men det skulle vara bra om du kom ut snart. Pappan och systern och vännerna är på väg hem."

Cato Isaksen lovade att komma så snart han kunde. Han lade på luren och ringde omedelbart till Ellen Grue på mobiltelefonen och begärde att få ett par brottsplatsundersökare till Semsvann och ett par till Wergelandsveien. Själv skickade han två taktiska utredare till Semsvann och tog därefter med sig Asle Tengs och körde raka vägen upp till Kunstnernes Hus.

Han ringde till Roger Høibakk på mobilen igen och bad att få tala med tvillingsystern. Tanja Geber kom till telefonen. Cato Isaksen presenterade sig och undrade om hon kunde ge honom en exakt beskrivning av var bilen hade stått parkerad. Han hörde på hennes röst att hon hade svårt att koncentrera sig, men han betonade hur viktigt det var att de kom i gång med spaningarna omedelbart.

Tanja Geber försökte förklara var bilen hade stått. Cato Isaksen tackade och sa att han snart skulle komma ut till Asker.

Brottsplatsundersökarna tog genast itu med att spärra av området. Cato Isaksen traskade ett litet stycke in i Slottsparken. Även här pågick gräv- och anläggningsarbeten. En grävmaskin höll på att gräva upp ett område som var inhägnat med ståltrådsstängsel. Två stora jordhögar och en mindre reste sig som små berg mellan de kraftiga trädstammarna. En smutsig presenning låg hopvikt intill den minsta jordhögen.

Den kraftiga regnskuren samma natt hade gjort gräset, som fortfarande var grönt, fuktigt och halt. De våta höstlöven som låg klistrade vid marken var mörkt orangefärgade och gula.

Han kastade en blick på klockan. Bente hade åkt i väg för att hämta Georg. Det dåliga samvetet vällde upp inom honom. Men han kände också lättnad. Även om han visste vad det kostade Bente att hämta pojken fick han mer lugn och ro på det här sättet.

Han stod försjunken i egna tankar när en sjavig figur kom linkande mot honom. Han uppenbarade sig som ett spöke bakom jordhögarna eller någon annanstans ifrån. Han steg liksom rakt ut från ett av träden, och han var tunnklädd och smutsig och mycket mager. "Har'u en tia till en kopp kaffe?" frågade mannen, som var i trettioårsåldern, hest. Cato Isaksen såg på missbrukaren. Han störde hans tankar. Mannen bad än en gång om pengar. "Jag svälter ihjäl", sa han. Cato Isaksen såg på honom. "Du såg inte något särskilt här i onsdags kväll vid niotiden?" frågade han. Mannen kastade en ängslig blick på honom innan han sa att han inte visste någonting. Han vände om och haltade tillbaka igen.

Cato Isaksen drog jackan hårdare om sig och tittade efter den bruna, smala ryggen som försvann i riktning mot slottet. De här ömkliga vraken till knarkare provocerade honom. Han kunde inte riktigt tycka synd om dem. De hade väl sig själva att skylla för att de hade hamnat där de hade hamnat.

Han gick tillbaka till trottoaren och ringde till Roger Høibakk på mobilen igen. Han sa att han tänkte köra tillbaka till polishuset och samordna de första rapporterna och informera Ingeborg Myklebust. Därefter skulle han komma efter ut till den mördades föräldrar. "Är det okej?" frågade han.

"Dum fråga", replikerade Roger Høibakk trumpet.

Ingeborg Myklebust var inte anträffbar. Hon satt i något sammanträde. Han lämnade ett meddelande till henne och ringde upp Ellen Grue. Hon hade ingenting nytt att meddela. Blodet från Aker Brygge hade emellertid skickats till analys.

Eftersom han ändå skulle ut till Asker planerade han att titta in en stund hemma sedan han hade varit hos familjen Geber innan han åkte tillbaka till polishuset och arbetade vidare med mordutredningen under kvällen. Han hoppades innerligt att

Bente inte skulle arbeta natt.

Medan han körde utåt tänkte han på det förestående mötet med Therese Gebers föräldrar. Det värsta han visste var att söka upp de anhöriga. Ofta bet sig deras smärta och skräck fast i honom och blev kvar hela natten och flera dagar efteråt. Han visste att han aldrig skulle vänja sig vid det.

Han hade lärt sig att tolka och läsa människor. Han hade träffat otaliga anhöriga under årens lopp. Det allra värsta var när offret var en ung människa eller ett barn. Han kände illamåendet stiga i halsen. Det avlöstes av en häftig hostattack.

Fredagsköerna hade börjat trots att klockan bara var halv fyra. Efter att ha stångats i raden av bilar från Lysaker till Høvik kände han plötsligt att han var hungrig. Det slog honom att han inte hade ätit lunch. Han bestämde sig för att stanna och ta sig något att äta. Han behövde samla sig litet. Han svängde av vid Ramstadsletta, parkerade bakom bensinstationen, gick in i kafeterian och köpte sig en köttbullssmörgås och en kopp kaffe. Köpte Dagbladet och slog sig ner vid ett av fönsterborden. Han tänkte med bävan på vilken huvudnyheten skulle bli i morgondagens tidning.

TICKANDET FRÅN DET STORA GOLVURET markerade obarmhärtigt att tiden trots allt inte hade stannat. Tiden gick inte, den kom smygande i svarta skor.

Cato Isaksen blickade ut över den dystra församlingen som bestod av den mördades föräldrar och tvillingsyster och fem kamrater. Ett pappersark fladdrade ner på golvet när alla reste sig samtidigt för att hälsa på chefen för utredningen.

Han försökte verka intresserad av var och en, i synnerhet när han hälsade på den närmaste familjen, men förkylningen försämrade hans koncentrationsförmåga. Ondskan bestod av många rovdjur. Det var hans uppgift att bura in mördarna. "Jag vet att det här är en ändlös sorgens dag för er allihop", började han och såg på den mördades föräldrar och syster och vänner i tur och ordning. De hade letat hela natten och bara varit hemma för att byta om. Han satte sig på stolen som en mörkhårig ung kvinna med en glänsande ring i ögonbrynet och höga platåskor hämtade åt honom.

"Gud är med oss i medgång och motgång", mumlade Berit Geber tappert. Men hennes yttrande väckte ingen respons hos de övriga.

Cato Isaksen såg sig hastigt om i det ljusa vardagsrummet. En stor blommig kretongsoffa. Konst på väggarna, glasbord, ett piano fullt av familjefotografier och ett gammalt, vördnadsbjudande matsalsmöblemang.

Han kunde inte låta bli att låta blicken dröja extra länge vid en mindre söt, rent ut sagt fet flicka. De jättelika låren flöt ut över stolssitsen, och de knubbiga fingrarna låg sammanflätade i en hård knut i knäet. Hon verkade ytterst illa till mods där hon satt framåtböjd med det bruna håret som en gardin framför ansiktet.

Han fäste sig också vid offrets mor, som satt hopsjunken i soffan och tittade ner på den hopknycklade pappersnäsduken hon hade i händerna. Ögonen var bara små blanka springor. Chocken hade etsat sig in i varje drag i hennes ansikte. Du har slutat leva för lång tid framöver, tänkte utredaren.

"Gud är med oss, det är Han sannerligen", upprepade hon lågt.

Cato Isaksen avskydde verkligen sådana här sammankomster. Han ansträngde sig ihärdigt för att inte låta sig påverkas. För att bilderna av de sörjande människorna inte skulle dyka upp som ansikten inuti andra ansikten han mötte. För att deras röster inte skulle fara upp som gubben i lådan när han sov eller vilade.

Systern var ljus och smal. Hon satt bredvid fadern, som förtvivlat kramade hennes hand. Tanja Geber såg hjälplöst på spaningsledaren.

Den tjocka flickan hette Hanne Marie Skage, den svarthåriga väninnan med platåskorna hette Ida Henriksen. Hon följde honom intensivt med sin hårda blick hela tiden. Hennes pojkvän verkade litet äldre än de andra. Så var det också. Taxichauffören Teddy Holm var tjugofyra, berättade han. Tanja Gebers pojkvän hette Marius Berner och var nitton. Han var en stilig ung pojke med lockigt, mörkblont hår.

Den sista personen i rummet var en vän som bara var med, som han själv sa. Han var sjutton år gammal och hette Rudolph Vogel men kallades Mongo. Han hade ett typiskt mongoliskt utseende, smala ögon och svart, halvlångt hår med mittbena.

"Jag är norrman", sa han och fortsatte: "Min pappa är från

Norge och min mamma är danska, hennes föräldrar var grönländare. Men jag är norrman", sa han en gång till. "Han som jag bor tillsammans med nu är för övrigt bara min styvfar. Min ursprungliga pappa bor i Canada numera."

Randi Johansen antecknade diskret upplysningarna i ett litet block.

Det var tydligt att Rudolph Vogel var van vid att alltid behöva förklara sitt namn och sitt utseende.

Cato Isaksen såg på honom och förundrade sig i sitt stilla sinne över uttrycket *min ursprungliga pappa*.

Rolf Geber släppte dotterns hand, rätade på sig i soffan och såg betryckt på chefen för utredningen. "Det ligger ju i allas intresse att fallet blir uppklarat så fort som möjligt", sa han lugnt. Han funderade en liten stund. "Har ni kommit fram till något som helst? Jag menar, har ni någon misstanke om vem det kan vara?"

Cato Isaksen skakade på huvudet. "Nej, tyvärr", sa han vänligt. "Det är nog litet för tidigt. Vi får räkna med att det här fallet kommer att ta tid. Förutsatt att det inte plötsligt dyker upp någonting", tillade han, "något som kastar nytt ljus över saken. Jag måste tyvärr plåga er med några frågor och en del upplysningar redan nu", fortsatte han. "Roger och Randi har säkert ställt en del frågor redan, men jag hoppas att ni orkar en stund till."

De församlade nickade beklämt.

"Hade Therese någon pojkvän?" började han.

Systern skakade energiskt på huvudet. "Nej", sa hon bestämt, "inte just nu."

"Blev hon våldtagen, är det det du försöker säga?" Teddy Holm tände en cigarrett.

Frågan utlöste låga snyftningar hos offrets mor och syster.

"Det vet vi ingenting om än", sa Cato Isaksen och reste sig och gick bort till pianot. Ett av fotografierna föreställde två blonda småflickor i sjuårsåldern, iförda folkdräkter och med flaggor i händerna. Ett annat föreställde tre småflickor i en båt.

"Vi har en dotter till", sa Rolf Geber och lyfte upp fotografiet. Han hade rest sig och följt efter Cato Isaksen bort till pianot. Han harklade sig försiktigt. "Karen", sa han. "Hon är i skolan, ja, vi tvingade henne att gå. Vi ville inte att hon skulle vara med och leta."

"Hon vet inte vad som har hänt", sa Berit Geber stilla. "Hon är bara sexton."

"Var de båda äldsta flickorna enäggstvillingar?" frågade Cato Isaksen.

Rolf Geber suckade tungt. "Nej", sa han, "de … är inte det. Förlåt, *var* inte det, menar jag."

"Men de var väldigt lika", sa Berit Geber. "Väldigt, väldigt lika", upprepade hon.

"Nej", sa Tanja Geber häftigt. "Det vet du att vi inte var, mamma. Therese och jag var inte lika."

Cato Isaksen betraktade dem i tur och ordning. Modern sjönk liksom ihop ännu mer, medan Tanja Geber rätade på ryggen.

"Roger Høibakk och Randi Johansen har säkert informerat er om hur hon hittades", sa Cato Isaksen för att bryta den spända stämning som hade uppstått.

"Ja, i vattnet vid Aker Brygge", sa Rolf Geber tonlöst.

Cato Isaksen nickade och gick tillbaka till stolen. "Det är ganska märkligt alltsammans", sa han. "Vi förstår inte riktigt hur bilen har hamnat här ute. Det är det som gör att vi redan nu utvidgar spaningarna. Vi hoppas hitta någon form av organiska spår, och givetvis fingeravtryck", sa han.

Ungdomarna såg på varandra. "Ni kommer att hitta våra fingeravtryck också", sa Ida Henriksen. "Alla har kört bilen. Jag har inte körkort än, men jag har provkört den i Føyka flera gånger. Det har han också", sa hon och nickade mot Mongo, som sänkte huvudet och rodnade.

"Jag har också ofta kört den", sa Teddy Holm lugnt och rullade en tjock guldlänk fram och tillbaka över den kraftiga handleden. "När jag inte hade taxin tillgänglig. Den är inte min, jag kör åt någon annan", sa han snabbt. "Vi kallade Opeln för gamla Brunte. Det var alltid något fel på den. Jag har mekat med den av bara den."

"Men det var Therese som ägde den", sa Tanja Geber hårt. "Det var hennes bil. Hon köpte den för ett par tusen."

"Men den har inte varit på kontrollbesiktning", sa Rolf Geber lugnt. "Den skulle aldrig ha gått igenom."

"Nej", instämde Teddy Holm. "Det skulle den aldrig ha gjort."

De fyra flickorna, Therese, Tanja, Ida och Hanne Marie, hade varit på höstutställningen och avslutat kvällen med en god måltid och en flaska vin på Café Arcimboldo. Therese hade inte druckit något, bara mineralvatten, eftersom det var hon som körde. Ingen av pojkarna hade varit med.

"Hon skulle bara ut till bilen för att hämta en veckotidning", sa Ida Henriksen och fingrade frånvarande på ringen hon hade i ögonbrynet. "Det var något hon skulle visa oss, något med en ny bantningsmetod som gick ut på att äta som vanligt men bara dricka mer vatten. Eller någonting ditåt", sa hon. "Men sedan kom hon aldrig tillbaka."

Den tjocka flickan satt fortfarande alldeles tyst.

"Det var jag som gick ut till slut", sa Tanja Geber. "Därför att det tog så lång tid. Det var då jag såg att bilen var borta. Jag trodde att hon kanske hade blivit sur för något och bara kört hem eller så."

"Men vi visste ju att det var något som inte stämde", sa Ida Henriksen snabbt, "för hon var inte sur för något. Inte då."

"Men Therese blev ofta sur", sa Teddy Holm.

Ingen av de andra protesterade.

"Hon var liksom den som bestämde", sa Mongo.

Ida Henriksen lade armarna i kors. "Jag håller inte med", sa hon. "Therese var Therese. Hon bestämde inte mer än vi andra."

"Inte mer än du, kanske", sa Tanja Geber.

"Lägg av", sa Marius Berner hårt, "Therese är död."

Cato Isaksen satt och försökte komma underfund med vad den självsäkra, nästan fräcka Ida Henriksen såg hos den tröge, inte särskilt spännande taxichauffören Teddy Holm. Han hade redan blivit tunnhårig. Han hade ett hånfullt uttryck i ansiktet, som om han njöt av situationen. Cato Isaksen valde tills vidare att tolka det som nervositet. Han pladdrade på om att han körde åt en god vän som hade två bilar. Han verkade barnsligt fascinerad av bilarna. Lade ut texten om Mercedesen och Volvon. Sa att han tyckte bäst om Mercedesen. Teddy Holm stack ut från de övriga. Han passade liksom inte in. Bilden skar sig.

"Vi ska egentligen inte hålla något förhör nu", sa Cato Isaksen. "Vi föredrar att ni allihop kommer in till oss någon av de närmaste dagarna. Helst redan i morgon", sa han.

"I morgon är det lördag", sa Mongo.

"Jag är medveten om det", sa Cato Isaksen. "Det gäller att komma i gång med detsamma. Vi har folk i arbete på alla de tre aktuella platserna. Bilen har bogserats in för att undersökas. Vi kommer att inleda utvidgade spaningar redan nu", sa han.

Teddy Holm och Mongo såg på varandra. "Är vi misstänkta, är det vad du försöker säga?" Teddy Holm rätade nervöst på sig i fåtöljen.

Roger Høibakk såg på dem en stund innan han skakade på huvudet.

"Det här är formaliteter", förklarade han, "rena formaliteter. Men vi kan ju tillägga att det här med bilen gör bilden mycket oklar. Den hittades här ute, och vi är tvungna att vidta alla åtgärder. Ni måste hjälpa oss."

"Naturligtvis", sa Marius Berner.

"Men vi var ju inte ens där", sa Mongo osäkert, "på Arcimboldo, menar jag", fortsatte han. "Vad i helskotta ska vi kunna bidra med?"

FORMALITETER. Orden ekade som hammarslag i Berit Gebers huvud och utlöste en serie djupa, djuriska kvidanden. *I vattnet vid Aker Brygge. I vattnet vid Aker Brygge.* Hon bröt fullständigt samman i soffan. Hur skulle hon någonsin kunna bli sig själv igen? Den oron var ett ögonblick nära att slita henne i stycken. Hur skulle hon orka med det vansinniga arbete det innebar att leva vidare?

Ungdomarna skruvade oroligt på sig. Tanja Geber vände ryggen åt modern. "Jag fattar bara inte hur hon kan ha hamnat där", skrek Berit Geber och reste sig. "Hur hamnade hon i vattnet?"

Rolf Geber försökte hjälpa hustrun in i sovrummet. Det utlöste ett akut raserianfall hos henne. Hon vände sig mot honom och fräste: "Det var du som lät flickorna flytta!" Hon gick lös på honom med knytnävarna. "Jag sa det hela tiden, att det var fel, att de var för unga, att det skulle sluta med katastrof. Och bilen sedan! Sa jag inte till henne att det var idiotiskt att köpa den där bilen? Vad skulle hon med den till?"

Assistent Randi Johansen reste sig och banade sig fram till Berit Geber. "Det är ingen fara. Lämna henne i fred bara", sa hon vänd till Rolf Geber och lade händerna på kvinnans axlar.

Rolf Geber, vit i ansiktet av sorg och utmattning, sjönk tungt tillbaka i soffan.

"Allt ska vara så perfekt här, förstår du." Orden forsade ur Berit Gebers mun. "Inte ens nu får jag vara mig själv." Ordflödet avbröts av flera djupa snyftningar.

"Men mamma", sa Tanja Geber. "Det är ju du som vill att allt ska vara perfekt. Ja, med Gud och Jesus och allting."

Vännerna sänkte huvudena eller tittade bort. Hanne Marie Skage grät tyst.

Plötsligt stod en ljus, välklädd flicka i dörröppningen. Hon var en yngre kopia av Tanja Geber. Berit Geber sträckte på sig och förde pappersnäsduken till ögonen. Flickan släppte skolväskan direkt på golvet och kom sakta in i rummet. En orangefärgad solfläck dansade på hennes axel. Hennes ögon sög in bilden av alla som satt och stod i rummet.

CATO ISAKSEN KÖRDE RAKA VÄGEN hem efter mötet med Therese Gebers familj. När han ställde ifrån sig bilen på parkeringsplatsen kom den röda katten jamande emot honom. Han böjde sig ner och hälsade på den.

Till att börja med tyckte han att det kändes ovant att ha den i huset. Den stora, röda hankatten hade plötsligt en dag stått på två ben och kikat in genom altandörren. Fjortonåringen Vetle hade släppt in den och sedan envist hävdat att ingen ägde den. Katten, som såg välnärd och frisk ut, lade sig snabbt till ro i Cato Isaksens öronlappsfåtölj.

Vetle ansåg att katten var halvt ihjälsvulten och att den var skadad. Varken Bente eller Cato tyckte att det såg så ut.

Bente hade till att börja med ängsligt tittat i lokaltidningen, Asker og Bærum Budstikke, varje dag för att se om någon efterlyste den, men efter några veckor började hon slappna av.

Det som ändå avgjorde att de bestämde sig för att behålla djuret var att sjuttonåringen Gard, som inte var intresserad av någonting över huvud taget, visade ett tydligt intresse för katten. Han smekte den över ryggen och lät den sova i fotänden av sin säng om nätterna.

Cato och Bente behövde bara utväxla en blick, sedan insåg de det båda två: Katten måste få stanna.

Att hitta ett passande namn åt den röda katten var inte lätt. Cato föreslog Brand, som i Ibsens pjäs, men Vetle ville hellre att den skulle heta Brann, som i det norska ordet för eldsvåda.

Bente tyckte det var ett utmärkt namn. Den var ju röd som en eldsvåda, men Gard höll inte med. Både Bente och Cato såg intresserat på äldste sonen. Det var inte ofta han hade någon som helst åsikt. Gard ville att katten skulle heta Marmelad. Därför blev det så.

Gard nonchalerade fadern. Bente sa att Cato inte skulle ta så illa vid sig. "Det är åldern också", sa hon, "hade det inte varit det ena så hade det varit det andra."

Men Cato Isaksen tog illa vid sig. Någonting var förstört. Ibland kunde han bli så ursinnig över sonens tystnad och frånvaro att han brusade upp för minsta bagatell.

Gard gick andra året i Askers gymnasium, men han vantrivdes. Betygen var ingenting att skryta med, och bättre skulle de antagligen inte bli.

"VARFÖR HAR DU INTE SAGT något om att Sigrid väntar barn?" Bente gav honom ett snabbt ögonkast innan hon fortsatte att ösa upp köttgryta på hans tallrik.

"Sitta hos pappa", sa Georg och klängde för att komma upp. Cato Isaksen lyfte upp sonen, tryckte honom intill sig och kysste honom i nacken. Det luktade Georg om honom.

"Vad har det med saken att göra?" frågade han.

"Med saken att göra?" Hon satte tallriken på bordet framför honom. "Jag kände mig litet dum när jag upptäckte det. Jag visste inte om jag skulle låtsas som om jag kände till det eller inte."

Cato Isaksen såg uppgivet på henne. "Det spelar väl ingen roll", sa han. "Vi har väl ingenting med henne att göra?"

Georg hade stuckit tummen i munnen. "Nej, inte suga på tummen", sa Cato och drog ut fingret igen. Pojken började genast gråta.

"Har vi ingenting med henne att göra? Nej, vet du vad", sa Bente irriterat. "Du vet lika väl som jag att vi måste ha med henne att göra resten av livet." Hon satte sig på stolen mittemot och sträckte sig över bordet för att klappa Georg på kinden. "Inte gråta", sa hon med resultatet att pojken ilsket slog efter henne.

Cato Isaksen satte ner sonen på golvet. "Nu får det räcka", sa han trött. Han tog en mun mat och tuggade medan han drack några djupa klunkar av vattnet. Georg tultade snörvlande in i vardagsrummet.

Cato Isaksen kommenterade inte det som Bente hade sagt. "Vi har väl ingen apelsinjuice?" frågade han och torkade sig om näsan med servetten.

Georg fortsatte gråta. Han kom utfarande i köket igen. "Jag ska suga på tummen", sa han och stampade i golvet.

"Visst, visst", sa Bente. Hon reste sig och öppnade kylskåpsdörren. "C-vitaminchock, ja, det kan hända att det hjälper."

"Mamma", snyftade Georg plötsligt. "Vill till mamma."

Bente ställde fram juice på bordet. "Pojkarna häller den i sig som om det var vatten", sa hon och satte sig igen.

"Vill till mamma", upprepade Georg bedrövat och tittade sorgset på fadern. "Nu", sa han.

"Snart", sa Cato Isaksen och klappade sig på låret för att pojken skulle sätta sig i hans knä igen.

"Sedan?" frågade Georg och slutade gråta, "ska jag till mamma sedan?"

"Ja", sa fadern och lyfte upp honom igen. "Du ska sova här en natt och så en natt till. Sedan ska du till mamma."

"Ja", sa Georg och tittade bort på Bente. En tår trillade nedför hans runda kind. "Sedan ska jag till mamma. Och till Hamza", tillade han.

Fadern svarade inte. Han tyckte inte om Hamza.

"Jag visste inte att den här pojkvännen Sigrid har inte var norrman. Det har du inte heller sagt något om", sa Bente.

Cato Isaksen suckade ljudligt. Dunkande musik strömmade ner från övervåningen. "Det är Vetle", sa Bente. "Han gör läxor."

"Var snäll och be honom att dra ner ljudet." Cato Isaksen tog en klunk till av apelsinjuicen.

Bente reste sig och gick bort till trappan. "Vetle", ropade hon. "Vetle! Dra ner ljudet, är du snäll."

Sedan gick hon bort till kylskåpet och tog fram en liten klase vindruvor. "Titta här, Georg", sa hon, "här ska du få." Hon skölde av druvorna under kranen och lade dem på flaket på hans stora brandbil.

Pojken log och hoppade ner ur faderns knä. "Druvor", sa han. "Druvorna ligger i brandbilen."

Senare, sedan Vetle hade gått ut och de satt med var sin kaffekopp i vardagsrummet, ställde hon frågan en gång till. "Varför har du inte berättat för mig att hon väntar barn?"

"Men Bente" – han var uppenbart irriterad – "måste du fortfarande tjata om det där? Vad har det egentligen med saken att göra? Det är ju inte min unge hon väntar." Han såg irriterat på henne. "'Varför har du inte berättat ditten och varför har du inte berättat datten?' Jag berättar de saker som jag tycker är viktiga", avslutade han.

Bente satte ner kaffekoppen på bordet med en smäll. "Vilka viktiga saker pratar du om? Allt är inte saker, Cato. Du kunde ha talat om det för mig. Jag tycker om att veta vad som händer. Hon är Georgs mor, och Georg är din son. Nu ska han bli storebror, och det tycker jag faktiskt angår mig också. Vi kommer alltid att behöva ha med Sigrid att göra, hon angår oss faktiskt", sa hon och kände hur vreden brann inom henne. "Dessutom har hon varit och hälsat på din mor", tillade hon.

Cato Isaksen drog ett djupt andetag och ryckte uppgivet på axlarna. "Än sen då?" sa han. "Är det inte bra det heller, att hon hälsar på min mor?"

"När var du senast och hälsade på henne?"

"Det är faktiskt inte så länge sedan", sa han snabbt.

"Men varför har du inte berättat det i så fall? Det kunde du åtminstone ha berättat."

Cato Isaksen kände hur huvudvärken dunkade innanför pannbenet. Förkylningen hade tilltagit ytterligare. "Snälla Bente", sa han, "inte nu. Jag har ett fruktansvärt fall att hantera." Han skakade fram klockan. "Jag måste snart i väg igen", sa han.

"Nu?" Bente såg uppgivet på honom. Hon kände hopplösheten komma smygande. "Det är ju fredagkväll och Georghelg", sa hon och hörde själv hur dumt det lät när det sas på det sättet. Som om hon var en liten skolflicka som inte fick sin vilja igenom. "Men jag hoppas att du inte har glömt att jag ska jobba natt", sa hon.

"Men jag *måste* bara in igen", sa han. "Jag ska försöka vara tillbaka vid halvelvatiden."

Just då krafsade den röda katten på altandörren.

"Titta", sa Bente och gick bort till dörren. "Titta, Georg, katten."

"Kisse", sa Georg och reste sig från golvet, där han hade suttit och kört med sin brandbil. "Kisse", sa han och rynkade på näsan och spottade ut en druva på golvet. "Kärna", sa han.

Bente öppnade glasdörren, och katten klev in i vardagsrummet med högburet huvud och svansen i vädret.

"Kom här, Marmelad", sa Cato och plockade upp den halvätna druvan från golvet.

Bente stängde dörren och log. Den där katten hade redan åstadkommit både ett och annat. Hon bestämde sig för att inte driva diskussionen vidare. Cato var trött. Han var förkyld, och han kom direkt från ett uppslitande möte med föräldrarna till en död tonårsflicka.

"Var är Gard?" Cato Isaksen reste sig.

"Fråga inte så dumt", sa Bente. "Ute, så klart. Han är ju alltid ute numera."

"Och Vetle?"

"På fotbollsträning."

Mobiltelefonen ringde, och Cato Isaksen svarade med detsamma. "Ja", sa han med en resignerad blick på Bente. "Ja, ja", upprepade han, "jag är på väg."

Han gick bort till henne och lade handen på hennes arm ett kort ögonblick innan han fortsatte ut i hallen.

"Vi ska ju snart på höstsemester. Bara du och jag och pojkarna", sa han medan han drog på sig jackan. "Vetle kan väl passa Georg ett par timmar. Han är ju ledig i morgon."

Bente svarade inte. Hon gick ut i köket och började skölja av de blå middagstallrikarna. Hon lade märke till att mönstret såg ut som små korslagda svärd. "Jag börjar ju inte förrän klockan tio", sa hon. "Jag ska se till att få Georg i säng vid sju-åttatiden. Det går säkert bra för en gångs skull", sa hon och torkade händerna på kökshandduken.

GARD ISAKSEN SATT I BAKSÄTET på en gammal Volvo och väntade tillsammans med sina kompisar. Han skyndade sig att ducka när han såg fadern köra förbi i den blå Corsan.

"Fan", mumlade han för sig själv, "det var nära."

"Nära vad då?" Morten såg frågande på honom.

"Ingenting."

"Vem var det?" Mongo vände sig om och tittade på vännerna i baksätet.

"En idiot", svarade Gard och såg efter de röda bakljusen på bilen som försvann in i rondellen. "Han ska väl tillbaka och jobba som vanligt", mumlade han för sig själv och drog nervöst handen genom håret.

Fortfarande kände han något av den gamla rädslan för att allt skulle ta slut. Han hade den där allt tar slut-känslan i kroppen hela tiden. Han litade inte på fadern. Han var fortfarande främmande och annorlunda. Han tänkte på hur mycket han hade tyckt om sin pappa förr, men någonting hade gått sönder den där gången fadern lämnade honom. Nu hade han bestämt sig för att strunta i allt. Så kunde de ha det så bra. På något sätt måste han få ut sin aggression.

Georg stod i barnsängen inne i gästrummet och grät när Gard fyra timmar senare låste upp dörren och steg in. På byrån hittade han en lapp från modern där det stod att hon hade nattjour och att fadern arbetade. Hon skrev att han måste ta ansvaret tills fadern kom tillbaka. Gard fnös och snubblade över Vetles leriga fotbollsskor och glömde låsa dörren efter sig. Han kände sig yr och lätt illamående. Han började gå uppför trappan till övervåningen. Han hade inte ätit något sedan klockan fyra. Barngråten provocerade fram det välbekanta raseriet inom honom.

Den röda katten hade vaknat och hoppat ner ur öronlappsfåtöljen. Nu kom den nyfiket efter honom uppför trappan.

Gard vände sig om, tog ett par steg ner igen och satte sig. Han höll fram sina öppna händer till tecken på att katten skulle komma. Barngråten upphörde ett ögonblick men fortsatte snart oförtrutet igen. Djuret gned sig fram och tillbaka utmed hans lår och knä. Katten spann högljutt och såg på honom med halvöppna ögon. Han lyfte upp den och tryckte den mot kroppen. Han borrade ner ansiktet hårt i den mjuka nackgropen.

Plötsligt kände han hur trött han var. Han lyfte armen och luktade på sin jacka. Den sötaktiga haschlukten satt kvar i tyget.

"Fan", mumlade han och släppte katten, reste sig och fortsatte upp de sista trappstegen.

Han öppnade dörren till Vetles rum. Brodern hade glömt att öppna vädringsfönstret igen. Luften i rummet var tung och mörk. Broderns jämna andetag steg och sjönk.

"Mamma?" snyftade Georg frågande inifrån gästrummet.

Gard tittade bort på den halvöppna dörren.

"Mamma?"

Gard gick irriterat bort och öppnade dörren till gästrummet och kastade en ursinnig blick på halvbrodern.

Georg var svullen i ansiktet av gråt. "Mamma?" sa han en gång till.

"Din mamma är inte här", sa Gard hårt.

"Pappa?" sa pojken prövande.

"Han är inte här." Gard tog ett steg in i rummet, och Georg kastade sig snabbt ner och drog täcket över huvudet. Ett par djupa snyftningar hördes under täcket.

"Nu håller du käft", sa Gard och väntade en kort stund. Sedan gick han ut igen och smällde igen dörren hårt bakom sig. Inne i badrummet drack han en stor klunk vatten direkt ur kranen. Han kastade en blick på sitt frånstötande ansikte i spegeln innan han sjavade in i sitt ostädade rum och krängde av sig jackan och jeansen. Strumporna och T-tröjan behöll han på. Han slängde sig ner i den obäddade sängen och blev liggande en stund och stirrade ut genom fönstret på några tysta stjärnor. Han orkade inte resa sig igen för att dra för gardinerna. Han somnade nästan med detsamma.

Georg stod i barnsängen i det mörka rummet och lyssnade. Tystnaden växte hotfullt mot honom. Han var full av återhållen gråt. Han ville inte det här. Ville inte vara ensam i det här rummet. Ingenting tyckte om honom här, varken sängen eller täcket. Inte ens brandbilen. Den stod borta på det blå skrivbordet och stirrade på honom med två vita, illasinnade ögon. Han var rädd. Då gled dörren upp och katten kom inspatserande.

"Kissen", sa Georg och satte sig på huk i sängen och sträckte båda armarna mot det röda djuret. Katten hoppade upp i luften, som om den kunde flyga, och landade i den varma barnsängen och började genast slicka sig ihärdigt. Pojken sträckte ut handen och lade den på den mjuka ryggen.

UTREDARNA ARBETADE MED FALLET till långt in på natten. De hade samlats för att summera dagens resultat. Alla var där, frånsett Ingeborg Myklebust, som skulle komma senare, och Randi Johansen, som kände sig dålig och hade ringt och sagt att hon tänkte stanna hemma.

Mordutredarna hade inte mycket konkret information om mordet på Therese Geber. Just nu var det ingenting som stämde. Hela fallet verkade ytterst förvirrande, och de berömda röda trådarna lyste med sin frånvaro.

"Men vi har hittat spår i Slottsparken", sa Ellen Grue ivrigt och tog en klunk av det starka kaffet. "Vi lät stoppa grävningsarbetena omedelbart och har finkammat området. Det kan ha pågått en strid där i onsdags kväll. Om den har något med vårt fall att göra vet vi ju inte", sa hon. "Men det syns tydliga spår i en av jordhögarna. Som om någon eller något hade släpats längs marken. Dessutom finns det en del fotavtryck. Märkena är delvis utplånade, men vi har tagit flera bildserier som visar avtryck av en sko i storlek fyrtiotvå eller fyrtiotre. Men det mesta av mönstret från skosulan har tyvärr sköljts bort av regnet. Vi har emellertid lyckats förstora ett parti där sulmönstret med ränder och cirklar tydligt framgår. Det finns också märken i gräset som kan tyda på att det har förekommit slagsmål där", sa hon.

"Bravo", sa Cato Isaksen och tog emot rapporten hon sköt över bordet.

"Den är inte färdig än", sa hon. "Vi har många dagars arbete framför oss. Det är bara några stolpar."

"Okej", sa spaningsledaren. "Spåren kan givetvis härröra från andra personer", sa han. "En knarkare kom fram till mig i dag just när jag stod borta vid de där jordhögarna."

"Jag hoppas att du inte stod i jorden", sa Ellen Grue. Hon kastade en irriterad blick på honom. "Det kanske är dina fotavtryck vi har hittat", sa hon. "Jag tycker det är litet tråkigt att behöva tjata på er." Hon såg sig om runt bordet. "Ni får inte klampa omkring och förstöra spår innan vi har kommit."

"Jag har storlek fyrtiotre", sa Cato Isaksen. "Men jag klev naturligtvis inte i jorden, jag gick på gräset."

Roger Høibakk flinade. "Kan vi inte bara gripa chefen med en gång, då? Och bli klara med fallet", sa han.

"Och blodet på den öppna platsen vid Aker Brygge?" Cato Isaksen orkade inte le åt kollegans lustigheter. Febern hade stigit under kvällen. Lysrören i taket kastade ett obarmhärtigt, kyligt sken över de trötta utredarna.

"Jag skulle ha varit på trettioårskalas i dag", avbröt Preben Ulriksen. "Jag hade köpt ny kostym och allting. Och champagne." Kollegerna låtsades inte om honom. Preben Ulriksen skulle alltid på fest av ett eller annat slag.

"Blodet har skickats till analys", fortsatte Ellen Grue.

"Men det finns ju inga som helst samband här", sa Asle Tengs och lutade sig fram över bordet. "Till att börja med verkade det som om det här mordet var utfört i affekt, att det var någon tillfällig förbipasserande. Men nej." Han skakade snabbt på huvudet. "Bilen hittades ute i Asker. Det är definitivt något som inte stämmer här. Hur i all världen tar sig ett lik tillbaka in till stan igen och hamnar i hamnbassängen?"

"Det är ju inte säkert att hon var död när hon parkerade bilen där ute", sa Preben Ulriksen och tog ett par djupa klunkar ur flaskan med mineralvatten som han hade i handen.

Ellen Grue såg på honom. "Det är väl tänkbart att hon blev

mördad vid Aker Brygge?" sa hon. "Eller alldeles i närheten. Kanhända körde mördaren ut bilen till Asker efteråt för att förvirra oss?" Hon skakade på huvudet. "Det irriterar mig", sa hon, "det gör det verkligen."

"Det är bra för motivationen", sa inspektör Bjørn Thorsen trött och strök sig över sitt vågiga, bruna hår. Han hällde upp varmt kaffe ur den blanka termoskannan i sin pappmugg. "Det kan ju ha varit någon hon kände", fortsatte han. "Kanske de slogs eller grälade innan han drog henne med sig in i bilen. Hade hon någon pojkvän?"

Roger Høibakk skakade på huvudet. "Inte såvitt vi vet", sa han. "Men vi ska naturligtvis undersöka det närmare när vi tar in familjen och vännerna till formella förhör", sa han.

Stein Billington, som nyligen hade blivit befordrad till avdelningschef, böjde sig över papperet som Ellen Grue just hade delat ut. "Obduktionsutlåtandet har givetvis inte kommit än", konstaterade han lugnt, "men vi antar väl att hon dog av kvävning och inte av drunkning, är det inte så?"

Ellen Grue nickade. "Antagligen", sa hon.

Cato Isaksen betraktade Billingtons blanka hjässa. "Vet vi om hon hade blivit våldtagen eller sexuellt utnyttjad?" frågade han och såg på Ellen Grue.

"Jag talade med patologen tidigare under kvällen, och han gissade att hon inte hade det", sa hon. "Men han lovade att vi skulle ha en preliminär rapport på bordet tidigt i morgon bitti."

Dörren gick upp och Ingeborg Myklebust kom in i rummet. Hon började tala redan innan hon hade satt sig. "Tror ni inte att vi har fått in ännu ett fall?" sa hon. "Jag blir tokig av det här." Hon drog ut en stol och sjönk ner på den. "Jag måste låna er några timmar i morgon, till det andra fallet", sa hon och nickade mot Thorsen och Billington, som utbytte uppgivna blickar.

"Och hur går det här då?" frågade intendenten och såg frågande på Cato Isaksen. "Har ni kommit någonvart?"

"Egentligen inte", svarade han och tog upp sin näsduk.

"Det kan väl inte vara någon så märkvärdig uppgift för patologerna?" sa Ingeborg Myklebust med en irriterad blick på Ellen Grue, som om det var hennes fel.

"Jag samlar bara in teknisk bevisning", replikerade Ellen Grue, "de obducerar på för glatta livet där nere. Rapporten blir kanske klar redan i natt", avslutade hon.

"Hon hade allvarliga huvudskador också." Cato Isaksen tog upp tråden.

"Du har pratat med föräldrarna?" Ingeborg Myklebust grävde av gammal vana efter sina cigarretter i handväskan.

"Ja", sa Cato Isaksen och nös högljutt, "vi var där alla tre. Jag lämnade ett meddelande till dig."

"Jag har varit på Arcimboldo", sa Asle Tengs.

"Och vi har haft femton man i arbete hela dagen", konstaterade Cato Isaksen, "både i Asker och på Wergelandsveien och Aker Brygge."

"Och vi har inga misstänkta?" Ingeborg Myklebust såg på dem i tur och ordning.

"Nej", sa Cato Isaksen, "inte för närvarande."

"Men vi bör inte heller utesluta att vi kan ha med en slumpmässig gärningsman att göra." Asle Tengs reste sig.

"Hur kom hennes bil till Asker? Det är den centrala frågan", sa Cato Isaksen. "Får vi svaret på den har vi kommit ett stort steg vidare."

"Jag tror inte att det rör sig om någon slump", sa Roger Høibakk. "Jag tror att det är en ren avrättning."

Han reste sig, tog termoskannan och gick ut ur rummet. I samma ögonblick ringde telefonen.

Cato Isaksen gick bort till sitt skrivbord och lyfte luren.

"Hallå", sa han medan kollegerna runt bordet uppmärksamt följde honom med blicken.

Han hörde Vetles förtvivlade röst i luren. "Pappa, Georg skriker."

"Har du ringt till mamma?"

"Nej, hon jobbar natt."

"Ring till mamma", sa han och tillade: "Gard då, är inte han hemma?"

"Han sover, jag har försökt väcka honom."

De andra hade böjt sig över papperen igen och var i full färd med att utbyta tankar och idéer. Men Ellen Grue följde honom med blicken.

"Vi får prata om det här när jag kommer hem", sa Cato Isaksen trött.

"Men när kommer du då?"

"Ganska snart", avslutade han och lade på luren.

Roger Høibakk, som hade kommit tillbaka med nytt kaffe, flinade. "Att du inte föredrar att säga upp dig och leva på bidrag", viskade han och fyllde på nytt kaffe i hans kopp.

"Vår teori tills vidare måste vara att det här är ett slumpmässigt mord", sa Stein Billington när Cato Isaksen var tillbaka på plats. Han tillade att det inte fanns indikationer på något annat.

"De svåraste fallen har ju ofta en enkel lösning", sa Asle Tengs och instämde med Billington.

Cato Isaksen suckade. "Det ser ut som ett tillfällighetsmord", konstaterade han, "men jag vill ha in vännerna till förhör, och jag vill inte spilla någon tid i fråga om det här fallet. Jag vill att vi ska sätta till alla klutar omedelbart".

"Givetvis", sa Ingeborg Myklebust. "Vi kan ju inte dra några slutsatser innan vi vet någonting över huvud taget."

Strax efteråt ringde det på nytt. Det var Vetle igen.

I bakgrunden hördes Georgs gråt. "Vetle", sa Cato Isaksen allvarligt, "ta upp Georg i din säng. Ring mamma om det inte hjälper. Du ska få en femtiolapp av mig i morgon. Okej?"

"Okej då", sa pojken och lade på luren.

ÖGAT VAR ETT viktigt redskap. Omgivningarna var fientliga. Ögat var en vagabond och en skvallerbytta. Det absoluta intellektets säte. Han litade på sina instinkter och på sin intuition. Han litade på det som ögat berättade för honom.

De hundra fönstren i huset nedanför lyste ilsket mot honom. Kvällen var kall och klar. Himlen var svart och hopsydd av stjärnor. Han hörde dånet från bilarna genom glaset. Oväsendet lade ett störande ljud till bilden. Detsamma gjorde rörelserna från de röda och gula billyktorna som gled förbi likt glänsande pärlor nere på motorvägen.

Hans ögon fokuserade på bilden av de båda fönstren. Det stora vardagsrumsfönstret och det lilla sovrumsfönstret. Han koncentrerade sig på det stora vardagsrumsfönstret. Han såg på de unga kvinnorna som gick fram och tillbaka, som satte sig och reste sig igen. Det var helt uppenbart att den lilla skaran präglades av oro. Han stod blickstilla i mörkret och lutade pannan mot det kalla glaset.

Alldeles efter mordet hade det känts som om han hade en senapsgrumlig hinna för ögonen, som en dimma. Han kände sig yr. Det gjorde honom rädd.

Medan han körde från Kunstnernes Hus, i hennes bil, lyckades han ändå ta sig samman och fundera ut hur han skulle agera vidare. Men det kostade på att köra tillbaka för att hämta liket. Helst ville han bara fly. Köra långt bort. Men han hade lyckats ta sig samman.

Han hade kommit fram till att han måste göra något oväntat.

Följa ett mönster som egentligen inte var något mönster. Bara på det sättet kunde han försäkra sig om att de inte hittade honom. För han ville inte bli hittad. Det var det enda han var helt säker på.

Han hade mördat henne på ett ställe. Han måste göra sig av med henne på ett annat och sedan lämna bilen på ett tredje. Då blev det liksom inget sammanhang över huvud taget. Ingen logik de kunde följa. Han var inte så dum att han lämnade efter sig enkla lösningar likt en kedja som de bara behövde nysta upp.

Han hade inte planerat att slänga henne i vattnet. Det bara blev så. Först körde han bara runt i ett slags känsla av panik. Efter en stund, sedan han hade försäkrat sig om att de andra flickorna hade gått till tåget, körde han tillbaka och hämtade liket. Det gick utan problem. Det var sent och få människor ute. Han grävde fram henne ur jorden under presenningen. Hon var tung att bära.

Han körde omkring med liket i baksätet. I bagageutrymmet hade han hittat en sopsäck som han bredde över henne. Han körde runt i en timmes tid, tills han kom förbi Aker Brygge. Han körde ner förbi det nya Storebrandbygget. Vägen gick ända ner till vattnet. Han parkerade och tog en rekognosceringsrunda. Han kunde inte se någon. Han gick tillbaka till bilen, lyfte ur henne och kastade henne i vattnet. Plasket åstadkom ringar i hans nervsystem. Han tvingade sig att stå kvar en liten stund och lyssna. Men ingenting hände.

Sedan körde han tillbaka, genom rondellen och ut på motorvägen. Han körde till stationen i Asker och parkerade den gamla Opeln där. Sedan tog han en taxi tillbaka in till stan och hämtade sin egen bil, som fortfarande stod parkerad på Wergelandsveien. Han steg ur taxin vid SAS-hotellet. Låtsades som om han bodde där. Gick in i receptionen men vände om så snart taxin hade försvunnit och gick den korta sträckan upp till Kunstnernes Hus och hämtade sin bil.

Han körde tillbaka till Asker igen och parkerade sin egen bil bredvid Thereses Opel. Sedan körde han Opeln upp till Semsvann. Därefter gick han till fots tillbaka till Askers centrum och hämtade sin egen bil, körde upp till höghusen och parkerade bilen i garaget. Som om ingenting hade hänt.

Efteråt var han alldeles slut. Han kände sig som en golvad brottare. Han var genomfrusen och tappade upp varmt vatten i badkaret. Han hade skrapat hål på knäet mot en gren. Therese Geber hade bitit honom i handen. Han hade inte märkt det förrän nu.

Medan han klädde av sig lade han undan Noll Nalen. Han var trött på Noll Nalen. Han var rädd för honom. Nu måste han tillbaka till sig själv.

Han stod i fönstret och visste inte riktigt vad han kände. Bara att han hade varit inuti allsmäktighetskänslan ett par gånger. Han hade tämjt det gudomliga. Påtvingat världen sin egen kronologi för en kort stund. Ordet pares gick runt i huvudet på honom. Han kände sig verkligen förlamad. Det var den lilla bruna känslan han så ofta hade haft som barn som hade kommit tillbaka.

Givetvis visste han att det skulle komma en reaktion. Det var sunt att det kom en reaktion. Den var inte bara psykisk utan också fysisk. Han var öm i axlarna och överarmsmusklerna. Han var verkligen en golvad brottare. Ändå hade han vunnit matchen.

Han lade ansiktet tätt intill det kyliga glaset. Pannan vilade mot glaset. Glaset luktade glas.

Han stod i mörkret och stirrade ner mot fönstret i lägenheten där Tanja och Ida bodde. Therese var borta. Han hoppades att Tanja inte skulle flytta hem till föräldrarna. Det skulle smärta honom djupt.

BENTE VAR RASANDE. Hur kunde Cato ålägga en fjorton-åring att ta ansvaret för hans snedsteg? Hur kunde han ha mage att bara ge sig i väg när han hade Georg i huset och visste att hon skulle arbeta? "Du måste planera bättre", sa hon. "Du får sätta andra på de viktiga uppgifterna när du har Georg. Jag vill inte vara med om det här längre. Det är banne mig inte min unge, och inte pojkarnas heller", tillade hon.

Det var lördag förmiddag. Cato Isaksen orkade inte svara. Solen, som var till hälften dold bakom ett moln, hade en grå, trist rand. Häcken var brun. Han såg på alla de motbjudande färgerna som skymtade ute i den lilla trädgården. Trädgårdsmöblerna stod staplade på varandra med en grön presenning över. En flik av den hade blåst upp på ena sidan.

Georg satt i sandlådan utanför köksfönstret och trallade. Han var klädd i en röd, ganska sliten overall och en gul toppluva. Han var röd om kinderna och pratade högt med sin brandbil. En annan pojke i ungefär samma ålder kom bort till sandlådan. Först sa han ingenting, bara stod där och tittade på bilen. Georg fortsatte att köra den fram och tillbaka medan han lastade flera spadar sand på flaket.

"En sån har jag också", sa den främmande pojken, "men jag har ingen lust att ta ut den."

"Det har jag", sa Georg och log.

Cato Isaksen satt kvar vid köksbordet och iakttog småpojkarna

medan han drack sitt kaffe. Näsan hade blivit helt igentäppt un-
der natten. Det sved och värkte i halsen. Han måste skaffa näs-
spray.

Han visste att Bente hade rätt, men han kunde inte hitta nå-
gon lösning på problemen. Hennes förebråelser irriterade ho-
nom. Han kände sig eländig. Vetle ropade nedför trappan och
bad att få femtiolappen han hade blivit lovad.

Gard låg fortfarande uppe på sitt rum och sov.

"Har du lovat honom pengar också?" Bente kom ut i köket,
böjde sig in i kylskåpet och tog ut apelsinjuicen. Hon såg trött ut.

"Ja", sa han vresigt.

"Du får skaffa dig en professionell barnvakt", sa hon och häll-
de upp juicen i ett litet glas och drack.

"Nu tycker jag att du överdriver litet grand", sa han. "Du vet
att det inte är så här hela tiden. Vi har ju haft många fina Georg-
helger. Du visste om det här när du ville att jag skulle flytta till-
baka", sa han och såg på henne, "– att det periodvis skulle kom-
ma att bli kaos."

"Klart att jag visste", sa hon, "det är inte det saken gäller. Vad
det handlar om är att du måste planera bättre, offra något. Kan-
ske till och med ta ett steg tillbaka i karriären." Hon ryckte på ax-
larna. "Vad vet jag, men någonting, så att du kan ta hand om
dina barn. Och då talar jag inte bara om Georg", tillade hon med
betoning på "inte bara".

"Får jag femtiolappen, eller?" Vetle stod i dörröppningen och
såg på honom med trötta ögon.

"Hämta min plånbok, då", sa Cato Isaksen och försökte le
mot sonen.

Bente gick ut i tvättstugan och började med häftiga rörelser
stoppa in smutskläder i tvättmaskinen.

Vetle kom med plånboken, och han tog upp två tjugo-
kronorsmynt och en tia. "Här", sa han. "Hur gick det i går?"

"Tja, han somnade till slut", sa Vetle och gäspade. "I min säng", tillade han och gick uppför trappan igen.

"Väck inte Gard än", ropade fadern efter honom. "Han mår gott av att sova litet."

Han tyckte att äldste sonen hade sett trött och sliten ut på senaste tiden.

Bente var arg och förtvivlad. Det som irriterade henne mest var att det var hon som hade dåligt samvete. Kombinationen mordutredare och sjuksköterska var inte lyckad. I varje fall inte så länge Cato hade ansvaret för Georg varannan helg och varje onsdag. Och inte så länge hon jobbade natt.

I dag var det lördag, och hon visste att Cato bara satt och längtade efter att vara tillbaka på arbetet. Han sa att han hade kommit hem vid tvåtiden i natt, men hon misstänkte att han kommit ännu senare.

Och nu måste hon sova. Hon var illamående av trötthet efter den långa natten i de vita korridorerna. Det var påfrestande och slitsamt att arbeta med de gamla, halvdöda människorna.

"Jag går och lägger mig", sa hon och torkade snabbt av köksbänken och satte tillbaka juicen i kylskåpet.

Cato Isaksen nickade, men han såg inte på henne. Något rött blev synligt uppe på garagetaket. Det rörde sig längs kanten innan det försvann igen. Han log.

DET STOD I Aftenposten att det brutala mordet antagligen hade utförts i affekt. Han blev rasande när han läste det. De skulle bara veta hur omsorgsfullt han hade planerat det.

Det var något bekant över bilden av spaningsledaren Cato Isaksen. En inte särskilt stark man, tänkte han belåtet. Spaningsledaren uttalade sig och sa att det var för tidigt att gå ut med konkreta uppgifter. Polisen efterlyste emellertid vittnesobservationer, såväl från Aker Brygge och Wergelandsveien som Semsvann i Asker, där den mördades bil hade återfunnits.

Han lutade sig tillbaka i fåtöljen, slöt ögonen och strök sig trött över pannan. Det var starkt att läsa om det i tidningen. Verkligheten blev verklig. Bilden av henne strömmade emot honom. Lyste i svartvitt. Det var starkt. Han hade lyckats genomföra det.

Hatet hade vuxit fram under många månader. Han tyckte liksom att han kände henne. Tanken slog honom första gången i maj. Det hade varit ljust och varmt och dammigt. Men det var först när hösten kom som han förstod att det kunde bli något annat än bara en tanke, för hennes skull. Allt för hennes skull. Det var nästan som att trolla. Hokus, pokus, filiokus – borta. Spegeln ljuger, ögat ser.

Han gick ut ur rummet och stängde dörren efter sig. Han tog ner drömfångaren från väggen och satte sig mitt på vardagsrumsgolvet. Han var tillbaka. Han var Noll Nalen igen.

Han lade drömfångaren framför sig. Han hade knutit in en tott av Therese Gebers hår i den, tillsammans med pärlorna och fjädrarna. Resultatet var vackert och starkt. Drömfångarens uttryck var liksom förändrat. Han tyckte om förändringen.

Han hade tänkt sig mordet som enkelt. Och det hade varit enkelt. Det var en fördel att polisutredarna inte förstod orsaken till att Therese Geber var död, men samtidigt irriterade det honom gränslöst att de trodde att det var en slump. Bara en gång tidigare hade han dödat en människa. Men det var länge sedan, och han tyckte inte om att tänka på det. Han hade gjort andra saker också, saker som aldrig hade blivit upptäckta. Han hade slagit ihjäl en hund för några år sedan. Han hade dödat den därför att den sprang efter ett rådjur. Han hade sett alltihop, sett hur hunden drog omkull rådjuret på marken och kastade sig över det med sina vassa tänder. Han hade sprungit ut. Han var barfota. Han hade tagit en spade och huggit hunden sönder och samman. Huggit och huggit tills den var död. Han hade inte haft en aning om att det kunde finnas så mycket blod i en hund. Snön hade varit alldeles röd efteråt.

Men rådjuret reste sig och gick sakta bort mot skogen igen. I skogsbrynet vände det sig om och såg på honom med sina bruna ögon. Han mötte blicken. Den var belöning nog för honom. För Noll Nalen. Isen och skaren hade skurit sönder hans fötter, men han hade inte märkt det.

Det hade stått om det i Asker og Bærums Budstikke efteråt. Han hade sparat urklippet. Rubriken löd "Djurplågare i Asker".

Han satt på golvet och såg sig om i rummet. I den bruna bokhyllan fanns nästan inga böcker, bara ett par pärmar och några tomma vaser. På skrivbordet borta vid väggen stod en dator. Han hade hyrt lägenheten möblerad med de tomma vaserna. Datorn däremot var hans egen.

Ingen hade något på honom. Han hade aldrig tidigare varit eftersökt av polisen. Hur i all världen skulle de kunna misstänka honom för något i samband med det här? Han log ett hastigt leende men mindes plötsligt den gamla skröpliga kvinnan som hade gått förbi medan han mördade henne. Sådana kvinnor kunde vara farliga. Han ville inte tänka på henne.

Han tittade bort på det slitna soffbordet. Där låg två nycklar. Den ena hörde till Therese Gebers bil. Den andra var en dörrnyckel med en grön nyckelring av plast. *Therese* stod det på den. Han hade hittat den i handskfacket på den gamla Opeln. Han förstod genast att det var nyckeln till flickornas lägenhet. Och han visste att han skulle komma att använda den.

Han var inne i en labyrint. Labyrinten påminde om en hjärna. Han var besläktad med alltihop, med labyrinten och hjärnan och jakten.

Han visste plötsligt inte om han var jägaren eller bytet. Trots sina mörka drifter var han bländande klar över att han i den rådande situationen också var svag och sårbar.

Han tänkte på vandringen genom mörkret sedan han hade parkerat bilen. På väg tillbaka från Semsvann kom den våldsamma ångesten. Han tänkte på alla timmarna vid fönstret. Han fick inte förlora sig själv åt medlidandet. Han måste vara stark. Hans pupiller mörknade. Just nu kändes det som om väggarna i lägenheten höll på att falla ner över honom.

INTENDENT INGEBORG MYKLEBUST såg på Cato Isaksen och frågade hur det stod till med förkylningen. "Bra", sa han och menade det. Han hade stannat till vid apoteket och köpt en flaska nässpray. På väg in mot stan i bilen hade han plötsligt känt att han kunde andas genom näsan igen. Med litet tur skulle förkylningen ge med sig innan den egentligen hade brutit ut.

Han hörde fortfarande Bentes röst inne i huvudet. *Det är inte jag som är Georgs pappa. Det är ditt ansvar att ta hand om honom.* Men vad skulle han göra? Det var nu som utredningen av mordet pågick för fullt. Ändå visste han att hon hade rätt. Det var faktiskt hans ansvar att ta hand om sin son.

Nu hade han bett grannen om hjälp. Han hade knackat på dörren hos modern till den lille pojke som Georg lekte med i sandlådan och frågat om hon kunde passa honom ett par tre timmar. Han hade förklarat för henne att Bente sov därför att hon hade jobbat natt och att han själv höll på att utreda ett mord.

Kvinnan hade tittat intresserat på honom. "Inga problem", hade hon sagt.

"Om ett par timmar är min äldste son säkert uppe. Då kan han ta honom."

Kvinnan hade upprepat att det gick utmärkt och att de kanske kunde passa Andreas, som den lille pojken hette, någon annan gång.

Cato Isaksen hade behärskat sig för att inte göra en grimas. "Javisst", hade han svarat och smugit sig bort till bilen så att

Georg inte skulle märka att han försvann.

"Har du kallat hit allihop?" frågade Ingeborg Myklebust och förde honom med ett ryck tillbaka till verkligheten.

"Ja", sa han i samma ögonblick som Randi och Asle Tengs steg in genom dörren.

"Slå er ner", sa han och samlade ihop papperen han hade liggande på skrivbordet.

Utredarna tog plats runt det ovala teakbordet.

"Vill ni ha kaffe?" frågade Randi och fick jakande svar från Ingeborg Myklebust och Asle Tengs. Cato hade redan varit ute i lunchrummet och hämtat sig en kopp. Det smakade beskt och svagt.

"Kommer Roger?" frågade Ingeborg Myklebust och strök med handen över den vita blusen. Hon hade en blå, strikt kjol på sig och svarta skor med guldspännen.

"Han kommer", svarade Cato Isaksen och lade papperen framför sig på bordsskivan.

Randi kom tillbaka med kaffekopparna på en liten bricka och en skål med sockerbitar.

"Ja, jag tar ett bloss, jag", sa intendenten och tog upp sin handväska. Cato kastade en irriterad blick på henne. "Rökförbudet gäller kanske inte för dig", sa han surt.

Ingeborg Myklebust struntade i hans kommentar och tände cigarretten med sin blanka tändare.

"Thorsen och Billington kommer att vara upptagna med det andra fallet hela dagen", sa hon. "Men jag hoppas att de är tillbaka igen från och med måndag."

"Ja, det måste de helt enkelt vara", konstaterade Cato Isaksen.

Efter att ha väntat på Roger Høibakk i fem minuter bestämde Cato Isaksen att de fick börja utan honom.

"Jag tänker lägga hans försumlighet på minnet", sa Ingeborg

86

Myklebust irriterat och fimpade cigarretten på kaffefatet efter bara några bloss.

Asle Tengs rätade på sig. "Det är väl inte så mycket nytt sedan i natt?" började han.

"Nej, tyvärr", sa Cato Isaksen. "Det preliminära obduktions-utlåtandet har ännu inte kommit, men jag har talat med patologen som i varje fall bekräftar att den mördade inte hade vatten i lungorna och därför måste ha varit död när hon blev slängd i vattnet. Fynden på de tre tänkbara brottsplatserna är inte heller färdiganalyserade. Vi väntar bland annat på analysen av blodet på Aker Brygge."

"Men", avbröt Ingeborg Myklebust och tog upp ett par glas-ögon ur väskan, "är det inte troligast att hon mördades vid jord-högarna i Slottsparken?"

"Jag har en känsla av att det har hänt någon annanstans." Asle Tengs hade en eftertänksam rynka i pannan. "Hon kan ju ha kört ut till Asker för att träffa någon."

"Jag tror att någon har hoppat in i bilen medan hon letade efter veckotidningen ..." Randi sneglade på dem.

Dörren öppnades och Roger Høibakk kom in. Ingeborg Myklebust såg på honom och pekade bistert på sitt armbandsur.

Roger nickade. "Jag fattar vinken", sa han och satte sig.

"Hör på här", började Ingeborg Myklebust irriterat.

"Spill inte tid på det där", sa Cato Isaksen och slängde över en kopia av den senaste rapporten till Roger.

"Tack", sa han och log.

Ingeborg Myklebust vägrade emellertid att ge sig.

"Tid finns inte, men klockor finns det nog av", sa Roger Høi-bakk andfått men tillade snabbt att han skulle skärpa sig.

Cato Isaksen kände irritationen stiga. Han avskydde de här evinnerliga mötena. Han hade föreslagit att de skulle skära ner på dem.

"Det blir litet väl mycket gissningar nu", sa han. "Jag tror vi inväntar rapporterna innan vi börjar spekulera. Jag ska träffa Ida Henriksen och Hanne Marie Skage utanför Kunstnernes Hus klockan halv tolv. Vi ska gå igenom det som hände", sa han.

FLICKORNA BLEV SKJUTSADE till Kunstnernes Hus av Teddy Holm. Roger Høibakk och Cato Isaksen var redan på plats när de kom.

Cato Isaksen stod vid fönstret i konstnärskaféet och såg på medan Teddy Holm parkerade Mercedesen med taxiskylten på taket. Han ställde den ungefär där Thereses bruna Opel hade stått för tre dagar sedan. Teddy och Ida tände var sin cigarrett medan de kastade långa blickar längs gatan. Hanne Marie Skage stod en bit vid sidan av med händerna i fickorna. Hennes kroppsspråk var avvisande och inåtvänt. Hon var klädd i en stor, vinröd, pösig täckjacka. Hon tittade ner i trottoaren och skrapade nervöst fram och tillbaka med ena foten.

Den medelålders servitören av utländskt ursprung pekade på det långa bordet borta vid ett av de stora fönstren och berättade att det var där flickorna hade suttit kvällen då Therese Geber försvann. På bordet låg en lapp där det stod "Reserverat".

"Ingen av de anställda lade särskilt märke till flickorna", sa han. "De uppförde sig helt normalt."

Det hade varit en vanlig kväll på restaurangen, eller kaféet, som han föredrog att kalla stället. Det hade varit drygt halvfullt med gäster. Många blev precis som flickorna sittande efter att ha varit på höstutställningen.

Cato Isaksen nickade och bad Roger Høibakk gå ut och möta de tre ungdomarna.

Roger försvann ut genom dörren.

"Blev hon verkligen mördad här ute?" Servitören tittade bekymrat på utredaren.

"Det vet vi ingenting om", svarade Cato Isaksen. "Vi håller på att utreda den saken. Du har talat med min kollega, Asle Tengs, inte sant?" Servitören nickade.

"Har du givit honom en lista över dem som arbetade den kvällen?"

"Ja", sa han snabbt, "han har fått den." Servitören såg skrämd ut. "Men polisen tror väl inte att det är någon härifrån som har gjort det?"

"Nej", sa Cato Isaksen, "men vi måste bara formellt avföra alla här från fallet", log han. "Det är ren rutin."

"Jag förstår", sa servitören.

"Trevligt ställe det här", fortsatte Cato Isaksen avväpnande. Folk strömmade till för att titta på höstutställningen. Borden fylldes, och klirrandet av kaffekoppar och bestick blandat med sorlet av röster steg och sjönk i lokalen.

Cato Isaksen kunde inte minnas när han senast hade bjudit ut Bente. Han måste verkligen göra allvar av det. Bente skulle trivas här. Lokalen var minimalistiskt inredd, men den hade ändå en varm och alldeles speciell avspänd atmosfär. Och maten var, efter vad han förstod, något alldeles extra. Kocken var ungrare, berättade servitören stolt. "Och priserna är låga här", fortsatte han och försvann in bakom disken.

Roger Høibakk kom in tillsammans med de tre vännerna. De slog sig ner runt det reserverade bordet där de fyra flickorna hade suttit. Teddy Holm verkade trött och spänd. Han var klädd i taxiuniform. "Här var det alltså", sa han hurtigt och nickade mot bordet.

Ida Henriksen, för dagen klädd helt i svart, nickade kort och satte sig.

Cato Isaksen hade egentligen bara velat träffa de båda flickorna, men han kunde inte gärna be taxichauffören att gå. Teddy Holm drog ut en stol från bordet och satte sig ner på den. Roger Høibakk gick bort till disken för att beställa kaffe, mineralvatten och äppelkaka.

Hanne Marie Skage satte sig, med viss möda, mitt emot Cato Isaksen längst in vid fönstret.

Utredaren iakttog henne i smyg. Han hade svårt att se henne i ögonen. Han tyckte inte att han fick någon riktig kontakt med henne. Hon yttrade sig bara på uppmaning, och då var svaren enstaviga.

Ida Henriksen rökte nervöst. Hon verkade alldeles slut och hade mörka ringar under ögonen. Hon redogjorde allvarligt för var de olika flickorna hade suttit. "Therese satt där", sa hon och pekade på platsen där Cato Isaksen hade satt sig. "Jag satt här där jag sitter nu, och Hanne Marie satt på änden där." Hon nickade kort. "Tanja satt där Hanne Marie sitter nu", avslutade hon.

Cato Isaksen kastade en blick ut genom fönstret. Här hade Therese Geber suttit. Härifrån hade han god utsikt över Slottsparken och parkeringsrutan där den gamla Opeln hade stått. På samma sätt måste Therese Geber ha varit väl synlig utifrån, tänkte han.

Roger Høibakk kom tillbaka med en bricka full med koppar och flaskor och assietter. Han blev tvungen att gå två gånger för att få med sig allt.

Han ställde ut kopparna och glasen och assietterna på bordet. Cato Isaksen ögnade snabbt igenom den summariska listan med frågor. "Jag vill gärna att ni berättar litet om förhållandet er emellan", började han och såg på Ida Henriksen som satt och petade i äppelkakan med gaffeln. "Ni bodde tillsammans."

Hon nickade hastigt. "Therese och Tanja och jag", sa hon och fimpade cigarretten på kaffefatet. "Inte Hanne Marie."

Den tjocka flickan hade redan huggit in på äppelkakan. Hon delade den i tre stora bitar, stoppade in dem i munnen en efter en och tuggade febrilt utan att lyfta ansiktet från assietten. Det var något djuriskt över hennes sätt att äta.

"Var bor du då?" Cato Isaksen vände sig till Hanne Marie Skage, som lyfte på ansiktet och såg på honom med sorgsen blick.

"Hon bor hos sina föräldrar", sa Ida Henriksen, "alldeles intill Askers kyrka", tillade hon. "I ett stort hus."

"Men ni umgås ofta på fritiden?"

"Hanne Marie går i samma klass som Tanja och Therese." En rodnad drog över Idas ansikte när hon förstod vad hon hade sagt. Hennes mun drog sig liksom inåt i en grimas. "Therese går ju inte där längre!" Hon vilade huvudet tungt i händerna, drog ett par djupa andetag och försökte samla sig. "Förlåt", sa hon och sträckte sig efter glaset med mineralvatten och tog några djupa klunkar.

Teddy Holm, som fortfarande satt ett stycke ut från bordet med kakassietten i handen, drog med sig stolen och satte sig alldeles bakom flickvännen. "Hur är det?" undrade han.

Ida Henriksen viftade bort honom. "Vi är ofta tillsammans på kvällarna", fortsatte hon. "Hanne kommer upp till oss och så."

Cato Isaksen nickade. "Är det där ni samlas?"

"För det mesta. Ibland är vi hos Teddy också."

Servitören kom bort till bordet med listan över dem som hade arbetat under onsdagskvällen. "Din kollega har också fått den", sa han.

Cato Isaksen tackade och tog emot listan och gav den vidare till Roger Høibakk. "Ta hand om det här du", sa han.

Roger Høibakk tog emot listan och kastade en snabb blick på den innan han stoppade den i fickan.

"Ni är hos Teddy också, säger du." Cato Isaksen tog upp tråden igen. Han vände sig mot taxichauffören. "Var bor du?" frågade han.

Teddy Holm hann inte svara.

"Han bor alldeles intill", sa Ida Henriksen kort. "Han bor i huset ovanför."

BENTE ÖPPNADE EN FLASKA VIN och ställde den på bordet mellan salladsskålen och riset. Hon var rädd för att vardagen skulle uppsluka nystarten, som egentligen inte var ny längre. Hon ville absolut inte att det skulle hända. Hon kände att de var på väg att falla ner i samma avgrund igen. Hon tänkte aktivt kämpa emot. Hon ville möta honom på nytt om och om igen, så som de båda hade bestämt sig för när han kom tillbaka.

Hon hade köpt färdigskuren rostbiff och stekt svamp och bacon att servera bredvid. Georg sov. För en kort stund hade hon nästan glömt att det var Georghelg. Men hon aktade sig noga för att säga något om det. Hon hade sagt det en gång, utan att egentligen tänka sig för, att hon tyckte det var skönt när Georg var hos sin mamma. Först när orden var sagda hade hon sett det sårade uttrycket i Catos ansikte. Hon skulle nog aldrig vänja sig vid det, förstå att han kunde tycka lika mycket om Georg som om de båda andra sönerna. Hon visste att hon måste lära sig förstå det, men hon kände samtidigt att det var ett slags svek. Ett svek mot Gard och Vetle. Men förnuftet sa henne att hon hade fel. Det fanns tillräckligt många pappor som struntade i sina barn. Det var det som var svek. Hon borde vara tacksam över att han så tydligt visade att han tyckte om Georg.

Hon hade dukat i vardagsrummet. Cato var trött och förkyld, nässprayen hade bara haft tillfällig verkan. De satte sig en smula högtidligt till bords. Han hade övertygat henne om att han inte skulle tillbaka och arbeta. "Inte förrän i morgon", hade han sagt.

Först pratade de litet om fallet han höll på med. Det visade sig att grannarna Inger och Bent, som hade erbjudit sig att låna ut sin stuga under höstlovet, var bekanta med Berit och Rolf Geber. "De känner varandra genom Lions", sa Bente. "Rolf Geber och Bent är visst medlemmar i Asker Lions båda två."

Efteråt satt de kvar och pratade om Gard, som de var oroliga för båda två. Men de kunde liksom inte riktigt sätta fingret på vad det var. I kväll till exempel hade han varit riktigt vänlig. Han hade ätit tillsammans med Vetle, som skulle på klassfest, och Cato hade givit honom tvåhundra kronor. Han hade ropat "hej då" när han gick. Han sa att han skulle träffa Morten, som var son till en av Bentes kolleger på sjukhemmet.

"Vi får inte glömma föräldramötet på torsdag", sa hon. "Jag tycker att vi ska gå bägge två."

Cato nickade frånvarande.

"Egentligen", sa Bente, "är jag nästan mer orolig för Vetle. Han är fjorton år men verkar så omogen och barnslig. Han kan börja lipa som ett småbarn om han inte får sin vilja fram. Och han som ska konfirmeras till våren."

Cato suckade. Han skulle väl aldrig sluta tänka att det var hans fel alltihop. Om han bara inte hade gått ifrån dem den där gången. "Det har säkert något med mig att göra", sa han.

"Nej", sa Bente, "det är inte så. Det är för enkelt, Cato. Det vet du själv", sa hon och lade sin hand över hans ett kort ögonblick.

Han suckade. Han visste att hon förebrådde honom mycket, men i kväll var hon inte på det humöret. I kväll kämpade de båda två för att vara de människor de en gång hade varit. "Jag öppnar en flaska vin till", sa hon och reste sig och gick ut i köket.

Cato Isaksen stirrade ner i sin tallrik. Han hade makat ut några röda köttbitar på kanten. Han kände plötsligt hur trött han var. Alkoholen hade blandat sig med förkylningen. Ansiktena på de inblandade svämmade liksom över inne i huvudet på honom. Ida Henriksen med det kolsvarta håret och det vita ansiktet. Hanne Marie Skage och Thereses syster, Tanja. Den lilla livliga modern, Berit Geber. Hon var djupt kristen. Men Gud hade kanske tagit semester, eller han kanske sov. Eller kanske hade han helt enkelt dött utan att någon hade fått veta det. Cato Isaksen log hastigt för sig själv.

"TA DIG EN TRIPP, VET JAG!" Mongo öppnade hans hand-
flata och gav honom den lilla tabletten.

Gard Isaksen flinade till. Det var lördagskväll. De hade tagit
sig till en fest i en gammal lägenhet alldeles intill Bislett. Den var
redan överfylld med ungdomar. Han kände hur tristessen börja-
de blekna. Mongo hade frågat honom om hans pappa hade hit-
tat mördaren. De var tvungna att höja rösterna på grund av mu-
siken. Gard hade skakat på huvudet och lett. "Coolt här", sa han
och strök det långa håret bakåt. "Är alla här höga, eller?"

"Gissa", sa Mongo med ett litet skratt.

"Du, då?" Gard såg frågande på vännen.

"Som ett hus", sa han. "Men jag ska göra mig av med en del av
Carlos varor, så jag måste ta det litet lugnt."

Gard tittade ner på den lilla tabletten han hade i handen. Bil-
den av Farbror Joakim var ingraverad i den. Farbror Joakim var
rik och framgångsrik och rolig.

Två flickor kom skrattande emot dem. Den ena hade en stor
ring i ena näsborren. Båda två hade svarta platåskor. De höll om
varandra. Deras ögon glittrade mot honom i mörkret. Gard fick
en hård kram och några strån av den ena flickans hår i munnen.
Han tyckte om att ha hennes hår i munnen. "Läget?" frågade de
skrattande men väntade inte på svar.

Gard gick in på en av toaletterna och svalde den lilla tabletten
med två klunkar vatten. Det skarpa, blåaktiga ljuset gjorde ont i
ögonen. Mongo stod alldeles bakom honom. "Du måste få i dig
mer vatten", sa han.

Gard böjde sig ner mot kranen och tog fem stora klunkar till.

"Det har kommit något nytt", sa Mongo. Hans ögon såg djurlika ut i den grälla belysningen. "Nexus eller DOB", sa han. "Vi kan pröva det om vi vill. Skräddarsydda droger, kallas det." Mongo log hastigt. "Det är inte farligt egentligen. Det är visst lagligt i flera länder i Europa."

Gard lutade sig mot väggen. Han ansträngde sig ett kort ögonblick för att göra sig kvitt den lätta känslan av rädsla och dåligt samvete. Det här var sjunde gången. Än så länge hade han koll på hur många gånger det hade blivit, men han visste att det fanns en gräns för hur länge han kunde hålla räkning. Hans oro var på väg att försvinna. Snart var allt borta. Den verklige Gard tog över, den gamle försvann.

De gick ut från toaletten tillsammans. Gard väntade i en halvtimme. Satt i ett hörn på en grön träbänk tillsammans med Morten och Mongo. Drogen höll på att inta hans kropp. Han började må bra. Början slutade liksom aldrig.

De tre pojkarna på bänken såg inte på varandra. Gard kände hur hatet till föräldrarna försvann, hur irritationen gentemot halvbrodern rann av honom. Läraren som hade skällt ut honom och knuffat honom i väggen löstes upp. Skolan gled leende förbi och försvann under ytan och drunknade i alla ljud. Han var alltid medveten om den gynnsamma effekt giftet hade på honom. Men han betraktade det inte som ett gift. Han betraktade det som en nödvändig befrielse.

Rummen blev annorlunda. Technomusiken som dunkade taktfast runt omkring honom satte sig först i magregionen och sedan i halsen. Det bultade och levde. Ett ljussken spred sig från naveln och upp till huvudet via bröstet. En flicka som han inte kände hade tagit hans hand. Han reste sig. Han log vänligt mot henne. Han såg henne sådan hon verkligen var. "Jag älskar dig", log hon. Då kastade Gard Isaksen huvudet bakåt och skrattade.

Han sträckte ut armarna och snurrade runt runt. Han kände den varma luften under armarna. Verkligheten höll på att dunsta bort. I en kort glimt mindes han Tone Berner från klassen. Vad var det hon hade sagt till honom? "Jag vill prata med dig", hade hon sagt. "Jag tycker det du gör är dumt."

"Ha, ha, ha." Han skrattade. Hon tyckte det han gjorde var dumt. Lilla Tone Berner. Han var inte ett dugg rädd för henne. Hon var som en fluga i rosa dunjacka. Hon hade dimma till hår och mandlar till ögon. Och hon luktade ingenting.

Taaang, dinnnk, tschuka, tschuka. Blixtar, bländande blixtar och blått och grönt. Streck. Rött ljus för glädje och blått för livet. Havet av kroppar strömmade emot honom från alla håll. Från honom och in i honom. Mot honom, från honom, fram och tillbaka. Glädjen var som ett gult djur i hjärtat. Han sträckte armarna mot taket. Han ville vidare, uppåt, uppåt. Han skrattade och skrattade. Taaang, dinnnk, tschuka, tschuka. Öppna ögon, små steg i ring. Runt runt. Katten, Tone, himlen, ljuset och värmen. Små steg runt runt.

Han hade blivit större. Utrymmet i hans bröst hade blivit större, utvidgat sig. Öppnat sig mot styrkan och glädjen, mot hoppet.

Det tog evigheter innan man dog och var tillbaka i verkligheten igen. Han var trygg i denna exil av kroppar och ljud och lätthet. Rörelserna var detsamma som att inte dö. Det kändes som sommar. Det susade som sommar. Och som vind. Skrattet spreds inåt i kroppen, skapade liksom ett eko av sig självt. Han var en människa. Han var en människa, en verklig människa. Han var herre över allt. Det skulle gå bra. Han var herre över sig själv om igen och om igen och om igen. Han hade slocknat förr, men inte den här gången. Inte nu. Inte just nu, när fjärilsrytmerna var mjuka, som ljus mot kinden.

DET PRELIMINÄRA OBDUKTIONSUTLÅTANDET kom på måndagsmorgonen och slog fast att Therese Geber hade dött av kvävning och inte genom drunkning. Det antogs att döden hade inträffat mellan klockan tjugoett och tjugotre onsdagen den 16 september. Blodet på den öppna platsen utanför La Piazza var emellertid inte hennes. Det visade sig att det härrörde från ett slagsmål mellan två marockanska bröder som hade grälat om vem som skulle ta huvudansvaret för den gamle sjuke fadern som vistades på ett vårdhem uppe i Stovner.

Platsen var finkammad i jakten på spår. Än så länge hade man inte hittat några fibrer från Therese Gebers kläder bland de partiklar som fortfarande undersöktes på laboratoriet.

"Alltså inga spår för närvarande", sammanfattade Cato Isaksen uppgivet och såg på de andra utredarna. "Bilen har blivit grundligt undersökt. Man har hittat några hårstrån som inte tillhörde Therese Geber, och givetvis en del fingeravtryck. Dessutom har man hittat klumpar av jord i baksätet och på golvet. Att man har påträffat jord i baksätet kan betyda att Therese Geber forslades bort i bilen efter att ha blivit mördad. Det har inte kommit några resultat än, men man har tagit jordprover från Slottsparken och parkeringsplatsen vid Semsvann för jämförelse."

"Så teorin att hon själv har kört bilen ut till Asker faller alltså bort?" frågade Randi Johansen. "Om det visar sig att jorden härrör från Slottsparken, menar jag."

"Vi får se", sa Cato Isaksen, "vi är tvungna att vänta på analys-resultaten."

"Efter vad jag har förstått användes bilen ofta till att glida omkring i med vänner", sa Roger Høibakk. "Och gänget är ganska stort, så det kommer säkert att ta litet tid. Det kan ju vara någon från vänkretsen som väntade på henne utanför Kunstnernes Hus."

"Egentligen ganska osannolikt, men är det någon särskild du tänker på?" frågade Cato Isaksen.

Roger Høibakk skakade på huvudet. "Inte egentligen", sa han. "Vi har väl inte kartlagt hela vänkretsen än. Bara den inre kärnan. Det finns säkert fler än de fem vi har träffat", sa han och rullade en liten papperskula mellan handflatorna. Det var namnlistan från Arcimboldo. "Jag har kontrollerat de anställda på konstnärskaféet", sa han och började veckla ut papperskulan. "Det var nästan bara unga flickor i tjänst, frånsett den medelålders servitören vi pratade med i lördags och så kocken. För övrigt var det som sagt bara kvinnor i tjänst. Studenter allihop. Jag har fått tag i namnen på några av de andra gästerna. De har en del stamgäster som tydligen springer där flera gånger i veckan. Thorsen och jag ska in i eftermiddag för att träffa några av dem."

"Bra", sa Cato Isaksen.

"Båtarna nere vid Aker Brygge, då?" sa Randi Johansen. "Jag vet att ett par man har varit runt en sväng, men vi bör kanske gå ombord och göra litet grundligare efterforskningar. De rapporter som har kommit in säger inte mycket, och liket hittades trots allt alldeles intill en av yachterna."

"Absolut", deklarerade Cato Isaksen.

"Hör på här", avbröt Asle Tengs, "jag tar med mig Preben och kontrollerar båtarna. Men det är först när de slutgiltiga rapporterna från de tre platserna kommer som vi vet vad vi ska hålla utkik efter."

"Preben gillar säkert yachterna", log Roger Høibakk och gav den unge kollegan en dunk på axeln. Preben Ulriksen log hastigt.

"Innan vi känner till händelseförloppet kommer vi inte längre", sa Bjørn Thorsen. "Vad vi emellertid vet är att blodet utanför restaurangen på Aker Brygge inte är hennes. Och det är alltid något", tillade han.

"Jag tror att det var en tillfällig förbipasserande", sa Randi Johansen och tog en klunk ur kaffekoppen. "Jag vet inte varför, men jag har det på känn."

"Utmärkt, Randi", sa Roger Høibakk och blinkade åt henne. "Vi behöver fler sådana som du."

Randi suckade uppgivet. "Det är viktigt att säga vad man känner", framhärdade hon. "Du vet att jag har haft rätt förr."

"Det är en tämligen dålig utgångspunkt", sa Cato Isaksen.

"Jag vet", sa Randi skarpt, "men jag tror det i alla fall. Det är det mest logiska."

"Det har kommit in väldigt få tips från folk som har sett något." Cato Isaksen antecknade något i marginalen på sina papper. "Visserligen är det höst, och det var på kvällen och dåligt väder. Men ändå. Jag håller med Asle; vi kan inte göra annat än vänta på de slutgiltiga rapporterna. Men det kan ju ta sin tid. Till dess får vi följa rutinerna och syna familjen och vännerna närmare i sömmarna."

Randi Johansen reste sig och gick snabbt mot dörren. "Ursäkta", sa hon och försvann ut i korridoren.

De andra utväxlade hastiga blickar. "Du milde", sa Roger Høibakk trött. "Jag visste inte att hon var så känslig."

DET VAR EGENTLIGEN inte nödvändigt att föräldrarna identifierade dottern. Rolf Geber ansåg att det räckte att han gjorde det. Men polisen hade informerat honom om att inte heller det var nödvändigt. I sådana här groteska fall hade de andra metoder att ta till. Tandkort och fotografiet på någon ID-handling skulle räcka.

Men Berit Geber stod inte ut med tanken på att aldrig mer få se dottern. Oron var som ett skarpt ljussken. Vart hon än vände sig trängde ljusskenet in i hennes kropp. Hon längtade efter mörkret, efter att få sova. Efter att försvinna. Men ljusskenet följde efter henne och hann ifatt henne och ringade in henne. I ljusskenet satt vissheten om att dotterns kropp inom kort skulle vara helt borta.

Det var vissheten om det där med kroppen som gjorde att hon bestämde sig för att se henne. Hon hade egentligen inget val. Det ena var lika illa som det andra.

De hade blivit upplysta om att hon inte kunde kremeras. Det var Randi Johansen som hade talat om det för dem på ett mycket skonsamt sätt. Berit Geber hade fattat förtroende för den lugna kvinnliga polisen med det behagliga sättet. "Jag vet att det låter brutalt", hade den kvinnliga polisen sagt, "men vi måste ha tillgång till hennes kropp tills fallet är uppklarat."

"Hon ska hur som helst inte kremeras", hade Berit Geber sagt. "Jag skulle inte stå ut med det, att bränna upp henne. Hon ska begravas."

Hon berättade inte för Tanja och Karen om identifieringen.

Inte om kremeringen heller. Flickorna var redan tillbaka i sina respektive skolor efter bara några dagar hemma. De hade uppmanats av föräldrarna att försöka hinna ifatt vardagen igen så fort som möjligt.

Korridoren var lika vit som i hennes drömmar. Ett av lysrören i taket flimrade. Hon hade inte tänkt på lukten. Lukten var en bild som ramade in sorgen. Den var ljusgul som vax och fullkomligt intetsägande. Ingenting stämde.

Hon hade tagit på sig den ljusblå dräkten och knutit en neutral sidenscarf kring halsen. Egentligen var det en vårdräkt, men Therese hade en gång sagt att hon var så fin i den. De gånger Therese hade sagt något snällt till henne kunde hon räkna på ena handens fingrar. Därför hade hon tagit den blå dräkten.

Berit Geber gick längs korridoren bredvid maken och med spaningsledaren Cato Isaksen diskret i bakgrunden. En läkare gick före dem. En vag känsla av ursprung arbetade sig genom kroppen på henne medan hon gick längs korridoren. Hon tänkte på ursprunget som bara var en cell och vatten. En cell och vatten. Livet var bräckligt. Det bestod av allt, men där bakom lurade ingenting.

Nu var allt över för Therese. Hon var död. Förhoppningsvis var hon hos Gud. Men gudsbilden stämde liksom inte den heller. Hon hade inte trott att hon skulle tvivla på Himlen, men hon gjorde det nu. Var Therese hos Gud? Eller var hon bara borta? För ett kort ögonblick lade sig en röksvart hinna över ögonen på henne. Hon måste kämpa för att ta sig tillbaka.

Rolf Geber andades tungt. Han hade aldrig tänkt tanken att han, att de, skulle drabbas av detta. Att de skulle behöva uppleva livets allra grymmaste mörker. Han visste inte om han skulle klara det.

"Det är inte Therese", sa han när de stod utanför dörren. Han tog ett hårt grepp om makans arm. "Kom ihåg det, det är bara hennes kropp. Det är inte Therese."

"Jag vill se hennes kropp", sa Berit Geber och vred sig loss. "Snälla du, tjata inte på mig", sa hon och vände sig till hälften mot honom. "Jag orkar snart inte med mer."

Cato Isaksen stod alldeles bakom föräldrarna. Han kände förkylningen spränga innanför pannan. Han hade haft magknip ända sedan i morse. Men han visste att han inte kunde göra annat än spela sin roll. Han hade försökt tänka på semestern de skulle på. På resan upp till stugan, men insikten om att han skulle följa med Therese Gebers föräldrar till bårhuset hade gjort att han inte fick ner en enda tugga till frukost.

Det satt ett litet fönster högt uppe på väggen. Som ett fyrkantigt, iakttagande öga. Fönstret markerade skillnaden mellan livet där ute och döden här inne. Rummet luktade vinter. Tystnaden påminde om en ondskefull insekt som surrade i taket.

Therese Geber låg insvept i de rena, stärkta lakanen. De såg ut som moln omkring henne. Som om hon var en frusen ängel inuti ett moln. Hon var annorlunda. Ansiktet hade liksom sjunkit in i sig självt. Anletsdragen var på något sätt utplånade. De svarta och blå märkena på halsen doldes av en vit sidenscarf.

"Det är vattnet", sa Cato Isaksen lågt. "Hon har legat minst ett dygn i vatten, och då ... ja ... man sväller liksom upp."

"Det är fullkomligt ofattbart", sa Berit Geber lågt. Hon böjde sig över dottern, lade lugnt handen på den iskalla pannan och strök med fingrarna över de stela, blodlösa läpparna.

Det hördes en hes flämtning från Rolf Geber. Han klamrade sig fast vid hustrun och tryckte ansiktet mot hennes axel. Han hade stora problem att hålla sig upprätt.

Berit Geber sköt försiktigt maken ifrån sig och gick bort till den andra sidan. Hon skakade på huvudet. Mellan ögonbrynen hade hon en djup rynka. Dottern var som en skulptur, av papper eller vax. Främmande och otillgänglig. Hon var fortfarande vacker, men hennes dödsmask uttryckte ändå motsatsen till skönhet. Motsatsen till liv. Modern betraktade Sorgen. Nu-är-jag-här, ropade den. Hon tänkte på alla gånger hon hade tagit ut sorgen i förskott. Väntat på den utan att den kom. Det hade hon inte haft någon glädje av. Inte förrän nu, när den verkligen var här. Nu var den här. Hädanefter skulle skräcken inte kunna göra henne något. Nu var hon äntligen trygg. Det kunde inte bli värre. Hon hade inte längre något att frukta.

Cato Isaksen kunde inte låta bli att tänka på andra döda människor han hade sett. Det gick fortfarande, efter alla dessa år, en kall kåre genom honom vid anblicken av döden. Det var frånvaron som grep honom allra mest. Den alltuppslukande frånvaron i en död kropp, i ansiktet och i de ensamma händerna. Den grälla belysningen förstärkte intrycket. Han kände sig plötsligt illamående och började kallsvettas.

Hon drog ner det vita lakanet ett stycke. Therese var klädd i en vit rock. Hon såg på hennes ena hand. Den som hade svartnat och som låg prydligt ovanpå den andra. Händerna var inte längre händer utan något okänt. Tänk om hon plötsligt reste sig upp i sittande ställning och svängde de bara fötterna ner på det kalla golvet och reste sig och började gå. Det skulle inte ha varit helt osannolikt. Berit Geber tänkte sig dotterns rörelser. Man kan inte återuppliva döden. Ändå ville hon ta Therese med sig hem för att inte förlora henne. Hon stod inte ut med tanken på att aldrig mer få se henne.

Rolf Geber stod tafatt på golvet med händerna hängande utmed sidorna. Han visste att där ute, bakom det lilla fyrkantiga ögat på väggen, fanns verkligheten. Medan detta här inne bara var en saga. Något som folk berättade om och om igen men som egentligen bara var uppdiktat. Om vargen som åt upp Rödluvans mormor, och jägaren som skar upp magen och släppte ut henne igen. Om sjuttio år skulle hon i alla fall ha varit död. Då skulle sagan ha varit sann. Den tanken hjälpte honom litet grand.

Berit Geber gick tillbaka till den andra sidan av båren. Hon tänkte på Thereses gamla säng där hemma. På sänggaveln vid huvudänden hade hon ristat in en liten blomma. I hennes lådor låg fortfarande en del av hennes böcker från lågstadiet. Och på skrivbordet stod fortfarande den lilla röda lampan som de hade köpt på IKEA när hon var sju år och skulle börja skolan.

"Det håller jag inte med dig om", brukade Therese säga. "Du har fel, mamma, det där tror jag inte på. Jävla kärring. Idiot. Du är ju inte riktigt klok!"

Berit Geber hörde hennes röst fladdra runt i rummet. Sedan hörde hon hennes skratt. Det steg och sjönk frenetiskt. Studsade mot väggarna som en liten svart boll. *Ha, ha, ha, ha, ha, hi, hi, hi, hi, hi, hiiiha.*

Hon klarade plötsligt inte mer. Hon vände sig om och gick ut ur rummet. Bakom henne kom de andra sakta efter.

Hon gick korridoren fram. Någonstans registrerade hon något som rörde sig innanför en glasdörr. Hon hörde en röst som talade med en annan. Hon kämpade för att inte höra rösten som inte talade. Hon tänkte på vintern som skulle komma. På alla kvällar hon skulle existera framöver. Hon tänkte på julen som låg som en röd klump alldeles om hörnet. Och hon försökte tvinga fram minnet av den kväljande lukten av granbarr och mandariner.

DET HADE VARIT ett slags förvandling att flytta hemifrån. Som att skära av sig de svarta vingarna. Vingarna var en symbol för den frihet hon ändå inte hade. Hon kunde inte fly från sig själv.

Men Tanja Geber hade nästan genast märkt att hennes destruktiva beteende gradvis hade avtagit. Lättnaden lät inte vänta på sig. Ändå lyckades hon inte helt frigöra sig från sitt gamla kroppsäventyr, det skulle komma att ta tid. Men medvetenheten om alltsammans dämpades avsevärt.

Hon visste mycket väl att hennes självsvält var ett symtom på något annat. Men hon ville liksom inte gå till botten med det. Det var tryggare att bära det med sig som ett slags bagage. Hon tyckte det var svårt att prata om det, till och med med psykiatern hon gick hos. Psykiatern som fadern hade lärt känna genom Asker Lions och som modern betraktade som ett slags vän. Även läkaren som hade behandlat henne var med i klubben. Han höll fortfarande nära kontakt. Litet för nära ibland.

Det hade varit en befrielse att flytta. Modern hade en märklig makt över henne. Hon pratade alltid om att hon bara ville dottern väl, men hon var kolossalt snabb att hitta alla hennes ömma punkter. Och hon använde dem. Kanske inte medvetet, men hon använde dem mot henne som hon hade gjort mot Therese, och som hon gjorde mot Karen och fadern. Berit Geber ville bestämma. Hon och Gud. De var ett ypperligt team.

Tanja hade alltid varit den snälla. Den fogliga. Den duktiga, den bussiga. Men också den sjukaste. Medan Therese hade rusat i väg på sitt eget sätt, stark och oövervinnelig. Nästan osårbar.

Modern hade öst sin kristliga kärlek över dem. Det var i varje fall vad hon sa att det var. Hon kom ständigt dragande med små citat ur Bibeln. Talade om för dem vad de skulle göra och vad de inte skulle göra.

Therese blev ursinnig. Tanja blev rädd.

Hon hade en teckning från när hon var liten. Där hade hon ritat Gud med klänning och röda skor. Men modern hade rättat henne, sagt att Gud var en man. Då hade hon ritat en ny Gud bredvid den gamla. Den här gången en mäktig man med ett öga stort som en svart fotboll.

De tre flickorna hade hyrt lägenheten på Fredboes vei för tretusen kronor i månaden. Skälet till att de fick bo där så billigt var att det var Ida Henriksens halvbror, Carlos de Silva, som ägde den. Han studerade i Spanien, varifrån hans far, som numera var död, hade kommit. Han skulle stanna borta minst ett par år till och hade överlåtit lägenheten åt Ida och väninnorna för att de skulle se efter den. Han litade på systern, som hade bestämt sig för att gå humanistiskt basår den här terminen. Väninnorna Tanja och Therese gick tredje året i Askers gymnasium och skulle ta studenten till våren.

Berit och Rolf Geber hade först sagt klart nej till de här dumheterna, som de kallade dem. De ansåg att flickorna kunde bo hemma tills de hade gått ut skolan. Dessutom låg höghusen bara några kilometer från enfamiljsvillan. Det hela var rena dumheterna. Och läxorna då? De skulle säkert ha vänner hemma till långt in på kvällarna. Och maten? Vem skulle följa upp Tanja och hennes ätstörningar? Dessutom skulle det säkert bara bli pizza och spagetti till mat. Men Therese hade inte givit med sig.

Idas mamma hade inte sett några problem. "Det är bara nyttigt för dem att klara sig själva", hade hon sagt. Berit Geber hade tänkt att hon var en helt annan typ än de själva. Hon tog över huvud taget inget ansvar för dottern. Hon var bara städerska utan någon utbildning. Hon rökte hela tiden och färgade håret och gick på bingo.

Ida och brodern, Carlos, hade inte samma pappa. Carlos, som var tjugosex, hade ärvt fadern 1993 och köpt lägenheten som ett investeringsobjekt.

Therese hade bara packat och flyttat. Modern hade rasat och gråtit och hotat. Men fadern hade skjutsat i väg henne till slut, med bilen full av säckar med kläder och lakan och hennes madrass och huvudkudde.

En vecka senare följde Tanja efter.

De hade fått det fint i lägenheten, som hade tre sovrum, ett åt dem var. De hade dragit lott om vem som skulle ha det största rummet, det som vette ut mot lekplatsen och huset bakom den. Tanja vann, och Ida och Therese hade tagit de två små rummen som vette ut mot motorvägen. Therese hade tagit med sig sin korgstol, men Ida hade inte plats för så mycket inne hos sig. En låsbar sekretär stod kvar efter Carlos. Det var det enda han hade krävt att få lämna kvar. Trafikbullret var ovant till att börja med, men de vande sig snart. Therese hade emellertid inte tyckt om att det luktade avgaser i sovrummet på morgnarna, men så småningom vande hon sig vid det också.

Berit Geber spelade martyr i flera månader efteråt. Smärtan i hennes ansikte gjorde flickorna spyfärdiga.

De var inställda på att ligga i med skolarbetet och hålla sig kvar på den nivå där de var. Tanja var den duktigaste av dem, Therese fick hyggliga betyg, och Ida struntade i alltihop. "Jag klarar mig", sa hon. "Nu tar jag basåret, sedan får jag se."

De arbetade på lördagarna i olika butiker i Askers centrum och tjänade ihop till hyran men var beroende av bidrag från föräldrarna till mat, el och kläder. De hade emellertid hävdat att det inte blev dyrare än att ha dem boende hemma.

SÅ SNART DE hade fått veta att Therese var död började föräldrarna tjata om att Tanja skulle flytta hem igen. "Du måste göra det", hade modern sagt, "vi måste hålla ihop nu, min flicka. Snälla du." Men Tanja mådde dåligt bara hon tänkte tanken. Hemma för henne var inte längre hemma hos föräldrarna. Hemma var lägenheten i höghuset. Hon tänkte på den tjatande modern och på guden med fotbollsögat och visste att det skulle vara farligt för henne att flytta hem igen. Hon skulle komma att äta ännu mindre än vad hon gjorde nu. Smal Oförståndig skulle ta ett formligt strupgrepp på henne igen. Hon hatade Smal Oförståndig, men hon älskade henne också. Hon hade ett dubbelt ansikte med en stor mun som log, och hon hade flyttat in i hennes kropp för några år sedan.

Tanja kände sig vuxen och fri. Samtidigt var hon den lilla dunungen.

Guden hade inte följt med flyttlasset. Therese och hon hade skojat om det, att Gud var kvar hemma hos modern, att han nu skulle få större utrymme och makt. "Nu är det ingen som hunsar med honom", hade Therese skrattat.

När Tanja var tillsammans med Ida och Therese i lägenheten kunde hon äta vad hon ville eller inte ville. Hon kunde gå och lägga sig när hon ville. Hon kunde till och med klä sig som hon ville. Avståndet mellan barndomshemmet och lägenheten var egentligen inte så stort. Femton minuters promenad. Men det var tillräckligt stort. Berit Geber tog ofta promenaden. Ibland gick hon uppför trapporna och ringde på dörren, men ofta ställde hon sig bara på den lilla kullen bredvid huset ovanför och tittade in genom fönstren. Tanja hade sett henne en gång och blivit rädd.

Berit Geber kunde inte berätta för döttrarna om de här kvällspromenaderna. Inte ens hennes man kände till dem. Hon trodde nog att han hade sina misstankar. Men hans arbete gjorde att han reste mycket; ibland var hon borta fyra fem dagar i sträck. En gång var hon säker på att Tanja hade sett henne. Hon stod i fönstret när hon svängde om hörnet på det övre huset.

Berit Geber tyckte inte om Teddy Holm. Hon insåg givetvis att hon inte hade med saken att göra. Det var inte hennes dotter han var tillsammans med. Men hon förstod inte vad Ida såg hos honom. Ida var väl kanske inte Guds bästa barn hon heller, med ring i ögonbrynet.

Vad Berit Geber allra mest önskade sig för döttrarnas del var att Gud skulle få en plats i deras liv. Och hon tänkte göra vad hon kunde för att de skulle få möta Honom. Hon tyckte inte att hon kunde ge upp bara för att de hade flyttat hemifrån.

Men nu, när Therese var död, var det hennes högsta önskan att Tanja skulle flytta hem igen. Hon spelade på känslosträngar, utnyttjade dem medvetet. Hon visste att Tanja var lättare att styra än vad Therese hade varit.

Tanja hade pratat med Ida och bett om hjälp. Hon hade kommit Ida närmare nu när Therese var död. Det var egentligen Ida och Therese som hade varit vänner. Förr var Tanja Thereses syster. Nu var hon bara Tanja.

"Jag kan inte flytta hem igen", hade hon sagt. "Jag blir knäckt om jag gör det. Men jag klarar snart inte av att säga nej längre."

"Du ska inte flytta hem igen", hade Ida sagt. "Du och jag ska bo här. Vi måste hålla ihop nu." Tanja hade börjat gråta. Hon hade inte väntat sig att Ida skulle hjälpa henne. Ida hade ju retat sig på henne i början. Ida ville vara tillsammans med Therese, inte med henne. Men just nu ville hon bara glömma det. Glömma alla dumma saker Ida hade sagt till henne när hon var sjuk. Att det var hennes eget fel och sådant. Att hon måste sluta spela teater och förstöra för sin omgivning.

THERESE GEBERS VÄNNER och familjemedlemmar kallades i tur och ordning in till polishuset för förhör. Det var torsdagen den 24 september. Det hade tillkännagivits att begravningen skulle äga rum på måndagen följande vecka.

Väninnorna kom tillsammans. Hanne Marie Skage och Ida Henriksen först. Mongo infann sig i sällskap med Marius Berner. Teddy Holm skulle komma senare på dagen. Roger Høibakk hämtade mineralvatten i automaten borta i korridoren. Ungdomarna stod nervöst och väntade utanför tjänsterummet. De var tysta och bleka.

Cato Isaksen hade just fått ett samtal från Bente, som påminde honom om föräldramötet samma kväll. "Det är viktigt att vi går tillsammans", hade hon sagt. Han lovade att försöka komma ifrån.

Nu övervägde han om han skulle ta in flickorna en och en men bestämde sig till slut för att tala med båda två samtidigt. Senare skulle han prata med var och en för sig. Roger Høibakk skulle ta sig an Mongo och Marius.

Ida Henriksen verkade som vanligt tuff och kall. Det svarta håret var blankt, och ringen i ögonbrynet gav henne en hård prägel. Hon såg ut som om hon hade skapat sig själv efter egen bild. Hon hade åtsittande, svarta jeans och en ljusgrön täckjacka på sig.

Hanne Marie Skage gungade när hon gick. Hennes kropp framkallade alltid reaktioner hos omgivningen. Flickorna satte sig. Det var Ida Henriksen som förde ordet. Hon upprepade att de bodde tillsammans, hon och Tanja och Therese, i en lägenhet som egentligen ägdes av hennes bror men som de hade fått hyra billigt.

"Hanne Marie bor hemma hos sina föräldrar", sa hon. "Varför måste vi säga samma sak om och om igen?" Hon gestikulerade irriterat med händerna, och Cato Isaksen lade märke till det svarta nagellacket.

"Det är så vi arbetar", sa han. "Det är tjatigt för oss också. Varför bor inte Hanne Marie tillsammans med er?" frågade Cato Isaksen.

Ida Henriksen ryckte snabbt på axlarna. "Jag vet inte. Det finns inte plats. Jag menar, det fanns inte plats." Hon såg på väninnan. "Dessutom vill du väl inte?"

Hanne Marie skakade sakta på huvudet. "Det gör mig detsamma", sa hon.

Ida Henriksen verkade lättad. Cato Isaksen bad dem på nytt att redogöra för händelseförloppet från och med onsdagen den 16 september, kvällen då Therese försvann.

"Hon skulle bara ut till bilen för att hämta en veckotidning om en ny bantningsmetod", började Ida Henriksen.

"Så ni intresserar er för bantning?" avbröt Cato Isaksen.

"Nej." Ida ryckte snabbt på axlarna. "Inte vi", sa hon, "inte Therese och jag, men Tanja och Hanne Marie gör det." Hon gav väninnan en försiktig knuff på axeln. "Eller hur?" sa hon.

Hanne Marie Skage nickade beklämt. "Litet grand", sa hon.

"Vi drack vin", fortsatte Ida. "Det var Therese som körde, så hon drack inte. Hur många gånger måste jag berätta det här?" sa hon skarpt. "Det är säkert femte gången."

Cato Isaksen ville gärna veta om Therese hade haft pojkvänner eller kamrater som de ansåg viktiga att nämna. Flickorna såg på varandra. "Jag vet inte riktigt", sa Ida. "Hon var faktiskt ihop med Marius ett tag, men det är länge sedan."

"Hur länge sedan?"

"Tja, de var väl femton eller så. Det betydde säkert ingenting för någon av dem", sa Ida Henriksen.

Efteråt, när Cato Isaksen talade med Hanne Marie i enrum, var det som om hon vågade träda fram på ett annat sätt. Hon satte sig till rätta på stolen och såg spänt på honom och svarade snabbt på alla hans frågor. "Jag vet bara att Therese alltid var arg på Tanja", sa hon lågt och entonigt. Hennes röst var mörk och passade på ett sorgligt sätt ihop med hennes utseende.

"Vet du varför?"

Hon ryckte tungt på axlarna. "Kanske för att hon var rädd ... och liksom ledsen", sa hon. "Tanja tålde inte så mycket. Hon hade ju varit väldigt sjuk. Anorektisk, kallas det visst."

"Ja, jag har förstått det", sa Cato Isaksen och betraktade den tjocka flickan på stolen. "Gillade du Therese?" frågade han.

"Ja, ganska bra, men jag tycker bäst om Tanja."

"Varför det?"

"Jag vet inte riktigt, men vi är nog mer lika."

Cato Isaksen kunde inte föreställa sig några som verkade mer olika än Tanja och Hanne Marie. "Kan du utveckla det litet närmare, tror du?" frågade han.

"Ja ..." Hon drog på det. "Ida och Therese var liksom bästa kompisar. De var på sätt och vis väldigt tuffa och inte rädda för någonting. De tog ingen vidare hänsyn. Förr, när vi gick på högstadiet och så, mobbade de ganska många. Ida är ju fortfarande likadan", tillade hon. "Ida är på något sätt ledaren."

"Jaha." Cato Isaksen ringde efter Randi och bad henne komma in och anteckna. "Genast", tillade han. "Det är bara formaliteter", log han mot Hanne Marie, som verkade på väg att sjunka in i sig själv igen. Hon tittade buttert på honom.

Dörren öppnades, och Randi kom lugnt in och satte sig.

"Hej", log hon.

"Kan du utveckla närmare varför Tanja och Therese var ovänner?" Cato Isaksen försökte låta vänlig.

"De var inte ovänner. Det har jag aldrig sagt." Hanne Marie ryckte på axlarna. "Det var väl det där med att Tanja hade varit sjuk. Hon hade ju ätstörningar eller vad det heter. Anorexi, jag vet inte ... Men hon fick läggas in på sjukhus. Hon var så smal, och hon hade hår på armarna, som sådana där kan få, du vet. Det var nästan som dun", sa Hanne Marie Skage och snörpte på munnen. Det var uppenbart att hon tyckte det var obehagligt att tala om det.

Cato Isaksen lät henne prata på.

"Therese tyckte det var idiotiskt. Ja, att hon inte kunde skärpa sig, menar jag. Hon var trött på alltihop. Tanja var ju inte tjock heller." En rodnad sköt upp i det feta, fräkniga ansiktet. "Inte som jag, menar jag", tillade hon och sjönk liksom ihop litet på stolen. Hon strök undan håret ur ögonen och fortsatte prata medan hon betraktade en osynlig fläck på väggen. "Ida och Therese var inte alltid så snälla. Inte mot mig heller egentligen. Det var liksom Ida och Therese på ena sidan och jag och Tanja på den andra. Men vi var goda vänner", tillade hon. "Det var mest på skoj, liksom, men i alla fall."

"Tror du att det fanns någon svartsjuka mellan Tanja och Therese i fråga om Marius?"

"Nej", svarade hon snabbt, "det tror jag absolut inte."

"Och de andra pojkarna då?"

"Marius är hygglig", sa hon snabbt. "Teddy Holm är jag inte så förtjust i. Han liksom ... nej, jag vet inte, men han säger inte särskilt mycket till mig. Det är som om han över huvud taget inte såg mig. Men ... en gång när han var full ... då ..."

"Ja?"

"Nej." Hanne Marie Skage skakade hastigt på huvudet. "Han

117

bara larvade sig och kysste mig. Han bara skrattade åt det efteråt, men jag tyckte inte om det. Jag kände mig liksom så dum."

"Och Mongo?"

"Mongo, han är bara en liten skitunge", sa hon hårt. "Han hör liksom inte till egentligen. Han brukar vara tillsammans med några andra, men han känner visst Carlos ganska väl. Carlos anser att Mongo är helt okej."

I RUMMET BREDVID förhörde Roger Høibakk Tanjas pojkvän, Marius Berner. Marius verkade vara en seriös pojke. Nittonåringen hade avgjort huvudet på skaft.

"Jag vet inte riktigt vad du kan berätta för mig", började Roger Høibakk och lade handen på bordet. Asle Tengs kom in i rummet och satte sig på en ledig stol och började föra anteckningar.

"Vad är det ni vill veta, då?" Marius Berner såg rakt på utredarna med sina stora, blå ögon.

"Det vet vi faktiskt inte", sa Roger Høibakk, "utom att vi vill veta var du befann dig onsdagen den sextonde klockan nio på kvällen."

"Då satt jag hemma och skrev på en engelskauppsats", sa han snabbt. "Mina föräldrar och min syster var också hemma. Jag tyckte det var bra att flickorna skulle ut så att jag kunde ägna mig litet åt skolarbetet. I allmänhet träffas vi varje kväll. Det kan bli litet mycket ibland", sa han.

Roger Høibakk såg på honom och nickade. "Är det något annat du kan berätta?"

"Tja" – pojken drog på det – "förhållandet till föräldrarna var kanske litet spänt."

"Till Thereses föräldrar?"

Marius Berner nickade.

"På vad sätt?"

"Tja, Tanja har samma problem som Therese hade. Modern är litet kristlig av sig och lätt hysterisk. Fadern är en smula reserverad. Dessutom var det någonting dem emellan", tillade han.

119

"Mellan vilka?" Roger Høibakk böjde sig en aning framåt.

"Mellan Tanja och Therese", fortsatte Marius Berner. Han var klädd i blå tröja, jeans och gröna Globeskor av mocka med vita skosnören. "Ja, jag vet inte riktigt vad det var", fortsatte han litet osäkert. "Men Tanja har haft ganska stora problem. Jag vet inte hur mycket ni känner till om det?"

"Vi har förstått att hon har vissa ätstörningar, om det är det du menar?"

"Matvägran", sa Marius Berner allvarligt. "Hon trivs inte riktigt med sig själv, stackarn."

"Hur länge har ni sällskapat?"

"I tre år."

"Tre år? Det var länge. Ni är ju bara nitton, eller hur?"

Marius Berner nickade. "Jag har varit med om det mesta när det gäller Tanja", sa han. "Det är två år sedan hon blev inlagd. Men hon fick massor av hjälp."

"Av vem då?"

"Av sin läkare, Torkel Bru, och av sin psykiater. Torkel Bru är förresten ganska besvärlig. Han ringer jämt och ständigt och frågar hur det står till och så. Tanja är urless på honom."

Marius Berner reste sig och gick bort till fönstret. Han blev stående ett ögonblick och tittade ner på den öppna platsen framför polishuset. Han var hungrig; han hade inte lyckats få ner särskilt mycket till frukost. Han hade ringt till skolan och fått ledigt några timmar, men han tänkte på matematiken. Nu gick de väl igenom de nya styckena. Han vände sig mot utredarna.

"Jag ska ta studenten till våren", sa han, "och, jag känner mig litet stressad av att vara här. Vi har matte nu", sa han och tittade demonstrativt på sin klocka, "och jag har inte missat en enda lektion i år. Frånsett nu", tillade han.

Roger Høibakk såg på pojken. "Vi kan ta det här i eftermiddag om du föredrar det", sa han.

"Nej, då." Marius Berner satte sig på stolen igen. "Det är bara det att jag nästan inte kan sova längre, på grund av det som har hänt", sa han. "Och Tanja är rädd för att någon ska mörda henne också."

"Jaså." Roger Høibakk gav Asle Tengs ett snabbt ögonkast. "Har hon någon orsak till det, då?"

Marius Berner skakade på huvudet. "Det där jag sa nyss, om att hon fick hjälp när hon var sjuk. Egentligen fick hon väl hjälp av mig också. Jag fanns där hela tiden. Många gånger har hon själv sagt att det är min förtjänst att det gick bra. Jag menar, jag struntar väl i om hon har litet mer fett på låren." Han ryckte på axlarna med en grimas. "Det är så hopplöst, men det är liksom inte riktigt det det handlar om."

"Vad handlar det om, då?"

"Det är något annat", sa Marius Berner. "Hon är ju inte tjock, och det vet hon väl egentligen själv också. Hon är inte dum. Hon är … hon är förtvivlad, liksom. Inte hela tiden, men rätt ofta. Det är precis som om hon kämpade mot någonting."

Roger Høibakk lutade sig tillbaka på stolen. Han hade bett pojken att berätta allt han visste. Förklarat för honom att saker som inte hörde till saken kunde vara viktiga ändå. "Man kan aldrig veta", hade han sagt, "det är så vi arbetar."

Därför satt nittonåringen nu och redogjorde för interna och privata förhållanden i vänkretsen, som bestod av de tre flickorna som bodde tillsammans plus väninnan Hanne Marie Skage och pojkvännerna Marius och Teddy, och dessutom mer perifera vänner som Mongo och några till.

"Mongo har berättat för alla människor att han ska på förhör hos polisen", log Marius försiktigt. "Han tycker visst att det här är spännande." Efter en liten paus fortsatte han: "Vi var väldigt mycket i lägenheten. Den blev ett slags samlingspunkt. Vi bor ju hemma de flesta av oss, utom Teddy, förstås", sa han.

"Vad tycker du om Teddy Holm?"

"Tja" – pojken drog på det – "han är väl inte min typ precis, men han gör ju ingenting dumt och Ida är ju ihop med honom."

"Men tyckte du om Therese?"

Marius Berner såg på båda utredarna i tur och ordning. "Ja, för sjutton", sa han. "Hon var en toppentjej. På sitt sätt", tillade han. "Det enda var att hon kanske var litet för tuff ibland. Ungefär som Ida, liksom."

RUDOLPH VOGEL VERKADE vara i sitt esse. Cato Isaksen såg på honom. Pojken slängde sig ner på stolen och lade det ena benet över det andra. Sedan tuggade han några gånger på tuggummit innan han frågade om det fanns någon papperskorg i närheten. Cato Isaksen sköt den mot honom med benet och iakttog pojken medan han spottade ut tuggummit i den blanka korgen.

Han ville att de skulle kalla honom Mongo de också. Han tålde inte sitt riktiga namn, sa han. Cato Isaksen betraktade sjuttonåringen. Han hade svart hår med markerad mittbena och ett ganska runt ansikte. Han påminde om en vietnames men hade förklarat sitt utseende med att modern var från Grönland.

"Jag kände inte Therese särskilt väl", sa han. "Hon var mycket äldre än jag."

"Hur mycket?"

"Två år."

"Men du var med och letade efter henne?"

"Det är klart. De trodde ju att hon hade begått självmord."

"Vem trodde det?"

"Pappan … ja, och systrarna. Tanja trodde att hon hade begått självmord."

Cato Isaksen nickade.

Roger Høibakk kom in i rummet. "Ursäkta", sa han och satte sig på den lediga stolen, "men det tog litet extra tid."

"Vi har precis börjat", sa Cato Isaksen och sköt över anteckningsblocket till kollegan.

"Det är Teddy jag känner bäst. Och så Carlos." Mongo fumla-

123

de med ett cigarrettpaket i fickan på den svarta skinnjackan. "Ja, och så Ida", tillade han. Cato Isaksen skakade hastigt på huvudet.

"Rökning förbjuden", konstaterade han.

Pojken stoppade tillbaka cigarrettpaketet igen och drog fingrarna genom håret ett par gånger innan han tog upp ett tuggummipaket och stoppade en ny bit i munnen. "Teddy är kompis med Carlos, Idas bror."

"Jag tyckte du sa att det var Teddy du kände egentligen."

"Ja, men genom Carlos."

Roger Høibakk antecknade.

Cato Isaksen såg på honom. "De är ju betydligt äldre än du?"

"Egentligen är det Ida jag känner bäst", rättade han sig snabbt. "Hon är väl bara ett par år äldre än jag."

"Hon är tjugo, såvitt jag kan se", sa Cato Isaksen. "Ett år äldre än tvillingarna."

"Ja, någonting ditåt", nickade Mongo och tuggade febrilt på tuggummit.

"Var bor du?"

"Var jag bor?" Han såg allvarligt på utredaren. "Mestadels hos morsan", sa han. "Eller hos Teddy."

"Hos Teddy?"

Pojken nickade. "Ibland", sa han, "om jag har bråkat med morsan."

"Du går i skolan?"

Mongo nickade kort. "Ja, för sjutton", sa han.

"Var bor din mamma, då?"

"I Borgen", sa han, "i en källarlägenhet. Det finns bara två sovrum där. Så det blir litet trångt."

Cato Isaksen nickade. "Är det något annat du kan berätta för oss, något som du tror kan vara av betydelse?"

"Nej." Han såg allvarligt på utredaren. "Det tror jag knappast. Tänker du på något särskilt?"

"Vi vill gärna veta var du var i onsdags kväll."

"Onsdags kväll?" Rudolph Vogel rätade på sig på stolen. "Det minns jag inte", sa han snabbt. "Jo, förresten, jag var en sväng uppe hos Teddy, men sedan skulle han jobba, och då stack jag ner till Asker och träffade de andra."

"De andra?"

"Ja, några kompisar."

"Jaha. Vad gjorde ni, då?"

"Tja, körde runt litet grand, i Mortens bil. Han lånar den av sin bror. Du vet väl vem Morten är?"

Cato Isaksen tittade förvirrat på honom ett ögonblick.

"Din sons bästa kompis."

"Bästa kompis …"

"Ja."

"Så du känner Gard?"

"Det är klart", sa Mongo liksom triumferande.

Utredaren betraktade honom tankfullt. Det var något osympatiskt över sjuttonåringen. Cato Isaksen visste inte varför, men han litade inte på honom. Inte så att han egentligen trodde att pojken hade något med fallet att göra, men insikten om att han var en av Gards vänner oroade honom.

"Kan jag få den här Mortens efternamn och adress", sa Cato Isaksen.

Rudolph Vogels ansikte mörknade. Ögonen flackade från bordslampan till den stängda dörren och tillbaka igen.

Han skrattade till. "Kom bara inte och säg att jag är misstänkt", sa han snabbt, "det blir liksom bara för mycket."

ATT ANSIKTSUTTRYCK SMITTADE var ingenting som Cato Isaksen betvivlade. Han hade läst någonstans att musklerna reagerade ögonblickligen på leenden eller sura miner i samtalspartnerns ansikte. Mimiken påverkade känslorna.

Han satt ansikte mot ansikte med Ingeborg Myklebust och härmade mer eller mindre medvetet hennes ansiktsuttryck med mikrorörelser. Hon betraktade honom uppgivet genom glasögonen.

"Du är omöjlig", sa hon.

"Jag åker", sa han bestämt, "vare sig du vill det eller ej. Jag har bestämt mig för det. Jag kan bara inte svika min familj igen, inte just nu. I kväll, till exempel, klockan sex, skulle jag ha varit på föräldramöte i min äldste sons klass. Jag har lovat Bente att ställa upp, men jag vet ju att jag inte kommer att hinna. Jag har ytterligare ett förhör att klara av. Teddy Holm kommer om en timme", sa han och tittade på sin klocka.

Ingeborg Myklebust lade den välvårdade handen med de röda naglarna på bordsskivan framför honom. Han såg på den. Fingrarna pryddes av två stora diamantringar och en enkel, slät ring. Hon hade varit gift med samme man i trettio år.

"Du kan inte åka på semester när du har ansvaret för ett mordfall så groteskt som det här. Du är inte så dum att du inte inser det", konstaterade hon. Hon stirrade intensivt på honom. "Du vet hur viktig den inledande fasen av en utredning är. Alla Therese Gebers vänners alibin, till exempel. Och uppföljningen av allt det andra?"

"Roger och Randi hör vännerna", sa Cato Isaksen trött. "Det andra kan jag sköta från mobilen."

Ingeborg Myklebust fnös.

"Hör på här, somliga kanske anser att det är vansinne", fortsatte han irriterat, "men jag har en familj att ta hand om också."

Intendenten kastade demonstrativt huvudet bakåt.

"Herregud, Cato", sa hon och tog av sig glasögonen. Hon vägde dem i handen. "Du kan inte åka, inte nu", konstaterade hon skarpt.

"Min familj är snart i upplösning. Jag blir ingen bra utredare på det här sättet." Cato Isaksen stirrade in i den mörka fönsterrutan som speglade hans ansikte. Det såg dystert ut.

"Jo, då", sa Ingeborg Myklebust hårt. "Det blir du visst, bara du gör ditt jobb."

"Jag gör mitt jobb", svarade han. "Jag delegerar bara uppgifterna ett par tre dagar. Det gäller ett par tre dagar."

"Jag är ledsen, men det går inte", sa hon bestämt och reste sig. Hon gick bort till dörren, stannade och vände sig om mot honom. "Jag väntar på rapporterna", sa hon, öppnade dörren och gick ut.

Ett par minuter senare kom Asle Tengs in i rummet. "Vi har fått svaret på jordproverna", sa han och lade ett kuvert på skrivbordet framför honom. "Det är samma jord som i Slottsparken. Vi har kommit ett steg vidare."

BENTE SKULLE KÖPA SIG en ny täckjacka inför fjällresan. Den gamla ljusblå var både smutsig och utsliten. Hon stod inne i G-sportbutiken vid gågatan i Asker och bläddrade igenom stället med jackor. Georg sprang fram och tillbaka på golvet och lät som en bil medan han ideligen tvärbromsade. Hon hade bestämt sig för att välja en något mörkare jacka. Mörkblå eller grön, kanske.

Det var Georg som fick syn på Gard genom fönstret.

"Där", ropade han, "Gard. Titta där." Han tryckte ansiktet mot glasrutan.

Bente hängde tillbaka jackan och gick snabbt bort till fönstret och tittade ut. Hon lade handen på Georgs huvud. "Du har rätt", sa hon. Gard gick snabbt längs trottoaren på andra sidan gatan i sällskap med en kort, mörk pojke med utländskt utseende. Bente visste inte vem pojken var. Hon hade aldrig sett honom förr. Båda två rökte intensivt. Drog några djupa bloss på cigarretterna och gick lätt framåtlutade, som för att skydda sig mot det kyliga vädret. De pratade inte med varandra utan gick bara målmedvetet sida vid sida.

Bente tittade på klockan. Det måste vara rast. Det var säkert därför de gick så fort, för att hinna tillbaka till någon lektion.

Hon såg deras ryggar försvinna runt hörnet. Hon tyckte definitivt inte om att sonen rökte, men hon hade ju känt lukten i hans kläder när han hade varit ute. Hon suckade och fortsatte att titta på jackorna. Hon bävade inför kvällens föräldramöte. Kände intuitivt att hon skulle komma att få veta saker som hon inte skulle tycka om. Hon kände ett sug i maggropen vid tanken. Plötsligt märkte hon att hon var väldigt trött. Bilden av de båda pojkarna satt kvar på näthinnan. Nyanserna i bilden var bruna. Hon ville inte släppa fram känslorna helt. Hon visste inte vad det var. Men djupt inom henne surrade mörkret.

Hon tog ner en jacka från stället och tittade litet närmare på den. Men i jackan satt bilden av sonen och gav den en främmande tyngd.

"Kan jag hjälpa till med något?" Expediten var klädd i en sportig tröja och blå byxor. På fötterna hade han vita jogging-skor.

Bente såg på honom. Sedan tittade hon på jackan en gång till och visste att hon inte orkade med den. "Jag tror att det får vänta ett tag", sa hon och hängde tillbaka jackan på stället. "Jag kan inte riktigt bestämma mig", sa hon snabbt, tog Georg i handen och gick ut ur butiken. Hon skulle träffa Hamza på stationen klockan fyra. Han skulle hämta Georg.

TEDDY HOLM DÖK UPP tjugo minuter försenad. "Jag ber om ursäkt", sa han och tog av sig taxikavajen. Svettringarna under armarna framträdde på den gråblå skjortan. Han sjönk ner på stolen som Cato pekade på.

Roger Høibakk kom snabbt in i rummet och drog med sig en stol från det ovala bordet. Han satte sig bredvid Cato Isaksen.

Teddy Holm skruvade oroligt på sig. "Hoppas att det inte tar för lång tid", sa han, "för jag har en körning klockan sju." Han skakade fram sitt armbandsur och tittade demonstrativt på det.

Cato Isaksen och Roger Høibakk betraktade honom. Han verkade nervös och osäker. Det var tydligt att han inte kände sig väl till mods.

Asle Tengs kom in i rummet och lade några papper på bordet framför utredarna. Det var en uppdaterad lista över fynden i den gamla Opeln. Cato Isaksen kastade en hastig blick på rapporten. Antalet fingeravtryck hade utökats med ytterligare två. Han gäspade. Det hade blivit minimalt med sömn i natt. Georg hade krävt att få ligga mellan honom och Bente i dubbelsängen. Det hade varit svårt att neka honom det. "Jag vill inte vara ensam", hade han sagt.

Pojken hade sovit oroligt hela natten, och hans små vassa knän hade hela tiden knuffat honom i magen och underlivet. Som tur var hade Bente varit ledig så att hon kunde ta hand om honom i dag. Hon skulle handla litet kläder till semestern men hade gått med på att ta med sig Georg.

Teddy Holm inledde med att säga att Mongo tyckte att förhöret hade varit obehagligt.

"Jaså, på vilket sätt?"

"Tja." Teddy Holm skakade på huvudet. "Det är som om ni kastade er över oss. Vi var hennes vänner. Ingen av oss skulle få för sig att kröka ett hår på hennes huvud. Therese var drottningen, liksom."

Cato Isaksen kom genast att tänka på allt hår som hade slitits loss från Therese Gebers huvud. Drottning utan hår, tänkte han. "Vi har väl inte precis sagt något om att någon av er skulle vara misstänkt", fortsatte han lugnt. "Men jag utgår från att ni också vill att vi ska hitta mördaren?"

Teddy Holm suckade tungt. "Självklart", sa han. "Det är bara det att..."

"Då förstår ni säkert också att vi måste kartlägga hennes umgängeskrets", avbröt Cato Isaksen skarpt. "Om inte annat så för att kunna avföra er allihop från utredningen. Det är en vanlig taktik, en formalitet."

Teddy Holm nickade vresigt.

"Det är inte bara er vi kontrollerar", sa Roger Høibakk. "Vi har folk som har varit i hennes skola och talat med lärarna och de andra eleverna. Vi har folk som talar med grannarna i huset där hon bodde. Hennes familj blir utredd. Förstår du?"

Teddy Holm drog ett djupt andetag. Hans ansiktsuttryck förändrades. Han såg med ens mer avspänd och nyfiken ut. "Det är klart att ni måste göra ert jobb", sa han. "Det är bara så jävligt alltihop. Dessutom är det väl sannolikt att det är någon galning som det plötsligt har slagit slint i huvudet på", sa han.

"Det kan vi nog alla hålla med om", konstaterade Cato Isaksen. "Men vi vet det inte, det är det som är poängen."

"Du är tjugofyra år", avbröt Roger Høibakk otåligt. "Du är ganska mycket äldre än de andra, och etablerad."

"Etablerad och etablerad. Jag hyr bara lägenheten, jag äger den inte."

"Nehej."

"Jag hyr den av Idas bror", sa han.

"Carlos de Silva. Var det inte så han hette?" Roger Høibakk bläddrade i papperen han hade framför sig.

"Jo", nickade Teddy Holm kort.

"Så han äger alltså en lägenhet till?" Cato Isaksen hajade till.

"Han har ärvt", sa Teddy Holm. "Hans pappa hade en hel del pengar. Carlos är affärsman, han har investerat pengarna i lägenheter."

"Hur många lägenheter har han?"

"Bara de här två, tror jag."

Cato Isaksen betraktade mannen framför sig. Han verkade osympatisk, men det var svårt att säga varför. "Rudolph Vogel bor hos dig ibland, har han berättat."

"Nja, inte så ofta. Men han tycker inget vidare om sin styvfar. Han tjatar visst alldeles förbannat. Dessutom har de bara ett eller två sovrum, och Mongo har två småsystrar, så … Han sover över ibland. Jag kör ofta natt, och då gör det ju inte mig någonting om killen slaggar där", log han. "Han är okej. Mongo är okej."

Cato Isaksen nickade. "Du vet att vi har pratat med de andra", fortsatte han. Teddy Holm nickade snabbt.

"Jag lade märke till en sak som Hanne Marie Skage sa."

"Jaså?"

"Hon nämnde något om att du skulle ha antastat henne på något sätt."

En djup rodnad steg upp i Teddy Holms ansikte. "Nej, nu får hon för fan ge sig", sa han snabbt. "Det var ju bara på skoj. Vad har det med saken att göra?"

"Ingenting, egentligen", sa Cato Isaksen, "men vi vill gärna att du svarar ändå."

"Vi hade druckit. Ja, inte hon förstås. Hon smakar väl ingenting. Trist av bara den. Det var bara på skoj som jag flörtade litet grand. Hon är ju inte särskilt lockande. Men det var bara på skoj. De andra skrattade och så. Men hon blev skitförbannad."

Cato Isaksen och Roger Høibakk betraktade honom.

"Hon är pryd av bara den. Hon har väl aldrig fått sig någonting, antar jag, som hon ser ut."

"Var befann du dig onsdagen den sextonde klockan tjugoett?" frågade Cato Isaksen.

"Jag jobbade", sa Teddy Holm snabbt. Det var tydligt att han hade väntat sig frågan. "Det är bara att kontrollera. Jag hade en körning till Smestad och sedan en till Bærums Verk. Sedan körde jag ett par tre vändor från Sandvika och ut till Asker igen, upp till Borgen. Jag var inte hemma förrän vid tolvtiden. Då fick jag höra att Therese och bilen var borta. Det var Ida som ringde. Resten vet du ju. Vi började leta efter henne eftermiddagen därpå och höll på hela natten och nästa förmiddag. Tills pappan fick underrättelsen på sin mobil."

133

CATO ISAKSEN FICK Randi Johansen att ringa Bente och säga att han inte skulle hinna till föräldramötet. Utredarna samlades i ett av de lediga konferensrummen. De gick igenom resultaten av jordanalyserna, som hade kommit. Ellen Grue informerade.

"Vi är nu säkra på att en strid har ägt rum i Slottsparken och att Therese Geber var inblandad", sa hon. "Jorden i bilen härrör från jordhögarna, och pyttesmå partiklar av samma jord har också påträffats under hennes naglar. Det är ni som är teoretikerna, men vi måste väl kunna dra slutsatsen att hon har blivit antingen mördad eller nedslagen alldeles intill sin bil och sedan forslad därifrån."

"Det måste ha gått väldigt fort", sa Asle Tengs. "Tanja Geber påstår ju att hon gick ut och letade efter systern efter ungefär tio minuter. Då var både hon och bilen borta."

"Alltså måste mördaren ha klätt upp henne och fått in henne i bilen på den korta tiden." Randi Johansen såg sig skeptiskt omkring.

"Det viktigaste är att vi har lyckats slå fast att en strid utkämpades innan bilen försvann", avbröt Cato Isaksen ivrigt. "Och mycket kan hända på tio minuter."

"Mördaren har forslat henne därifrån i bilen", konstaterade Randi, "och kört henne ner till Aker Brygge eller området däromkring och slängt henne i vattnet. Sedan har han fortsatt ut till Asker."

"Vi bör kanske koncentrera oss på Askerområdet", sa Preben Ulriksen.

Ingeborg Myklebust kom in i rummet. Hon fick kopior av rapporterna.

"Alibina är kontrollerade", sa Randi Johansen. "Vad Marius Berner beträffar är det inga problem. Den här Mongo däremot och vännen Morten litar jag inte riktigt på. Men än så länge har vi ingenting på dem."

Cato Isaksen kände en oro arbeta sig igenom kroppen på honom. "Vi bör kanske intensifiera och utvidga de här förhören. Sannolikheten för att mördaren hör hemma i Asker är väl ganska stor", sa Asle Tengs.

"Han kan ju ha sett hennes adress på körkortet och velat förvilla oss", sa Bjørn Thorsen lugnt och berättade att han hade skaffat en lista över våldsbenägna fångar som befann sig på fri fot. "Det är också ett par tidigare dömda vars alibin jag ska kontrollera", sa han.

Ellen Grue följde med Cato Isaksen in på hans tjänsterum efter mötet.

"Vi får hoppas att vi kommer vidare nu", sa hon och satte sig på en av de blå stolarna. "Hur står det till med förkylningen?"

"Den är borta", sa han.

Hon var knappa en och sextio lång. Det var något speciellt med hennes sätt att röra sig, med den hårdhet hon visade. Han blev sittande och såg på henne. Han hade inte glömt bort känslan när hon rörde vid hans panna för att känna om han hade feber.

Cato Isaksen kände sig trött och less. Han var förtvivlad över föräldramötet han inte hade hunnit till. Han gruvade sig för att träffa Bente. Och så var det det här trasslet med semestern och Ingeborg Myklebust som ansåg att han borde ställa in den. Ellen Grue höll med honom om att han borde resa. "Några få dagar bör väl gå bra", sa hon.

Han såg på henne. Hon använde ingen makeup men såg ändå ut som en söt liten docka. Men det var hon inte, det visste han. Han hade egentligen aldrig sett henne förr. Eller hade han det? Han hade alltid tyckt om att samarbeta med henne. Han visste nästan alltid vad hon skulle säga och hur hon skulle säga det. Han tyckte att han kände henne. På sätt och vis i alla fall. Hur länge hade de arbetat tillsammans? Fyra år, eller var det kanske fem?

"Är det någonting?" sa hon plötsligt.

"Nej, då", sa han trött, "förlåt mig, jag satt bara och tänkte på en sak." Han började rota på måfå i pappershögen framför sig.

Ellen Grue iakttog honom ett ögonblick och frågade sedan: "Är du tänd på mig?"

Cato Isaksen tittade snabbt upp från papperen. En ljuv, mörk ton började vibrera hotfullt inom honom. Givetvis var han tänd på henne, men måtte fan ta henne för att hon frågade på det sättet. Han såg stint på henne. Vad var det med alla dessa kvinnor? De överrumplade honom och satte honom på plats och gav honom dåligt samvete hela tiden. Han orkade snart inte mer. Han kände sig trött och ansträngde sig till det yttersta för att ta sig samman och dölja den effekt hennes fråga hade haft på honom.

Han lade händerna framför sig på skrivbordet. "Klart att jag är", sa han oförskräckt. "Hade du väntat dig något annat?"

Hon log mörkt, nickade och slängde det ena benet över det andra. "Egentligen är jag urless på det här skitjobbet", sa hon. "Förbannade karljävlar som mördar och våldtar och fördärvar andra människor."

"Hyggligt att du drar oss allihop över en kam", sa han.

"Men det är ju bara elände överallt", sa hon. "Och det är jag som får städa upp efteråt." Hon lade armarna hårt i kors över bröstet, som för att understryka sin åsikt. "Ditt jobb är enkelt i jämförelse med mitt. Du kommer till dukat bord. Det är jag som

136

städar upp i skiten först." Hon vände sig till hälften bort. "Jag har funderat på om jag borde hitta något annat", sa hon. "Kanske börja jobba i butik." Hon ryckte på axlarna. "Sälja gardiner och tyger och spetsar, kanske." Hon lät höra ett hårt, skallande skratt. "Jag och spetsar", sa hon. "Klippa till metervara och rekommendera färger och mönster till gamla rara damer i grå kappor." Efter en liten paus fortsatte hon: "När vi hittade den lilla pojken, du vet, honom som pappan hade tagit livet av …"

"Ja", sa Cato Isaksen och hörde hur klockan på väggen sakta tickade.

"Fy fan", sa Ellen Grue. Han såg avskyn sprida sig i hennes ansikte. "Den lilla handen … Jag lipade i fem timmar efteråt."

Han hade svårt att tänka sig Ellen Grue gråta.

En trötthet smög sig in över det mattbelagda golvet. Lysrören i taket surrade lågt. Han såg på henne. Hon var sötare än han skulle ha önskat. "Jag förstår mycket väl vad du menar", sa han. "Ibland känner jag att vi befinner oss i en annan värld. Bakom ett draperi eller någonting, på ett ställe vars existens vanliga människor inte har en aning om."

"Det är därför jag kan tänka mig att ligga med dig", sa hon lugnt. Hon böjde sig fram mot honom och lade händerna på bordsskivan. "Bakom draperiet, så att säga", tillade hon och blinkade åt honom. Hon reste sig men fortsatte att möta hans blick.

Han kände hur svetten sipprade fram under armarna. Hon förvirrade honom med sin rättframhet.

"Jag hämtar litet kaffe åt oss", sa hon i lätt ton och försvann ut genom dörren.

Han drog djupt efter andan och kände suget i underlivet. Kände illamåendet dunka i halsen innanför adamsäpplet. Kände hur färgen steg inom honom. Han ordnade papperen på skrivbordet och reste sig. Då kom Randi Johansen och Roger Høibakk in i rummet.

"Hur ska vi göra nu då?" Roger Høibakk slog sig ner på stolen där Ellen Grue just hade suttit. "Hur länge blir du borta?"

"Högst tre dagar", svarade han. "Jag åker på måndag, direkt efter begravningen."

"Det kommer att gå jättebra, du måste helt enkelt ta dig tid med din familj", log Randi. "Jag beundrar dig för det, Cato. Stå på dig bara."

Ellen Grue kom tillbaka med kaffekopparna.

"Han har just kammat sig", skämtade Randi med en nick mot Roger. Hon drog fram en stol från det ovala konferensbordet och satte sig bredvid Roger.

"Jag hämtar två till", sa Ellen Grue och ställde ifrån sig kopparna på skrivbordet.

TV-NYHETERNA SÄNDE ETT INSLAG om att himlen hade blivit åtta kilometer lägre under loppet av de senaste 39 åren. Cato Isaksen lutade huvudet bakåt i öronlappsfåtöljen. I hans knä låg den röda katten och spann. Han bävade inför Bentes hemkomst från föräldramötet.

Nyhetsuppläsaren fortsatte att berätta om fenomenet. Det var brittiska forskare som genom att studera klimatet i Antarktis hade upptäckt att himlen hade blivit lägre.

Han halvsov medan han lät informationen om himlen sjunka in. En annan tanke distraherade honom. Tanken vibrerade någonstans långt bak i huvudet. Det var Ellen Grues röst som talade till honom, men hon sa något annat än det han ville höra. Hennes ord handlade inte om honom och henne. Hon mumlade något om händer som var avhuggna och som låg strödda över marken. Blå händer, med avskurna, blodiga handleder. Hon måste städa, och hon frågade om han ville hjälpa henne att plocka upp händerna.

Uppläsaren fortsatte oförtrutet att prata om himlaforskningen ... *det är människornas utsläpp av växthusgaser, som koldioxid, som har fått den här effekten. Koldioxid utstrålar mycket effektivt den värme som molekylerna tar upp från solen. Projektet som mäter hur atmosfären krymper har pågått sedan 1958.*

TV-skärmen tog slut och himlen började. Han drömde. Han såg att den mörkgrå himlen föll ner och landade på höghusens tak. Himlen berättade om himlen. Och i de tusen fönstren såg han hundratals händer som vinkade åt honom. Kom hit, sa de.

Kom hit … Han höll på att frysa ihjäl innan han kom på det. Himlen hade en svart rand av sol.

Då ringde telefonen. Den påminde om golvuret i familjen Gebers vardagsrum. Det var tiden med de svarta skorna på fötterna. Det var den som ringde och ringde och ringde. Cato Isaksen vaknade tvärt, sträckte ut handen och lyfte luren.

Det var Hamza som stammande och ursäktande bad om hjälp att passa Georg. "Det har hänt något med Sigrid", sa han upphetsat. "Hon ska läggas in med detsamma, för kontroll."

Cato Isaksen satte sig upp och ansträngde sig för att vakna. "Läggas in, var då?" frågade han.

"Det är något med graviditeten som har gått snett", fortsatte Hamza, "och jag måste vara hos henne. Vi ska till Rikshospitalet."

"Kan jag få prata med henne?"

"Nej, hon är inte här", sa Hamza jäktat. "Hon är redan på sjukhuset. Jag åker nu och tar Georg med mig. Kan du hämta honom där?"

"Vilket sjukhus är det då?"

"Rikshospitalet, sa jag ju." Hamza lät skärrad. "Det är enda stället med en riktigt bra prematuravdelning."

"Okej", sa Cato Isaksen och suckade. "Jag kommer."

Han hörde ytterdörren öppnas och Bente komma in. "Hallå", ropade han. Hon svarade inte.

"Jag är ledsen", sa han och verkade uppriktigt bedrövad. "Jag kom helt enkelt inte ifrån."

Hon såg på honom med olycklig blick.

"Vad är det?" frågade han.

Hon skakade på huvudet; hon orkade inte bråka. Gick bara ut i köket och satte sig tungt vid köksbordet. "Det var inte särskilt upplyftande", började hon. "Han har visst varit väldigt mycket borta och nästan inte lämnat in några uppgifter alls. Han riskerar att förlora sin plats."

"Nej?"

"Jo", sa hon lugnt. "Jag har ingen aning om var han är."

"Var han inte med på mötet?"

Hon skakade dystert på huvudet.

Cato Isaksen suckade tungt. "Det allra värsta är att jag måste hämta Georg. Sigrid är tydligen redan inlagd. Någonting har hänt."

Bente såg uppgivet på honom. "Å, nej", sa hon. "Jag orkar inte mer." Hon började gråta. "Jag har ju haft honom så mycket på senaste tiden. Hamza hämtade honom ju nyss."

"Helvete", sa Cato Isaksen och slog knytnäven i bordet. "Bente, jag lovar att gottgöra dig för det här."

"Gottgöra mig, hur då?"

"Jag lovar det, flickan min", sa han och gick bort till henne, tryckte henne intill sig och kysste henne på huvudet.

På väg in mot stan i bilen bestämde han sig definitivt för att följa med till stugan, vad Ingeborg Myklebust än sa. Han kände nästan att det gällde livet. Nu måste de få några dagar ledigt tillsammans. Han var tvungen att prata med Gard. Tala med honom i enrum och ta reda på vad han egentligen sysslade med. Tanken på Sigrid trängde sig emellan. Han hoppades att allt skulle gå bra, både med barnet och med henne. Han mindes närheten dem emellan den första tiden. Den trygghet hon gav honom. Flyktigt försökte han föreställa sig vilket tillstånd hon befann sig i nu.

Hela situationen var hopplös. Båda Sigrids föräldrar var döda, och hon hade inga syskon som kunde avlasta henne. Hamza var säkert okej, men han måste erkänna för sig själv att han kände sig litet osäker på vilken inställning invandrare hade till barn. Var de inte extra stränga? Han mötte sin blick i backspegeln. Det hade nästan varit lika enkelt om Georg bodde ute hos dem hela tiden. Men han visste att Bente inte skulle orka med det. Det var inte hennes barn. Dessutom skulle Sigrid aldrig gå med på det. Hon var en god mor, om den saken rådde inget tvivel. Det var honom det var något fel på. Det var han som hade svikit dem allihop på ena eller andra sättet.

Han parkerade rakt framför entrén, längs det höga ståltrådsstängslet utanför Rikshospitalets kvinnoklinik. Han gick in genom en liten järndörr. Den gnisslade när den slog igen bakom honom. Han tittade upp på det gamla tegelhuset och drog jackan hårdare om sig. Det var en vidrig situation.

Han gick uppför den breda stentrappan. Där inne fanns det en glaskur med en liten lucka. Ring Här, stod det på en pappbit som var uppklistrad ovanför en vit ringklocka.

Han ringde på och väntade. Han ringde en gång till. Till sist kom en stressad sjuksköterska ut genom en dörr. Hon hade på sig ljusblå sockor och grova, vita skor.

"Sigrid Velde", sa han och förklarade situationen. Hon sneglade nyfiket på honom. "Är du pappan?"

Han skakade på huvudet. "Men min son är här, tillsammans med Sigrids nya man. Jag ska bara hämta pojken."

"Ett litet ögonblick", sa den jäktade sjuksköterskan. Hon försvann ut ur glaskuren igen och gick in genom samma dörr som hon hade kommit ut igenom.

Det var lugnt och alldeles tyst på avdelningen. Ljuset från takgloberna var svagt gult. I det höga fönstret hängde tunga gardiner. Utanför klibbade mörkret vid rutan. Han hörde ett spädbarn som grät, sedan skratt, och så tystnad igen. Den svaga lukten av eter gjorde honom nervös.

Två allvarliga läkare kom ut genom dörren. Den ena hade en pärm i handen. De såg inte på honom, samtalade bara ivrigt sinsemellan, tryckte på hissknappen och försvann uppåt i byggnaden.

Cato Isaksen väntade.

Plötsligt gick dörren upp med en smäll, och Hamza kom ut med Georg i handen. Pojken såg trött ut. Han hade tummen i munnen. Hans joggingbyxor hade en stor fläck på knäet. I handen höll han en liten grön Matchboxbil.

"Pappa", gnällde han.

"Hej, hej", sa Cato och satte sig ner på huk.

Hamza blev stående och såg leende på dem. Cato Isaksen lyfte upp pojken, som tungt lutade sig in mot hans hals. "Nå, hur är det?" frågade han.

"Ganska bra", sa Hamza och log en gång till. "De är säkert skickliga här."

Han var inte särskilt talträngd. Cato lade märke till att den randiga tröjan han hade på sig var tunnsliten på armbågarna och att han hade en begynnande kalaskula.

"Är barnet på väg redan nu?"

"Nej då", sa Hamza snabbt, "de har lyckats hejda förlossningen. Men hon måste ta det lugnt och ligga till sängs. Vi hoppas att hon kan få ligga här. Hemma är det bara en massa besvär. Med Georg och så, menar jag."

Cato Isaksen lämnade sjukhuset med sonen på armen. Han var en smula irriterad. En massa besvär med Georg och så, hade Hamza sagt. Han hoppades att de förstod att han inte kunde ta hand om sonen i all evighet. Han var upptagen av ett viktigt fall. Pojken var trött och gnuggade sig i ögonen. "Mamma kommer snart hem igen", sa han.

"Ja", sa Cato Isaksen och koncentrerade sig på att öppna den lilla järndörren och ta sig bort till bilen.

"Mamma har en dum bebis i magen", sa Georg. Han hade lyft huvudet från faderns axel.

"Ja", sa Cato Isaksen.

Plötsligt fick sonen syn på stjärnorna på himlen. "Den är stor", sa han och pekade, "och den också."

"Ja", sa Cato Isaksen.

"Är det ett rymdskepp, pappa?"

Cato Isaksen log hastigt. "Nej, det tror jag inte, Georg", sa han och tänkte på det märkliga fenomenet att stjärnorna på himlen egentligen var döda. Att de hade dött för länge sedan.

"Jo", sa sonen, "det är ett rymdskepp."

Fadern log. "Då är det väl det", sa han och grävde efter bilnyckeln i fickan. Han kände den skarpa höstluften mot ansiktet. Han tänkte på beröringen av Ellen Grues fingrar. Hennes fingrar var små och vita med korta, välvårdade naglar. Hennes ögon var mörka.

HAN INSÅG ATT HAN LED av ett slags personlighetsstörning. Men det var ändå inte galenskap. Han hade röjt henne ur vägen, det var allt. Man fick inte blanda bort begreppen. Han hade lyckats omskapa sitt destruktiva jag till någonting positivt. Inte bara för sig själv. Egentligen inte för sig själv över huvud taget, utan för andra. Det var ett slags städarbete. Han valde att definiera det så. Vissa människor borde aldrig ha fötts. Han föreställde sig deras kroppar som kemiska föreningar. Hjärnaktiviteten var själva drivkraften för ett medvetet liv. Empati, kärlek och hat. Det var det som styrde världen. Kroppar var egentligen underordnade. De bestod av vatten och celler, kött och blod. Men än sen då? I grund och botten var människan ett bräckligt käril. I egentlig mening oduglig.

Ett litet minne vibrerade innanför pannan på honom ... Men han lät sig aldrig kuvas. Det hade inte gått. Man kan inte definiera människor utifrån vad de är utan utifrån vad de gör. Han kände till alla psykopatins lagar. Alla människor hade ett visst mått av de mörka krafterna inom sig. Själv insåg han att han var extremt egocentrisk. Han var konkurrensinriktad och aggressiv. Och naturligtvis tyckte han om att förödmjuka andra. Han hade emellertid valt att se detta som en styrka som han tänkte utnyttja. Men han skulle absolut inte driva det för långt. Han betraktade det här som ett projekt. Han ville se om det inte kunde föra med sig ett slags ljus.

Han visste att han var psykopat. Men han var en psykopat med självinsikt. Därför stämde inte bilden, för om det var någonting psykopater saknade var det just självinsikt.

Han fördjupade sig i texten han höll på att bearbeta. Han jobbade i långa, intensiva pass, men han kände hela tiden hur en obekant trötthet hotade att övermanna honom.

Det var kanske inte så konstigt. Han hade andra åtaganden också. Periodvis kunde det bli för mycket.

Han lutade sig tillbaka på stolen och betraktade rummet han satt i. Han funderade på hur han skulle kunna vända det skedda till något positivt för sig själv.

Bilderna lyste starka och klara i huvudet på honom. De splittrade tankegångarna och jagade en mörk oro genom hans kropp. Döden besökte honom ständigt.

Han försökte att inte läsa för många tidningar. Mordet var huvudnyhet i både VG och Dagbladet flera dagar i rad. Han hade grundlurat dem med sin förvirrande kedja. Ingenting stämde. Mordplatsen, bilen någon annanstans, liket i vattnet.

Ändå hade han så småningom kommit fram till att det kanske inte hade varit så listigt trots allt. För genom att göra fallet invecklat riskerade han att polisen skulle sätta in ännu mer resurser i spaningarna. Han borde kanske ha lämnat bilen någonstans inne i stan i alla fall. Kanske hade han bara eggat dem extra mycket genom att komplicera alltihop ytterligare. De var ju inte dumma. De kunde lägga ihop två och två. Utredarnas förvirring kunde få dem att skärpa sig maximalt.

Han log hastigt för sig själv. De skulle aldrig hitta honom. Han tog den uppslagna boken som låg på bordet framför honom och började läsa.

Hjärnans visuella språk är oerhört komplicerat med processer som sammanställer, jämför och analyserar och har förmåga till stor kreativ syntes.

Cellerna fungerar logiskt, ungefär som bokstäver som kombine-

ras till nervord, vilka i sin tur ordnas till förnimbara satser.

Varje människa är en sensorisk specialist, och de mer komplice-rade opererar uppenbart med hjälp av komplicerade inre program. Alla individer vill leva så nära sitt ego som möjligt. Självet utgör egentligen hela tillvaron.

Han visste inte om det var panik han hade känt, men timmarna efter mordet hade sjunkit djupt ner i det undermedvetna. Ändå kunde han inte helt befria sig från den inre filmen av hennes dödskamp. Ansiktet, munnen och ögonen. Avgrunden av smärta och skräck.

Han måste tvinga sig att återuppleva detaljerna. Det var ett sundhetstecken att tankarna malde inne i huvudet på honom. Trots det vilade ett tomt mörker över händelserna.

Han tänkte på den gamla kvinnan. I hans nattliga drömmar kom hon vaggande mot honom som en stor, svart sugga. Hennes sätt att gå, försiktigt, taktfast och vaggande. Hon utgjorde själva ärkehotet. Hon kunde ha tvingat honom att avbryta handlingen. Hon var mardrömmen.

Han hade varit nära att bli upptäckt en gång tidigare också. Det handlade visserligen inte om något mord, bara en situation när han skar sönder däcken på en bil. Han ville markera sin av-sky för bilägarens sätt att behandla sin hustru på.

Raden av tankar var en färggrann karusell. Om och om igen. Han var inte säker på att det hade varit så listigt att slänga henne i hamnbassängen ändå. Hon blev hittad väldigt snart. Men han hade tänkt att spåren på liket skulle sköljas bort på det sättet. Han föreställde sig sina fingeravtryck på hennes hals. Kanske några lösa hårstrån dolda mellan trådarna i hennes tröja. Hans saliv. Och jorden på hennes kläder. Han borde kanske ha klätt av henne, men det bjöd honom emot.

Han kände hungern gnaga i magen men bestämde sig för att

skriva minst en sida till. Enkla beslut, som om han skulle äta köttgryta eller pizza, hade blivit svårare att ta. Han kunde fundera på sådana saker uppemot en timme innan han bestämde sig. Och om han valde det ena undrade han ofta om han hellre borde ha valt det andra. Den här sviktande beslutsamheten bidrog till hans rastlöshet, som blev allt starkare. Han kunde inte minnas när han senast hade ätit. Det var inte heller särskilt viktigt.

BERIT GEBER BESÖKTE höstutställningen två dagar före dotterns begravning. Hon gick snabbt igenom restauranglokalen men hade bestämt sig för att tvinga sig att ta en kopp kaffe efteråt. Detta måste hon helt enkelt ta sig igenom. Det var människor överallt. Människor som inte visste någonting, som skrattade och pratade och uppförde sig som om ingenting hade hänt. Det gjorde henne outsägligt sorgsen.

Hon köpte biljett och gick genom utställningslokalerna. Först den långa, smala, sedan det mellersta lilla rummet med ljusinstallationen och därefter andra våningen. Tavlorna på väggarna mötte henne med grå, grön och blå smärta. Och med röda färger som blod. Andra arbeten var tysta som tankar och vita som osagda ord. Hon gick in i en av salarna där en stol med många uppblåsta engångshandskar fångade hennes blick.

Händer på en stol. På andra våningen fanns det mer luft. Hon stannade framför en vit tavla med pyttesmå mönster av röda öron. Hon stirrade och stirrade på tavlan. Stirrade tills öronen började dansa. Röda, lyssnande öron, fulla av blod.

Berit Geber satte sig på en stol. En kort stund var hon inte riktigt säker på om även stolen var en del av något slags installation. Men hon satte sig i alla fall; hon kände sig yr.

En mamma med två små döttrar böjde sig fram mot en broderad matta med seriefigurer. "Titta här, flickor", sa mamman, "Musse och Mimmi Pigg."

Efteråt körde Berit Geber ut till Høvikodden. Det var här de hade firat sitt bröllop för tjugoett år sedan. Hon parkerade bilen men gick inte in. I stället gick hon ner till strandkanten. Marken var täckt av gula och bruna löv. Det gröna gräset var obarmhärtigt överdraget av en tunn ishinna som mest av allt påminde om en liksvepning.

Hon gick längs stranden och lät vågorna skölja över skorna och vristerna. Märkte det inte, kände bara kylan från vattnet som något tryggt. Hon såg på några fritidsbåtar som låg kvar i vattnet. De såg ledsna ut, som om de var bortglömda.

Som jag, tänkte hon och stannade. Hon stod stilla med slutna ögon och försökte känna hur sorgen arbetade sig genom kroppen. Hon hade nästan inte sovit något i natt heller. Sömnen hade rullat utanpå kroppen, som någonting slätt som liksom inte fick grepp.

Smärtpunkterna satt i bröstet och magen, och i halsen. Hon föreställde sig det så. Armarna och benen och fötterna var smärtfria. Hon bestod inte längre av fötter och armar utan av smärtpunkterna.

Hon var ledsen och besviken därför att hon kände att Gud inte var till någon hjälp. Ljudet av vågorna trängde igenom tankarna och blev till en del av sorgrytmen. Ordet aldrig dunkade i huvudet. Aldrig, aldrig, aldrig. Det allra värsta var ändå tankarna på vad dottern måste ha känt: skräcken först, och sedan smärtan. Skräcken först, och sedan smärtan.

Det fanns bilder bakom ögonen. Framför ögonen låg vattnet och rörde sig fram och tillbaka. Hon tänkte på offren för svältkatastrofer. TV-bilderna med de avmagrade, gråsvarta kropparna. Barn med tårar på kinderna och flugor i ögonen. Hon tänkte på hur många det var som led i världen. Hon var bara en av dem alla. Världen var ett hus av smärta.

TANJA GEBER FYLLDES AV ett vanvettigt raseri. Den okände mannen hade ringt igen. Det gjorde henne fruktansvärt upprörd. I synnerhet nu, efter allt som hade hänt. Samtalen hade börjat långt innan Therese dog. Hon mindes inte exakt när.

Nu var han i luren. Han sa ingenting. Hon kunde inte höra hans andetag, han bara lyssnade. Men hon visste instinktivt att det var en man.

Ida hade fört honom på tal under gårdagen. "Den där galningen som ringde, du vet", hade hon sagt. "Tror du att det är viktigt?"

Tanja hade skakat på huvudet. "Therese blev mördad av en förbipasserande, men vi kan ju alltid nämna det för polisen."

"Jag är säker på att hon slängde ur sig någon kommentar till honom, så där som hon brukade. Karln löpte säkert amok. Han tålde det helt enkelt inte."

Tanja Geber lyssnade i luren. Det susade svagt. Men bara av tystnad. Hon slängde på luren. Det var så mycket som tyngde henne. Mest av allt det dåliga samvetet över att hon inte flyttade hem till föräldrarna igen. Men hon kunde inte göra det. Blotta tanken gjorde henne sjuk. Och den förestående begravningen. Hon visste inte hur hon skulle ta sig igenom den. Den låg och väntade på henne och skrämde vettet ur henne, och den kom hela tiden närmare.

Telefonen ringde igen nästan så snart hon hade lagt på. Hon

slet åt sig luren och skrek att nu fick det vara nog. "Polisen vet vem du är", skrek hon hysteriskt.

Rösten i andra änden var lugn. Hon kände genast igen den. Det var Torkel Bru. "Bevare mig väl", sa läkaren, "det var ett våldsamt sätt att svara på, må jag säga. Hur står det egentligen till med dig?" fortsatte han.

Hon avskydde hans röst. Såg honom för sig med de skrattretande polisongerna och de tjocka glasögonen.

"Bra", sa hon med ljus röst och satte sig ner på en pall som stod bredvid TV:n.

"Bra?"

"Nej", sa hon, "egentligen inte. Jag ... det här med Therese, det ..."

"Jag förstår. Det är ohyggligt, det som har hänt", fortsatte läkaren. "Nu får vi vara försiktiga så att du inte blir sjuk igen", sa han.

Vi, sa han. Han talade alltid till henne som om hon bestod av flera. Som om de ägde en del av henne allihop, läkaren och psykiatern och modern. Hon avskydde hans sätt att tala till henne.

"Men jag klarar mig bra", sa hon och skärpte sig. Hon visste att hon måste prata med vanlig röst, så att inte han eller de andra fick tillbaka sitt övertag. Så att hon inte blev tvungen att flytta hem igen eller läggas in på nytt. "Jag är ledsen så klart, men jag hanterar det bra. Jag äter", sa hon och rådbråkade hjärnan för att komma på något konkret hon kunde säga att hon hade ätit. Limpa, eller potatismos, eller kött. Men hon kunde inte säga det. Hon hade verkligen ätit, men bara några tomater och ett par hårdkokta ägg. Det var inte sådan mat som Torkel Bru ville att hon skulle äta.

CATO ISAKSEN TOG HISSEN ner till Ellen Grues tjänsterum. Han var helt enkelt tvungen att prata med henne. Han kunde inte skjuta ifrån sig tankarna på henne. Det där hon hade sagt till honom. Menade hon det?

Ellen Grue höll på att packa ihop sina saker. Hon pratade med en kvinnlig poliskommissarie från en annan avdelning. Cato Isaksen knackade försiktigt på dörren och steg in i rummet.

"Hej", sa han. Hon nickade kort till svar, och kommissarien försvann ut genom dörren.

"Jag hade egentligen tänkt prata med dig om en sak", började han, "men du har kanske inte tid?"

Ellen Grue ryckte på axlarna. "Inte just nu men kanske senare", sa hon avvisande.

Han gick tillbaka igen. Han kände sig förödmjukad. Tanken på henne satt som en värk i kroppen. Han var rastlös. Orkade inte åka hem med detsamma. Han hade tagit itu med Gard kvällen innan, med resultatet att sonen fick ett fruktansvärt raseriutbrott och kastade sig på dörren och gapade och skrek att han inte tänkte följa med till stugan. Att de kunde glömma alltihop.

Cato Isaksen hämtade sina saker. Han bestämde sig för att ta en sväng till sjukhuset för att höra hur det stod till med Sigrid. Bente hade bett honom kontakta henne för att klara upp situationen med Georg. Hon ville till varje pris slippa att ha honom med på semestern.

Sigrid låg i sjukhussängen i det ljusblå flanellnattlinnet. Det var ganska slitet. Han mindes det väl.

Hon sov. Hon hade filten bara halvvägs uppdragen. Magen doldes under filten. Hennes ena fot stack ut i fria luften. Han såg hur vit den var. Han såg på hennes ansikte och log hastigt för sig själv. Den ömhet han kände överväldigade honom. Hon såg trött ut. Det ljusa, smålockiga håret bredde ut sig över kudden på ena sidan. Han stod där och betraktade henne och kände sig plötsligt gråtfärdig. Han gick närmare och såg att nattlinnet hade glidit ner en bit över ena axeln. Nyckelbenen och ena bröstet var halvt synliga. Han mindes hur hennes små bröst hade svällt upp medan hon väntade Georg. Mindes hur bröstvårtorna hade blivit mörkare och större. Han mindes lukten av hennes mjölk och hennes hud. Hans hjärta slog snabbare. Han saknade henne på sätt och vis.

Då slog hon plötsligt upp ögonen och såg rakt på honom. Mödosamt satte hon sig upp och strök förvirrat med handen över håret. "Cato", sa hon, "vad gör du här?" Och sedan, innan han hann svara: "Det har väl inte hänt något med Georg?"

"Nej då." Han skakade snabbt på huvudet. "Jag körde bara förbi", sa han, "och tänkte att jag skulle titta upp."

Dörren till rummet gick upp, och en annan kvinna, stor som ett hus, vaggade bort till sängen bredvid fönstret.

"De är rädda att hon ska komma för tidigt", sa Sigrid. "Jag är ju bara i mitten av sjätte månaden."

"Hon?"

"Ja", sa Sigrid, och ett hastigt leende gled över hennes läppar. "Det är en flicka", log hon, "jag fick veta det i går."

"Gratulerar", sa han och hörde genast hur löjligt det lät. Han kände sig förvirrad. Han hade föreställt sig allting annorlunda.

"Det är en stor fördel", fortsatte hon ivrigt. "Flickor är starkare än pojkar i fosterlivet. De har kommit längre i utvecklingen.

Doktorn har sagt att hon säkert kommer att klara sig." Sigrid log hastigt mot honom.

Han såg på henne att hon mådde bra, trots allt. Det var skönt att Sigrid mådde bra; då behövde han inte längre ha dåligt samvete för att han hade lämnat henne.

"Det gläder mig att du mår bra", sa han men insåg genast att det inte var sant. Han blev förvirrad av att hon mådde bra.

RASTLÖSHETEN DREV HONOM vidare. Han hade inte kunnat förmå sig till att ta upp problemen med Georg. Vad kunde Sigrid göra åt den saken nu? Han ville ju inte att Hamza skulle ha pojken för mycket ensam.

Cato Isaksen körde Pilestredet fram. Sjukhusbyggnaden vilade tung i hans kropp. Hennes bara axel och hennes röst, de blanka linoleumgolven och de höga fönstren. Ljudet av den lilla järndörren som slog igen bakom honom, allt gjorde rastlösheten i honom komplett. Det var lördag eftermiddag. Staden höll på att slockna. Det var lugnt på gatorna. En bitande vind sopade trottoarerna rena från löv. Han såg en kvinna i svart kappa och en katt som satt utanför en port och frös. Han tänkte på Gard. Han hade inte kommit hem i natt. Han orkade inte tänka på var han hade varit.

Han kom till en rondell, vände och körde tillbaka in mot centrum igen. Han tänkte på den förestående begravningen.

Han stannade för rött ljus. Tre skrattande ungdomar korsade gatan på övergångsstället. Ljuset slog om till grönt, och han körde över korsningen, svängde in till trottoaren och stannade. Han ringde till polisens upplysning på sin mobiltelefon och bad att få Ellen Grues adress.

Ellen Grue öppnade dörren. Hon såg på honom en stund med sin mörka blick. Hennes tankar gled över det söta ansiktet. Han visste inte om hon var förvånad.

"Hallå", sa han och lutade sig mot dörrkarmen. Han släppte inte hennes blick.

Ellen Grue svarade inte, vände sig bara om och gick tillbaka in i lägenheten. Hon lämnade dörren öppen efter sig, som om det var han som fick bestämma hur det skulle bli. För ett ögonblick kände han sig osäker, men sedan sköt han försiktigt upp dörren och följde efter henne in i lägenheten.

Vardagsrummet var enkelt inrett. En stor, svart skinnsoffa med ett glasbord framför dominerade i ena hörnet. De vita väggarna pryddes av två stora, inramade fotografier i svartvitt och en målning med vilda krusiduller i gult, skarpt rosa och blått.

Interiören förvånade honom, även om den kanske inte borde ha gjort det. Den var på samma gång feminin och maskulin, enkel och stark. Det var väl sådan Ellen var också, tänkte han.

Han hörde att hon rumsterade om ute i köket. Han hade inte tagit av sig skorna. Han skulle känna sig nästan naken utan skorna, som om han redan hade börjat klä av sig.

Hon kom in med två koppar på en bricka och ett litet fat med kex. Hon hämtade en kanna med pressbryggt kaffe.

Hon bad honom sätta sig och hällde upp kaffe i kopparna. Han satte sig i soffan. Tystnaden var tryckande. En bil tutade utanför. Han började berätta om Sigrid och barnet hon väntade med invandraren. Han sa att han var uppriven efter att ha hälsat på henne på sjukhuset. Han berättade om Georg och om Bente och om Gard som hade varit borta i natt. Han pratade och pratade. Ellen Grue lutade sig tillbaka och lyssnade.

Det slog honom plötsligt hur tom denna monolog var, som en ensam, genomskinlig vinge.

Ellen Grue såg på honom. "Du", sa hon, "du är fullkomligt hopplös. Alla dina kvinnor, som du tydligen både hatar och älskar och som gör dig fullkomligt förvirrad. Hur har du det med din mor?" frågade hon medan ett litet leende växte fram på hennes läppar.

Han såg på henne och reste sig. Kände det som om han hade fått ett slag i maggropen.

"Vad är det egentligen du vill?" frågade hon. "Att jag ska tycka synd om dig?"

"Nej, vet du vad", sa han och började gå mot dörren.

Hon gick efter honom och lade handen på hans arm. "Du har kommit för att knulla, eller hur? Nu klär vi av oss och tar ett bad tillsammans. Sedan håller du käft om dina kvinnor. Jag vill inte höra mer om dem. De intresserar mig inte."

Cato Isaksen kände hur den mörka, farliga tonen kom tillbaka. Hans lem började växa. Samtidigt var han rädd. Ellen Grue skrämde vettet ur honom. Han visste inte om han gillade henne över huvud taget. Ett ögonblick tänkte han att han avskydde henne, att det var det han egentligen gjorde.

Hon gick ut i badrummet och började tappa upp vatten i badkaret. Ljudet av det brusande vattnet slog emot honom.

Medan vattnet rann klädde hon av sig mitt framför ögonen på honom, det ena plagget efter det andra tills hon stod framför honom utan en tråd på kroppen. Hon var liten och brun. Solbrännan hade ännu inte bleknat på hennes kropp. Brösten var små med mörka, hårda vårtor.

Hon gick bort till honom och började ta av honom jackan.

Han tänkte på det där hon hade sagt om hat. Det var nog inte henne han hatade utan modern och Sigrid och Ingeborg Myklebust. Vilken jävla idiot han var som stod här och lät henne driva honom till detta. Han ångrade att han hade sökt upp henne. Han hade bestämt sig för att inte vara otrogen mer.

Ellen Grue tittade upp på honom. "Vågar du inte?" frågade hon.

Han såg på henne. Han blev upprörd över hennes beteende.

Han tog hennes hand. Hon gjorde sig fri och log. "Det är egentligen inte dig jag vill ha, Cato", sa hon. "Förstår du?"

Han svarade inte.

"Det är inte dig", upprepade hon och böjde sig ner och kände på vattnet i badkaret. "Du är man, det är allt." Hon rätade på sig och log snabbt. Han återgäldade hennes leende. Han kände att han verkligen ville det här, just nu. Hon ville älska. Inte äga honom. Det passade honom bra. Men varför kände han sig samtidigt en aning sårad?

DET VAR EN ABSURD KÄNSLA av allt möjligt. Natt och dag och vår och helvete. Cato Isaksen kände kycklingköttet växa i munnen. Han var uppriven och trött och vaken. Bente hällde upp vin i glasen. Hon var tydligt lättad över att Gard hade kommit tillbaka. Men hon var ledsen över att det såg ut som om de skulle bli tvungna att ta Georg med sig upp till stugan. De hyggliga grannarna beskrev vägen till stugan.

Cato Isaksen kände ingenting. Var närmast bedövad efter det som hade hänt. Det var som om han stod med händerna i fickorna, lätt framåtböjd, och kikade in genom ett fönster. Vattnet med skum. Munnen mot bröstvårtorna. Hennes mun mot honom. Munnen mot munnen. På honom, runt hans kön.

"Jag kan bara inte fatta det, att dottern blev mördad på det ohyggliga sättet. Det är fruktansvärt", sa Inger Kraft. "Men vi tycker det är väldigt roligt att ni vill låna stugan." Hon pladdrade på. Men hennes prat rådde inte på hans blickpunkt, som låg på ett konstant avstånd i förhållande till människorna och föremålen i rummet. "Vi kan inte använda den själva under höstlovet eftersom vi måste arbeta", fortsatte hon. Stugan hade de köpt för två år sedan för pengar de hade ärvt efter hennes föräldrar.

"Det enda ni måste ha med er är vatten", fortsatte Bent Kraft ivrigt. "Ni kan få låna dunkar av oss om ni inte har egna."

Cato Isaksen rörde sig långsamt över och under och runt tankarna. Han sjönk in i dem och genom tankarna in i henne. Hennes andedräkt mot hans kind. Ett långt, sällsamt ögonblick. Som ett trolleritrick inlindat i något annat.

HAN TOG NER drömfångaren från väggen och vägde den i handen. Den var lätt. Den bestod av ett litet flätat skinnhjul som påminde om mittpartiet i ett spindelnät. Det var i mellanrummen mellan trådarna som de onda drömmarna silades bort. Från hjulet hängde långa, fastknutna skinnremsor med inflätade pärlor och fågelfjädrar. Människohåret var inflätat i den nedersta skinnremsan, under pärlorna och ovanför fjädrarna.

Han gick bort till fönstret. Huset nedanför ropade till honom. Han såg höstfärgade löv virvla genom luften, och två små barn i täckoveraller klättrade på det färggranna leksakståget nere på lekplatsen.

Han hade tidigt vetat att han var en främling. Det var egentligen en skrämmande insikt, men han försökte dämpa den känslan genom att spela olika roller. Tankarna var lyckligtvis osynliga. Ingen kunde se utanpå en människa hurdan hon var inuti. Sådana ögon fanns inte.

Och nu satt han i den här sparsamt möblerade lägenheten och försökte mobilisera sin kreativitet. Han ville återvända till den regnvåta resan, öster om Palenque. Insekterna hade varit stora. Fuktigheten och värmen nästan outhärdliga. Han hade släckt de flesta lamporna i lägenheten för att kunna återvända dit. Han blev distraherad av att barnet på våningen ovanför började skrika. Han hörde föräldrarnas springande steg över golvet. Dämpade steg, långt borta men ändå väldigt nära. Ljudet av barngråten irriterade honom. Han gick ut ur rummet och bort till soffan och lade sig. Han försökte sova. Han somnade men vaknade igen några timmar senare och kände sig märkligt utvilad. Han steg upp. Det var kyligt i lägenheten. Det var alldeles tyst. Det var kanske mitt i natten. Han visste inte riktigt. Men ute hade det börjat ljusna.

Han gick ut i badrummet och tappade upp varmt vatten i badkaret. Han klev i och kände värmen fortplanta sig genom kroppen. Han bestämde sig för att laga mjölkchoklad, inte riktig mjölkchoklad utan en sådan där snabbpåse att hälla direkt i koppen och bara blanda ut med kokande vatten. Sedan måste han se till att komma i väg. Han hade haft en dålig dag i går. Hade inte hunnit med hälften av det han hade tänkt göra. Hade blivit tvungen att skrinlägga ett par saker. Dagen därpå skulle han gå på Therese Gebers begravning.

THERESE GEBER BEGRAVDES den 28 september. Det var den första dagen på höstlovet. Cato Isaksen hade bestämt sig för att resa till stugan direkt efter begravningen. Bente hade tagit ledigt hela veckan. Själv planerade han att köra ner igen redan på onsdagkvällen på grund av Geberfallet.

Gard vägrade att följa med. Han såg det som ett övergrepp att Bente hade gått på föräldramötet. Han ville inte att de skulle bry sig om honom.

Begravningen hölls i Askers kapell, en fyrkantig tegelbyggnad strax intill kyrkan.

Roger Høibakk och Cato Isaksen slank obemärkt in i en av de bakersta bänkraderna. Kapellet var fyllt till brädden av familj, vänner, grannar, skolkamrater och lärare.

Utredarna betraktade människorna omkring sig. Cato Isaksen frös. Det var kallt. Han tänkte på vad Tanja Geber hade berättat för honom, om telefonsamtalen. *Det har säkert ingenting med det här fallet att göra*, hade hon sagt, *men i alla fall.*

Han böjde sig fram mot Roger Høibakk och bad honom nämna upplysningen i någon av rapporterna. "Jag tar upp det igen när jag kommer tillbaka från stugan", sa han.

Längst fram till vänster, på samma sida som utredarna, satt Berit och Rolf Geber och döttrarna Tanja och Karen tätt intill varandra. De var alla svartklädda. De hade samtligas ögon riktade på sig och tedde sig på något sätt upphöjda i sin sorg. Några äldre personer och några som antagligen var farbröder och fastrar satt bredvid dem, ett par stycken även på andra sidan om mittgången. På bänken bakom satt Ida Henriksen, Hanne Marie Skage, Mongo och Marius.

Cato Isaksen ryckte plötsligt till. Var det inte Gard han såg ryggen på rakt bakom Ida Henriksen? Han hade samma jacka och samma hårfärg. Nu vände han sig om till hälften. Det var Gard. Han satt tillsammans med en grupp ungdomar. Cato Isaksen kände obehaget växa. Känslan förstärktes och gjorde honom rädd, trots att förnuftet sa honom att sonen bara var en av många perifera vänner. De hade pratat om det vid middagsbordet. Gard hade sagt att han visste vem Therese Geber var men att han inte kände henne särskilt väl.

Två allvarliga kyrkvaktmästare, en man och en kvinna, delade ut psalmböcker. Vid ingången hade alla fått en vit trycksak med den avlidnas namn och fotografi. Cato Isaksen tittade ner på det svartvita fotot av Therese Geber. Hennes blick hade ett lyckligt uttryck. Munnen var stelnad i ett strålande leende.

Roger Høibakk satt och stirrade rakt framför sig. Nu vände han på huvudet och nickade avmätt när Teddy Holm gick förbi i sin gråblå taxiuniform.

Ceremonin började. Bänkarna var nästan fulla. Det var precis som om kapellet drog efter andan och sparade en liten tystnad i varje vrå.

Prästen började tala. Han göt fasa över de församlade genom att tala om det som hade hänt. Hans ord följdes av små plågsamma ekon.

Han talade om Jesus. I att följa honom fanns glädjen och lyckan och allvaret och kärleken. "I dag är det allvaret som gäller", sa han. "Men vid tillfällen som det här", sa han, "är det särskilt viktigt att man håller fast vid tron, även om det kan verka som om mörkret överskuggar livet och framtiden."

Prästen talade och talade och talade, endast avbruten av psalmerna, som på något sätt upphävde och skingrade tystnaden. De vita och röda blommorna låg på kistan och påminde om snö och blod. Djupa snyftningar hördes hela tiden över allt det andra.

Cato Isaksen och Roger Høibakk följde människorna i bänkarna med ögonen. Böjda huvuden och sänkta axlar.

Berit Geber tänkte på de nitton åren. Hon grät inte. Hon hade tagit två lugnande tabletter innan hon gick.

Hon tänkte på Thereses kläder. Det var overkligt att hon aldrig skulle använda dem mer. En del av dem hängde fortfarande i garderoben innanför dörren. Fibrerna bar antagligen hennes doft. Hon skulle nog aldrig kunna förmå sig till att kasta bort de kläderna. Hon tänkte på döttrarnas närhet och avstånd sinsemellan. Therese var den mest självständiga av dem. Tanja hade aldrig velat göra avkall på symbiosen med systern.

DE LYCKADES INTE TVINGA Gard att följa med till stugan. Cato Isaksen orkade inte bråka mer. Han kämpade för att hålla sig vaken. "Jag kan ta över om du inte orkar köra", sa Bente bekymrat. "Nej då", avfärdade han henne.

I baksätet satt Vetle och Georg och småpratade om kor och lagårdar.

"En del är lador och andra är lagårdar", sa Vetle.

Gard hade inte velat prata om begravningen. Han hade upprepat att han egentligen inte kände Therese men att Tanjas pojkvän var bror till en flicka i hans klass.

Bilen åt sig fram genom det enformiga landskapet. Cato Isaksen tänkte på Therese Geber som var död och på barnet i Sigrids mage. Världen var svartvit. Han tänkte på Ellen Grue. Hon hade fått honom att slappna av. Han tänkte på det varma vattnet i hennes badkar. Precis rätt temperatur mot kroppen, på huden mot huden. Tänkte på smaken av hennes mun och badskummet som täckte hennes ena kind. Hon hade hjälpt honom av med en del av den mörka stress han hade gått omkring med på senaste tiden. Det var en lättnad. Han behövde det. Han visste att han skulle söka upp henne igen. Han skulle inte kunna låta bli. Han kände ingen ånger. Det här hade ingenting med Bente att göra.

"Titta där", sa Georg och pekade på en stor lada, "där bor korna."

Bente lutade huvudet bakåt mot nackstödet. Hon var orolig för Gard, som efter mycket om och men hade stannat kvar hemma. Det var inte så lätt att bestämma över en sjuttonåring. Hon

166

kände ju igen sig själv i hans önskan att bli lämnad ifred. Det skulle nog gå bra. Det skulle säkert ha blivit litet för jobbigt för honom med Georg.

Det var tio minuter att gå från parkeringsplatsen. Stugan låg på nästan 950 meters höjd. Snaufjellet reste sig alldeles utanför stugväggen. I sluttningen nedanför stod dvärgbjörkar och små-vuxna granar tätt.

Bente föll direkt för stället. "Tänk om vi kunde skaffa något liknande en dag", log hon och gick bort till det lilla härbret med sniderier på den bruna dörren. "Nog skulle det vara underbart."

"Klart att vi kan göra det om vi vill", sa Cato Isaksen och ställde ner den tunga väskan på verandan.

Vetle bar Georg på ryggen. "Han är tung", sa han och satte ner honom på marken. Mössan gled ner över ögonen på honom. "Jag vill ha saft", sa Georg och gnuggade sig trött i ögonen.

Cato Isaksen låste upp dörren. En stor öppen spis, en hem-trevlig soffhörna, spröjsade fönster, en kokvrå och två små sov-rum.

"Verkligen ett fint ställe", instämde han.

SAMMA EFTERMIDDAG FÖRSVANN femåriga Stine Marlen från Borgen i Asker. Alltihop var ett resultat av flera slumpmässigt samverkande faktorer. Hennes mamma höll på att laga mat. Hon arbetade i en klädbutik i Trekanten Senter i Asker och hade strax innan sagt till att dottern inte skulle gå någonstans därför att de snart skulle äta. Hon hade för en gångs skull gått med på att arbeta sent; hon skulle rycka in i stället för en av de andra kvinnorna, som skulle på Operan för att se Nötknäpparsviten med sina barnbarn. Hon hann nätt och jämnt hem för att laga middag innan hon måste rusa ner till centrum igen och stanna där tills butiken stängde klockan åtta. Själv brukade hon sluta klockan fyra. Som ensamstående mor hade hon egentligen ingen möjlighet att ta några kvällspass.

Stine Marlen hade sagt att hon ville plocka höstlöv och klistra upp dem på papp, som hon hade gjort på dagis. Inte nu, hade modern sagt. Stine Marlen hade till slut gått med på att hoppa rep tillsammans med två andra flickor ute på lekplatsen.

När modern en kvart senare gick ut på balkongen för att ropa in henne var hon borta. En av de andra flickorna sa att hon hade gått för att plocka löv.

Anita Kvarme kände hur vreden kokade inom henne. Förbaskade ungar som aldrig kunde lyssna. Åttaåringen Thomas skickades ut för att leta. "Säg att hon ska äta maten som står på bordet", sa mamman. "Jag måste i väg. Och inte slåss nu", tillade hon för säkerhets skull. "Nåde dig om ni slåss. Ni får tio kronor var om ni håller sams. Okej?"

Thomas nickade. "Ja, mamma", sa han.

Anita Kvarme var hemma igen tjugo över åtta. Hon hade skyndat hemåt i mörkret. Hon tyckte inte om den mörka gångvägen som bara var upplyst av ett par tre svaga lyktor. Gångvägen började nere vid älven och gick förbi parkeringsplatsen intill stationen och genom industriområdet. Den vek av ut i terrängen nedanför höghusen i Hagaløkka och fortsatte upp genom skogen till Borgenområdet, som också bestod av flerfamiljshus men bara med fem våningar.

Varken Thomas eller Stine Marlen var inne när hon öppnade den olåsta dörren. Tallriken med den kalla soppan stod orörd på bordet, tillsammans med de två brödskivorna och det halva äpplet.

Hon gick trött ut på balkongen och började ropa på barnen. Ett gäng med ungdomar svarade med tillgjort ljusa röster. "Jaaaa", sa de.

Höstkvällen låg mörk och kall och full av ekon utanför balkongräcket. Ljuden fortplantade sig i det täta mörkret.

"Förbannade ungar!" Anita Kvarme smällde igen balkongdörren efter sig. Sedan gick hon bort till telefonen och började ringa runt. Men ingen hade sett Stine Marlen. Thomas, däremot, hade sparkat fotboll med kompisarna på planen alldeles utanför husen tills pojkarna försvann för en halvtimme sedan, fick hon höra av mamman till en av sonens klasskamrater. De andra gick in, men Thomas och Kenneth skulle visst hitta på någonting annat, sa hon i ansträngd ton.

Anita Kvarme tackade kort och lade irriterat på luren. Förbannade ungar, upprepade hon för sig själv. Var det inte det ena så var det det andra.

Skräcken hade ännu inte fått grepp om henne. Det var vreden som dominerade när Thomas kom klampande uppför trapporna vid niotiden tillsammans med bästa kompisen, Kenneth. De skrattade och skojade och hade inga ytterkläder. Thomas kastade ifrån sig fotbollen så att den studsade omkring i den lilla hallen.

"Vet du vad klockan är?" frågade modern rasande. Pojkarna tittade förskräckt på henne och skakade på huvudena.

"Den är nästan nio", röt hon och frågade var han hade gjort av Stine Marlen.

"Ingen aning." Thomas ansikte blev allvarligt. Han hade fullkomligt glömt bort lillasystern. "Hon var inte här förut heller", sa han.

"Vad menar du med det?" Modern gick bort och tog honom hårt i armen. Kenneth skyndade sig att säga hej då och smet ut genom dörren. Den slog igen med en smäll efter honom. De kunde höra hans snabba fotsteg nedför trapporna.

"Jag har inte sett till henne", upprepade pojken.

"Har du inte sett till henne?"

Anita Kvarme släppte hans arm. Hon kände sig yr. Någonting var på väg att smyga sig in i hjärnan på henne. Tyst gick hon ut i köket och satte sig. "Har du inte sett till henne sedan jag gick", frågade hon lågt, "är det det du menar?"

Pojken nickade. Han hade följt efter modern ut i köket. Stora lerklumpar lossnade från hans fotbollsskor.

Då reste sig Anita Kvarme. Det svartnade för ögonen på henne. Hon gick lös på pojken och ruskade honom, skrek att han var en oansvarig idiot, att han var precis som sin pappa, att systern bara var fem år, att hon var trött på att inte kunna lita på honom, att han skulle få utegångsförbud i en vecka, att han inte skulle få spela dataspel på fjorton dagar. Han skulle få se. Han skulle allt få se!

Thomas sjönk gråtande ihop på golvet. "Ja, men jag hittade henne inte. Hon fanns ju ingenstans", flämtade han.

CATO ISAKSEN FICK UNDERRÄTTELSEN på mobiltelefonen dagen därpå, medan de satt och åt sin matsäck vid en liten tjärn i närheten av Tempelseter.

Han mötte Bentes blick. Den var fylld av vrede och oro och någonting mer, kanske skräck. Cato Isaksen skakade lätt på huvudet för att lugna henne. "Slappna av", sa han med handen över mikrofonen.

"Åk ut du", sa han till Roger Høibakk, "och hälsa Edland från mig. För det är väl han som har hand om fallet?"

"Ja", sa Roger Høibakk, "det är det."

Bente hällde upp mjölkchoklad i de röda plastmuggarna åt Vetle och Georg.

"Vad var det?" frågade hon. Georg tjöt av förtjusning över att vara på utflykt. Han åt leverpastejsmörgåsar och drack mjölkchoklad. Han var röd om kinderna. Bente lossade litet på bandet under hans haka. Det såg ut att sitta litet hårt.

"Det är ett barn som har försvunnit", sa Cato Isaksen sakta och försökte fånga en fågel i kikaren. Han reste sig och gick bort till den lilla tjärnen. Han höll fortfarande mobiltelefonen i handen. Situationen ingav honom stark olust.

Marken var röd- och ockrafärgad. Ljungen sprakade i lysande färger. Himlen var klarblå och speglade sig i den lilla tjärnen. Stora rullstensblock låg utspridda runt omkring och vittnade om naturens krafter som hade verkat i många tusen år. Det var kallt om händerna, och det ångade ur munnen på honom när han andades.

Han slog numret till Asker og Bærums polisstation och bad att få tala med Vidar Edland, som snabbt satte honom in i situationen. "Det är klart att vi inte gillar det här", sa han bekymrat. "Småflickor som försvinner är väl alla polisstationers skräck. Men hon kan ju plötsligt dyka upp igen. Ungar kan ju få för sig vad som helst."

Cato Isaksen sa att han skulle följa fallet omsorgsfullt och att han räknade med att återvända en dag i förväg om hon inte kom till rätta under morgondagen.

"Förmodligen finns det inget samband", sa Vidar Edland, "men så fan att man kan vara säker. Gebers bil hittades uppe vid Semsvann, så det måste ju finnas en galning här i trakten."

"Det är antagligen inte så enkelt", sa Cato Isaksen bestämt. Att befinna sig så långt borta ingav honom ett slags känsla av maktlöshet. Fjällvinden piskade honom i ansiktet. Han avslutade samtalet och gick tillbaka till Bente och barnen.

"Vad var det, pappa?" Vetle log osäkert mot honom. "Måste du åka?" Oron i pojkens röst sände kalla kårar nedför ryggen på honom.

"Nej då." Cato Isaksen skakade snabbt på huvudet.

Bente sa ingenting utan samlade bara ihop de lösa smörgåspapperen som höll på att blåsa bort.

"Pappa är polis", sa Georg och började traska ner mot vattnet. Vetle sprang efter för att passa honom.

Efter en kort stund ringde Roger Høibakk upp igen. Cato Isaksen fick en sammanfattning av artikeln i VG per telefon. **Finns det något samband mellan mordet på Therese Geber och Stine Marlens försvinnande?** löd rubriken. Inuti tidningen fanns ett reportage över ett helt uppslag. Det stod att flickan hade lekt utanför flerfamiljshusen tillsammans med flera andra barn. Plötsligt hade hon varit borta. Ingen hade sett eller hört något. Polisen bad om tips från allmänheten.

"Vad säger Myklebust?" frågade Cato Isaksen och såg på pojkarna som skrattade och kastade sten i fjälltjärnen. Bente hade gått bort till dem. Han betraktade hennes rygg. Det korta, mörkblonda håret blåste hit och dit i vinden.

"Du måste nästan komma ner", sa Roger Høibakk allvarligt. Cato Isaksen suckade och sa att han skulle komma nästa dag. "Jag ska åtminstone tillbringa kvällen här uppe", sa han, "för Bentes och pojkarnas skull."

Bente kom bort till honom. "Vi har tur med vädret", sa hon.

Han nickade tyst och blickade ut över det enformiga landskapet. Ljung, stenar och mossa. Och längre bort fjällen och små sjöar här och där.

Georg ropade att han ville slänga vatten ända upp till himlen. "Det vill jag", sa han. "Nu!"

Bente log. "Jag tror inte att det är så lätt", ropade hon.

"Jo", sa Georg. "Vetle har sagt det."

Vetle kom småspringande mot dem. "Det var inte det jag sa", ropade han. Han skrattade till. "Georg tror på allting. Han är korkad. Jag sa att himlen speglar sig i vattnet och att vi kunde kasta sten på den."

TANJA GEBER VAKNADE. Det var mitt i natten. Hon kunde inte andas. Det satt något nere i halsen på henne. Inte i munnen, utan nere i svalget. Det var jord. Hon hade munnen full av jord. Det var precis som om det satt ett ljud inne i munnen på henne.

Oron började med att hon höll på att vakna. Hon visste inte varför, men det hade hörts ett ljud. Precis som om någon rörde sig ute i vardagsrummet. Hon kunde inte förklara det. Hon låg kvar och lyssnade. Genom tystnaden hörde hon något som blev svagare och svagare ju mer hon lyssnade. Hon visste inte riktigt om ljudet kom från vardagsrummet eller från henne själv. Ljudet i örat blev till en stor, mörk sjö.

Hon satte sig halvvägs upp, stödd på armbågen. Hon såg att det var mörkt utanför fönstret. Gardinens mönster försvann i mörkret. Hon tänkte på jordkänslan och insåg med ens att den hade en direkt anknytning till systerns begravning. Hon hörde ljuden från kapellet som ett eko inuti sig själv.

Hon slängde av sig täcket och steg upp. Hon gick bort till fönstret och drog ifrån gardinerna.

En plötslig rörelse fångade hennes uppmärksamhet. Det stod en gestalt i ett mörkt fönster mittemot. Hon stirrade på honom men såg honom ändå inte och glömde honom med detsamma.

Hon gick in i vardagsrummet. Fragment av en obekant lukt slog emot henne. Som om det nyss hade varit någon där. Lukten var bara en vag förnimmelse. Minnet ansträngde sig för att definiera den.

Tanja Geber kände skräcken sprida sig uppåt längs ryggraden. Hon tänkte på Therese som låg i kistan nere i jorden. Tanken trängde sig fram inom henne. Therese låg i kistan och såg ut som sig själv. Kylan skulle bevara henne sådan till långt in på våren. Hennes hår, hennes hud, hennes ögon.

Hon kände hur det häftiga illamåendet kom vällande som en våg. Hon vände sig om och sprang ut på toaletten för att kräkas. Ögonen blev blanka och våta. Magen vände sig ut och in, gång på gång. Där fanns inte mycket att få upp. Hon hade nästan inte ätit någonting de senaste dagarna. En hastig känsla av något positivt i alltsammans skymtade förbi. Aptiten var helt borta.

Hon sjönk ihop på badrumsgolvet och började gråta. De här minuterna skulle hon minnas för alltid. Just nu, det här ögonblicket, på golvet. På knä framför toalettstolen och minuterna dessförinnan, under det svettiga täcket. Skräcken för jorden som var full med maskar. För Therese, som låg där ensam och aldrig mer skulle vakna.

Hon försökte resa sig men kunde inte. Allt runtomkring henne försvann. Den senapsgula färgen på väggarna påminde henne om jordnötssmör. Handdukarna, som hängde i rad alldeles ovanför huvudet på henne, löstes upp och blev till vägg. Själv blev hon till golv. Och taket ovanför henne var en vit himmel.

Hon kunde inte andas. Smärtan i bröstet bara tilltog. Sedan hörde hon ljudet. Ljudet från allt. Stort och mullrande, som ett brunt djur. Då förstod hon att det var sorgen hon hörde, och skräcken.

NOLL NALEN STOD I FÖNSTRET och stirrade ut mot huset nedanför. Han var övertygad om att det var han som hade fått henne att stiga upp. Klockan var tre på natten. Det var över en timme sedan han hade böjt sig över henne. Han hade betraktat hennes ansikte och känt hennes andedräkt som en liten lekfull vind mot örat.

Han stack handen i fickan och kände på den kalla nyckeln. Först nu hade hon reagerat. Han kände till fenomenet. Att det tog tid innan händelser sjönk in i själen på folk. Innan sinnena hade upprättat förbindelse sinsemellan och reagerade.

Hon hade dragit ifrån gardinerna och tittat rakt upp på honom. Det svaga skenet från lyktan utanför gjorde att han nätt och jämnt kunde skymta hennes vita ansikte. Han visste att hon såg honom. Han stod helt stilla, rörde sig inte, väntade på att hon skulle försvinna. Efter en liten stund försvann hon också, in i lägenheten. Han stod kvar ytterligare ett par minuter innan han drog sig tillbaka, gick ut ur rummet och stängde dörren efter sig.

Han hade den där extatiska, mörka känslan i kroppen. Han lade sig på knä framför TV-apparaten och satte in en film i videon. Sedan hämtade han sig en öl och satte sig till rätta i den slitna soffan. Han visste att han hur som helst inte skulle kunna sova.

Han hade sett en film om en fönstertittare en gång, det var egentligen så det hade börjat. Den hade gjort honom starkt upphetsad. Det var så mycket han kände igen. Däri låg en stor sorg.

Han var inte dummare än att han kunde analysera sig själv. Han bestämde sig för att leva ut sin mörka sida. Trodde att det skulle ta udden av den. Men nu kände han sig bara sorgsen. Just nu var hans liv ingenting värt.

Han var förbaskad över det han hade läst i tidningarna. Han hade ingenting med den försvunna jäntungen att göra. Han undvek barn. Det retade honom gränslöst att journalisterna blandade bort korten. Eller var det kanske polisen som gjorde det? Han visste inte. Han visste bara att det inte hade något med honom att göra.

Han tryckte på knappen, och videofilmen började surra inne i apparaten. Svarta fjärilar fladdrade emot honom. Smala kvinnohänder och djupa munnar levde i bilden framför honom. Fasornas katedral skrattade mot honom. Han satt i det mörka rummet. Och hans ögon fylldes av det blanka ljuset från TV-skärmen.

DAGEN DÄRPÅ STOD DET att läsa i VG: Femåringen fort-farande försvunnen! Vidare stod där att det var ett ytterst märk-ligt sammanträffande att Therese Gebers syster arbetade till-sammans med Stine Marlens mamma på Cubus i Asker. Kunde det finnas ett samband?

Polismästare Vidar Edland vid Asker og Bærum-polisen var intervjuad och sa att han egentligen inte trodde att de båda fal-len hade något med varandra att göra men att han för säkerhets skull ändå hade kontaktat Oslopolisen, eftersom det var de som hade hand om Therese Geber-fallet.

Polisinspektör Roger Høibakk vid mordroteln i Oslo försökte också tona ner det hela.

"Det är två helt skilda fall", uttalade han sig. Han var säker på att barnets försvinnande hade en naturlig förklaring. Men han ville inte gå närmare in på vad han menade.

En stort uppslagen bild av Stine Marlens pappa täckte hela ena sidan. Han stod med en av hennes nallar i famnen. Han bodde inte ihop med barnets mor. Han var övertygad om att dottern hade utsatts för något brott. Anita Kvarme ville inte ytt-ra sig. Fotograferna hade ändå lyckats knäppa en bild av henne och sonen på väg in i en bil.

CATO ISAKSEN PASSERADE en kollision på väg tillbaka från stugan. Blåljuset på ambulansen som hade kommit dit lyste upp hans ansikte några snabba sekunder. När han till sist hade tagit sig förbi avspärrningarna hamrade hjärtat i bröstet på honom. Han tyckte inte om att tänka på vad som kunde ha hänt, kanhända var det ett barn eller en ung människa som hade fått sätta livet till. Han fick en kväljande föraning om att någonting inte var som det skulle. Känslan gjorde honom nervös och följde honom resten av vägen hem. Han brukade inte låta sig styras av intuitionen, men den här gången bestämde han sig för att åka hem och titta till Gard innan han fortsatte vidare in till polishuset.

Han parkerade utanför garaget. På långt håll såg han att gardinerna var fördragna. Han skakade fram sitt armbandsur. Det visade på fem över halv fyra. Han hade kört från stugan vid etttiden. Bente och pojkarna ogillade naturligtvis att han åkte, men han hade lovat att komma upp igen om ett par dagar. Men Bente förstod situationen. Hon blev rejält uppskakad när hon fick höra om barnet som hade försvunnit.

Han tittade på klockan en gång till och tänkte på Rogers löjliga yttrande, tyckte liksom att han kunde höra hans röst: *Tid finns inte, men klockor finns det nog av.*

Han stack nyckeln i låset och vred om. Han öppnade dörren och steg in i den lilla farstun. Sparkade av sig skorna och fortsatte in i hallen. "Hallå", ropade han. "Gard?"

Det rådde en instängd och otäck tystnad i huset. I tystnaden vilade något annat.

Gard satt inne i vardagsrummet, i soffan. Han vilade huvudet bakåt, mot väggen. När fadern uppenbarade sig i dörröppningen reste han sig omedelbart och började tala osammanhängande. På ena sidan drog sig mungipan spastiskt nedåt. Han hade tydliga problem med sig själv.

De tunga vardagsrumsgardinerna var helt fördragna, och dagsljuset tryckte på från utsidan och tvingade fram streckmönstret på ett helt nytt sätt. Mönstret hoppade hit och dit. På några ställen var det tjockt som en planka. Cato Isaksen tyckte att någonting lossnade, att plankorna rasade ner från gardinerna. Att de landade på vardagsrumsgolvet med våldsamma brak. Han såg på sonen. Gard drog ner tröjan och rättade till jackan, som han fortfarande hade på sig. Han drog fingrarna genom håret. Hans ansikte hängde inte ihop.

Cato Isaksen såg på sonen innan han snabbt gick bort och med ett ryck drog ifrån gardinerna och vände sig mot Gard igen.

"Vad i helvete sysslar du med egentligen?" röt han.

"Det är för fan inte mitt fel!" skrek Gard till svar och lyfte samtidigt händerna för att skydda sig. Blicken flackade hit och dit i det magra, bleka ansiktet. Han blev stående och vaggade förtvivlat fram och tillbaka samtidigt som han stirrade fientligt på fadern.

Någonting strömmade in i hjärnan, något kallt och outhärdligt, som ett mörkt ljus. Situationen var oklar. Den var mörk och ond och inkapslad. Blodet susade i ådrorna på honom. Han bet ihop käkarna och lyckades på något sätt lugna ner sig och fråga sonen vad det egentligen var han hade tagit.

Gard, som hade sänkt händerna igen, slutade vagga. Han gick ett stycke ut på golvet. Ruset hade sitt eget språk. Rastlösheten skickade reflexer till musklerna. Han rörde sig oroligt fram och tillbaka. Det hade varit fest i många timmar. Kvinnor hade sprutat ut ur väggarna. Kompisarna hade skrattat sig fördärvade åt allt han hade sagt. Fruktkorgarna som bars runt av dvärgar var gula och gröna. Han var ursinnig över avbrottet. Det kom från katten som kikade in genom altandörren. Det kom från fadern som skrek åt honom. Det kom från hans själ, som hade tagit en lång paus. Det kom från spegelbilden i den döda TV-skärmen, där han just nu framträdde i brunt och blekt.

Cato Isaksen upprepade frågan. "Vad har du tagit?" frågade han kort.

"Vad fan har du med det att göra? Jag tar väl vad jag vill."

Cato Isaksen kände hur hans kropp växte och blev till en dörr. Fönstret hängde på väggen och var en tavla. Fåglarna utanför hade lossnat från himlen. Han ställde ifrån sig väskan, som han fortfarande höll i handen, på golvet. "Vad har du tagit?" frågade han litet lugnare.

"Allt", sa Gard.

"Allt?"

"Amfetamin", sa Gard i lätt ton, gick bort till bokhyllan och kom tillbaka igen. Han satte sig i soffan och reste sig igen. Gick bort till altandörren och släppte in katten. Kramperna i nedre delen av ansiktet tilltog. Det var tydligt att han inte hade någon som helst kontroll.

"Sätt dig", röt Cato Isaksen och pekade på soffan.

Sonen såg hånfullt på honom. "Idiot", sa han kvävt. "Du har för fan ingenting med mig att göra. Jag sticker", sa han hårt. Katten var ett rostrött streck längs väggen.

Då exploderade Cato Isaksen i vanvettigt ursinne. Han gick emot sonen med alla sina armar i vädret och alla sina ögon och öron och munnar i beredskap. Han grep tag om hans axlar, brottade ner honom på golvet, satte sig på honom, tog strupgrepp på honom och skakade hans huvud fram och tillbaka. Sonen tjöt som besatt. "Helvete", skrek han om och om igen. "Helveeeeee-te."

Gard såg faderns ansikte som en röd blåsa ovanför sig. Han slog och slog. Ville bara att den skulle spricka och försvinna. Han ville slå ihjäl honom. Han såg hans ögon, hans tänder. Han kände hur hatet förlöste sig i ett grumligt, grått skrik. Han ville få bort honom ifrån sig. Han ville göra vad som helst för att bli av med den här svinpälsen, den här jävla förbannade kardborren.

Cato Isaksen kände hur skräcken gjorde honom mörk av hat. Han drabbades av en akut framprovocerad dövhet. Bilderna saknade ljud. Rörelserna sprängde innanför pannan. Avskyn växte sig vit som ett isberg. Han reste sig tvärt, rusade ut i köket och drog febrilt ut lådorna, en efter en. Han blev tvungen att rycka ut nästan varenda låda innan han hittade snörstumparna.

Sonen var borta vid altandörren, redo att rusa ut. Han hann precis hugga tag om hans axlar och vräka ner honom på golvet igen. Med munnen lossade han knuten på snöret. Med professionella rörelser knöt han det hårt runt sonens handleder. Band ihop händerna på honom och gjorde fast dem vid matsalsbordet. Sedan gjorde han likadant med vristerna. Han drog till så hårt han orkade. Så hårt att sonen vred sig i smärta.

Sedan rusade han upp i sonens rum. Vände allt på ända. Drog ut lådor fulla med papper och tömde ut dem på golvet. Rev ut kläder från hyllorna i garderoben, böcker ur bokhyllorna. Tog ner tavlorna från väggarna och kikade bakom dem, för att se om något satt fasttejpat där. Längst ner i en av lådorna låg en tesked med brännmärken på. Det var det enda han hittade.

Han sprang ner igen. Situationen hade ännu inte riktigt gått upp för honom. Sonen låg under bordet. Hans ansikte var grått. Längs ena låret hade han en stor, mörk fläck på byxorna.

Cato Isaksen såg på den hjälplöse pojken och sjönk gråtande ihop på det nedersta trappsteget. Det var inte Gard han hade slagit, det var sig själv. Han hade slagit förr. Han hade slagit Sigrid. Hon hade svarat med att klösa honom i ansiktet.

Han reste sig och gick bort till sonen. Han tittade ner på honom. Gard höll ögonen slutna. Blanka tårar hade samlats i mungiporna på honom. Fadern lade sig på knä bredvid honom och började lösa upp knutarna. Allt var förstört. De hade dött tillsammans den här eftermiddagen. Han hade dött. Han kände hur hjärtat slog, hur luften passerade ut och in genom munnen och näsan. Hur musklerna styrde honom. Men tomhetskänslan hade tagit över. Han hade förlorat allt. Han hade fallit ner till bottnen av sig själv. Hädanefter skulle allt bli annorlunda. Hädanefter skulle hans händer alltid bära tunga skuggor. Tankarna växte tyst fram i hjärnan. Han såg på sina händer. De såg ut som löv som gick sin egen höst till mötes.

INGEBORG MYKLEBUST VAR belåten med att Cato Isaksen hade kommit tillbaka. Han var den duktigaste utredaren hon hade. Han hade ett mångsidigt intellekt. Han var stark och nervös och finurlig på samma gång. Han var envis och uthållig och vågade tänka annorlunda. Det kunde visserligen ta sin tid, men gång på gång hade det visat sig att han, genom att koppla ihop tillfälligheter och lägga några brickor på plats, hade lyckats väva fram ett mönster som sakta men säkert fällde mördaren. Hon erkände att hon kanske inte hade varit tillräckligt snar att berömma honom. Men det irriterade henne att hans familj krävde så mycket av honom. Hon tänkte på intet sätt uppmuntra honom på det planet. Bara vid några få tillfällen hade hon träffat hans fru. Hon verkade mycket trevlig men var inte särskilt intresserad av polisarbete. Det var en klar nackdel. Att vara mordutredare var inte ett yrke utan en livsstil. Alla måste vara med och dra lasset. Familjen måste verkligen vara villig att försaka ett och annat. Hennes egen man hade försakat massor under årens lopp. Men så hade hon också kommit långt. Hon hade den inställningen att arbetet måste komma i första hand. Ingen utredare med självrespekt kunde prioritera annorlunda. Det skulle gå ut över rättssäkerheten. Det kunde handla om liv eller död. Till och med när hennes egen dotter var liten ansåg hon att det var rätt att prioritera arbetet. Det var därför hon i dag hade en chefsposition. Det hade tagit tid, men hon hade haft tålamod. Kvinnor måste lära sig att prioritera. De måste ta tag i sina egna liv och våga stå för sina val. Att det inte hade gått så särskilt bra

med dottern var en annan historia. Hon valde att tro att saker
och ting säkert inte hade varit annorlunda om hon hade offrat
sig.

Cato Isaksen gick som i trans från det ena mötet till det andra.
Han bar sitt ansikte som om det var dolt av en mask. Han beted-
de sig normalt. Sa det han skulle säga och gjorde det han skulle
göra. Svarade i telefonen när den ringde. Det verkade inte som
om någon märkte någonting på honom. Men inuti honom var
allt kaos. Anblicken av den drogade sonen i soffan. Den instäng-
da luften i vardagsrummet. Den mörkgrå dagern i rummet. Den
sorgliga känslan av att ha misslyckats. Verkligen ha misslyckats
totalt. Smärtan var ohygglig. Han trodde att han skulle bli tokig.
    Han hade ringt till Bente och bett henne komma ner med
bussen. Först hade han tänkt skona henne, låta henne stanna
kvar i stugan med de båda andra barnen. Men han kunde inte.
Han vågade inte låta Gard vara ensam. Fruktade att han skulle
rymma eller ta livet av sig. Nu låg han hemma och sov.
    Cato Isaksen tittade ideligen rastlöst på klockan. Han hade
inte tänkt på det tidigare, hur livsfarligt det var att ha barn. Att
ha barn hade han betraktat som något positivt och tryggt. Han
hade tänkt på kärleken och intimiteten, sammanhållningen.
Men barn var farligare än vargar. De hängde sig på och gjorde sig
fria och hade sin egen vilja och sin egen livscykel. De kunde väl-
ja rätt eller fel, helt oberoende av vad föräldrarna stod för. Han
hade varit rädd för döden, som han arbetade med dagligen. Han
hade läst någonstans att mellan mörkret och mörkret är dagen
den längsta etappen. Och den farligaste. Han skämdes. Ångrade
sig. Var arg på sig själv. Upprörd. Han var rasande. Han var led-
sen. Han var rädd. Han genomborrades av en isande kyla som
inte ville ta slut.

BENTE ISAKSEN SATT PÅ BUSSEN med de båda pojkarna studsande bredvid sig på sätet. Framför ögonen hade hon en grå bild som inte ville försvinna. Hon kunde inte hålla tillbaka gråten. Den trängde sig på. Hon satt i bussen och kände det som om livet återigen var slut. Samma smärtsamma känslor vällde upp inom henne. Hon kände igen färgen på känslorna. Det var samma trista färger hon hade haft i kroppen när Cato lämnade henne.

Nu kom skräcken tillbaka, ännu värre den här gången. Hon tänkte att det var som om hennes kropp hade vant sig vid det, som om den hela tiden väntade sig nya sorger. Hon lyfte på huvudet. Stålsatte hela sig, käkarna, munnen och ögonen. Pannan. Händerna. Hon tvingade tillbaka gråten. Gömde den djupt där nere, varifrån den kom.

Vetle undervisade Georg om alla bilmärkena som passerade på den motsatta körbanan. Hon betraktade en gammal kvinna som satt en bit längre fram. Hennes ovårdade grå hår. Den magra halsen.

Innerst inne hade hon vetat det hela tiden, att någonting var på tok. En oro hade arbetat sig upp inom henne en längre tid. Det var plågsamt att ha den här egenskapen att kunna frammana små brottstycken av bilder och minnen. Ställa dem mot varandra och väga dem mot nuet. Det var bilder som ständigt kämpade för att ta över makten inom henne. Som förberedde henne på katastroferna. Som bar dem mot henne i små eller stora portioner, allteftersom.

Vad hade hon gjort för fel? Var och när hade saker och ting börjat utvecklas i fel riktning?

Hon såg Gard för sig den gången han hade gått vilse och kommit en hel timme för sent till barnprogrammet på TV. Han var fem år. Han grät och var rädd när hon kom hem från arbetet. Det var grannen som skulle passa honom. Hon mindes när han började skolan och inte ville vara med i teaterpjäsen på jul-avslutningen. Hon hade tvingat honom att vara med. Hon hade trätt grodkostymen över huvudet på honom. Han grät och hon var arg.

Han var rädd. Gard var alltid rädd. Inte rädd så att det syntes. Det handlade om en annan sorts rädsla. En arg vilddjursrädsla som tog sig dumma uttryck. Som gjorde att han slog andra barn, att han skrattade högt och knuffades och spottade och svor. Hon hade ofta tvingats vara arg på honom. Ofta gick hon in till honom sedan han hade somnat och lade sig på knä bredvid hans säng och bad om förlåtelse för att hon hade varit så arg. Hon var rädd hon också. Hon var rädd för framtiden. Och nu var den här. Tårarna började trilla igen. Hon tvingade sig att se ut genom fönstret. Landskapet dundrade förbi. I bussfönstret flöt spegel-bilden av hennes ansikte ut. I bilden av ansiktet dansade träd och berg och stenar. Brunt och rött och grått. Över näsan och ögo-nen och munnen. Hela tiden nya bilder som skar sönder hennes hud och delade upp hennes anletsdrag i många förvirrande fasetter.

EN INRE RÖST SA honom att han måste skugga Ida Henriksen. Han blev Noll Nalen igen. Han hade egentligen inte planerat det så. Han tyckte att det var för tidigt. Men ett vanvettigt tvång gjorde att han inte kunde vänta.

Han bestämde sig för att inte definiera henne som ett offer. Inte än. Tiden fick utvisa hur det skulle bli. Det var Tanja som var offret, inte Therese och inte Ida Henriksen.

I går hade han råkat få syn på dem när de steg av tåget. Tanja och Ida och Hanne Marie. De hade varit i Sandvika och handlat kläder. Han kände igen bärkassarna från Sandvika Storsenter. Han satt i bilen och såg dem stiga av tåget. Det var en ren slump att han var där. Han hade stannat till vid stationen för att köpa en tidning. Han följde dem med blicken där de småpratande gick bredvid varandra på gångbron över spåren och nedför trapporna. De hade inte lagt märke till honom.

Nästa morgon följde han efter Ida på tåget. Han nickade kort åt en kvinna som kände igen honom och satte sig lugnt ner och vecklade ut dagens VG. Han satt i vagnen bakom Ida Henriksen, men när tåget närmade sig Oslo reste han sig och blev stående i mittgången och följde henne med blicken.

Ida Henriksen steg av vid Nationaltheatret. Hon gick längs perrongen, som om det hade varit en helt vanlig dag. Han följde henne hela tiden med blicken medan hon trängde sig genom människohavet mot utgången. I rulltrappan stod han alldeles bakom henne. Han visste att hon skulle upp till Blindern. Han visste det mesta om henne, att hon gick humanistiskt basår, att hon inte tålde pjoskiga människor, att hon dyrkade sin storebror, Carlos.

Han följde efter henne in i föreläsningssalen och satte sig på en av stolarna i den näst bakersta raden. Han var förvånad över att han kände sig på så gott humör. Studenterna troppade sakta in genom dörren, en och en eller två och två. Det märktes tydligt att de inte kände varandra så väl ännu. En av de unga kvinnorna var gravid. Hon såg malplacerad och ensam ut.

Ida satt på en av de första bänkraderna. Han kunde se hennes kolsvarta hår. Hon pratade inte med någon, tog bara upp sina böcker och ett anteckningsblock ur den slitna grå axelväskan. Den där väskan var typisk för Ida. Den utstrålade nonchalans och självsäkerhet. Hon gick in för att provocera. Experimenterade med absoluta värden. Hon borde akta sig. Han avskydde hennes piercing. Hon hade definierat sig själv. Tonade fram i extrema schatteringar, som om hon hade en jätteflicka dold inom sig.

Hon borde akta sig. Han var en nattmänniska. Han samlade på sådana som hon. Sådana som hon hade styrt en stor del av hans liv. Hon skulle kunna komma att bli en av hans hemligheter. Han hade många hemligheter. De var mörka som natten. Den grå katten, till exempel. Han hade slagit ihjäl den därför att den påminde honom om järn. Därför att den var grå. Han hade lagt ut råttgift i gråsparvarnas mat därför att de var grå. Han log hastigt för sig själv. Hans mönster var totalt obegripliga för andra.

Professorn kom in och ställde sig i talarstolen. En liten, mager man i grön manchesterkostym. Han var livrädd för sina studenter. Församlingen tystnade. Den lille professorn harklade sig nervöst. Han tittade ut över församlingen ett ögonblick innan han tog till orda. "Som vi pratade om senast", sa han, "kan humanistiskt basår för många vara ett enkelt och intressant projekt. För andra, däremot, kan både innehåll och undervisningsmetod vara ett möte med en ny värld. Ett annorlunda sätt att lära sig något. Ett annorlunda sätt att tänka konstruktivt. Här måste man tänka själv. Ingen håller uppsikt över en och kontrollerar vad man gör. Därför är det mycket viktigt att ni inte missar något på vägen."

Samma kväll kom Tanjas mor och lillasyster på besök. Han såg dem genom fönstret. Modern vaggade fram och tillbaka på golvet med armarna i kors medan hon pratade. Hon pratade och pratade och pratade. Han blev så ursinnig att han bestämde sig för att ringa ner och avbryta hennes svada. Han visste att han inte borde göra det. Tvångstankarna kunde välla över honom med en sådan styrka att de berövade honom all kraft. Han visste hur farligt det var. De behövde bara koppla telefonen till en mobiltelefon, så skulle hans nummer komma upp som en lysande, avslöjande sifferrad. Eller också kunde de få telefonbolaget att spåra honom. Men han trodde inte att de resonerade så. Han skulle ringa för sista gången. Han förstod att begränsa sig. Han var som en räv. "Jäntungar, kvinnor. Ha!" Han sa det högt och mötte sitt ansikte i fönsterrutan. De skulle inte hinna spåra honom.

Han slog numret på mobiltelefonen medan han stod framme vid fönstret. Han såg Ida resa sig ur soffan och försvinna ut ur bilden. Berit Geber satte sig tungt ner i en fåtölj. Ringsignalen var egentligen en sten han ville kasta på henne.

"Ja?" sa Ida Henriksen i luren. Telefonen lade ett filter över hennes röst. Han tryckte snabbt på den röda knappen och såg henne komma tillbaka och sätta sig på samma plats i soffan. Hon pratade med någon, säkert med Tanja som satt i fåtöljen utanför bilden. Gardinerna var till hälften fördragna.

Han smakade på sitt raseri. Hon hade varit för kort i telefonen. Hon visste inte ens vem han var. Ida var precis samma typ som Therese hade varit.

Han hade glömt att stänga dörren ut till vardagsrummet. Ljuset sipprade in i rummet som ett smalt, gult streck. Regnet började smattra mot rutan. Hårda, kalla droppar. Han tyckte om hösten, allting med den. Kylan, mörkret ute och ljuset inne. Han vilade kindbenet mot rutan. Glaset luktade glas. Den kyliga lukten som han kände så väl igen och som påminde honom om något annat.

Sedan modern hade gått gick Ida in i Tanjas rum och började rota i hennes garderober. Tanja stod och såg på. Ida vimsade fram och tillbaka och använde fönstret som spegel. Hon höll plaggen framför sig som om de var danskavaljerer. Hon kastade huvudet kokett bakåt. Han log hastigt vid tanken på att hon inte visste vem som fanns bakom spegeln. Han kände att han kunde se hennes ljud och höra hennes röst. Nu satte hon frejdigt armarna i sidorna. Hon hade en sådan där djärv här-har-du-mig-attityd som han inte tålde. Han förstod att de spelade musik. De dansade och nojsade och slängde kläder omkring sig. Han morrade mot fönsterrutan. Hans musik var annorlunda. Den var långsam, logisk och brutal. Den var ett kammarspel i moll och mörker.

ELLEN GRUE LYSSNADE på honom utan att avbryta. Orden kom stötvis. Raseriet och sorgen låg strax under ytan. Skräcken simmade över och under orden. Meningarna vek inte en tum. Ögonen blev röda i kanterna medan han pratade. "Vi vet fanimej inte vad vi ska ta oss till", sa han och såg på henne.

"Ni måste sätta till alla klutar med en gång, inte vänta", sa Ellen Grue bestämt. Hon reste sig och sköt igen dörren helt och hållet. Genast knackade det på dörren. Det var en aspirant som skulle lämna några papper. Hon tog dem och stängde dörren omsorgsfullt en gång till.

"Ni måste börja ta urinprov", sa hon. "Be honom vänligt men bestämt, och om det inte fungerar så ta i med hårdhandskarna."

"Vet du mycket om tonåringar?" Cato Isaksen rätade på sig och sträckte ut benen.

"Ja", sa hon, "det gör jag. Jag är äldst av fem syskon. Jag har fyra yngre bröder. Den yngste är tjugo. Du kan ge dig fan på att jag vet vad det vill säga att ha tonåringar."

"Har någon av dem ... ?"

"Ja, nummer tre", sa hon häftigt. "Han sitter inne. Han är en skitstövel. Jag har givit upp hoppet om honom. Han kommer att sluta på gatan. Jag har fått nog av honom. Han får inte fördärva alla oss andra. De andra tre och jag håller ihop. Vi är goda vänner. Jag är faster till två barn", sa hon och gick bort till fönstret. Hon ställde sig med ryggen mot det och lade armarna i kors. Axlarna sjönk liksom ihop en aning. "Gör inte samma dumhet som mina föräldrar gjorde", sa hon lågt. "De trodde på honom. Det kostade dem livet. De önskade att han hade varit en annan. De ville det så gärna. Han manipulerade och utnyttjade dem i tio års tid, tills de dog av sorg och utmattning."

"Jag förstår att du är bitter", sa Cato Isaksen. "Jag är misslyckad jag också", sa han. "Bente och jag, vi … någonstans måste vi ha gjort något fel."

"Det håller inte", sa hon. "Mina föräldrar uppfostrade oss allihop likadant. Det är bara han som har flippat ut."

"Men vi har gjort en del saker fel. Särskilt jag", suckade Cato Isaksen.

"Ungar tål det", sa Ellen Grue. "Inga föräldrar är perfekta. Jag tror inte det har någonting med saken att göra."

"Men du vet inte allt."

"Jaså?"

"Jag slog honom, band fast honom vid matsalsbordet."

"När du upptäckte det?"

Han nickade.

"Slå honom igen", sa Ellen Grue bestämt. "Gör det. Slå honom tills han förstår att du älskar honom. Följ efter honom. Förbjud honom att umgås med sina gamla vänner. Om du bryr dig om honom, så gör det. Du vet väl vad Pascal har sagt?"

Han skakade snabbt på huvudet. Han visste inte ens vem Pascal var.

"När man inte älskar för mycket älskar man inte tillräckligt", sa hon.

Han suckade. "Du för det väl inte vidare?"

"Det kan du ge dig på att jag inte gör. Jag ska hjälpa dig", sa hon, "om du vill. Men vi kan inte fortsätta", sa hon. "Med det andra."

"Varför inte?"

"Det blir fel. Nu när du behöver mig blir det fel."

"Men jag behöver dig egentligen inte", sa Cato Isaksen och kände sig djupt sårad.

"Jo", sa hon, "det är just vad du gör."

"Och det klarar du inte?"

"Nej", sa hon bestämt. "Det vill jag inte. Min moral säger ifrån." Hon log snabbt. "Du har en familj att koncentrera dig på. Och du har en jävla mördare att få fast. Det är mer än nog för dig, håller du inte med om det?"

TANJA GEBER STOD bakom disken och slog in priset på varorna i kassaapparaten. Det vimlade av folk i klädaffären. Några julskyltar med änglar på hade redan kommit upp. Många kom fram till henne och frågade efter andra storlekar och färger. Hon ropade på en annan lördagshjälp och bad henne ta över. Det var fullt med folk och rena kaoset.

Flera visste vem hon var. Somliga kom in i butiken bara för att titta på henne.

Anita Kvarme var förstås sjukskriven. Hon hade visserligen bara arbetat en lördag i månaden, så Tanja träffade henne ganska sällan.

Men hon visste mycket väl vem hon var. En ljus, en aning fyllig kvinna. Duktig och arbetsam. De hade ätit lunch tillsammans vid några tillfällen. Ätit och ätit – Tanja hade bara med sig ett äpple när hon jobbade.

Ida sov antagligen fortfarande. Hon var ledig den här lördagen. Tanja hade varit hungrig när hon gick. Hon hade försökt låta bli att tänka på det, men hela natten hade hon varit hungrig och ledsen. Kylskåpet hade stått i köket och ropat på henne. Hon hörde surrandet från det ända in till sitt sovrum. Det hade mumlat något om leverpastej och smör. Det hade pladdrat på om ris och kycklinggryta och ananassallad.

Therese hade vällt upp inom henne med full styrka. Hon skulle aldrig få se henne igen.

Modern sa att de skulle träffas i Himlen. Men Tanja skulle inte till Himlen. Om det var något hon hade bestämt sig för så var det att hon inte skulle till Himlen. Hon trodde inte att Therese fanns där heller. Hon trodde inte på Himlen. Hon visste egentligen inte vad hon trodde på. En dimension, kanske. Någonting. Livet hade sina sällsamma ögonblick. Det var allt hon visste. Men på nätterna var hon inte säker ändå. Modern hade ofta pratat om Djävulen när hon var yngre. Berättat om allt han kunde göra med henne om hon inte var snäll. Hon måste erkänna att hon var livrädd för Djävulen.

ROGER HØIBAKK HADE en speciell förmåga att ta upp samtalsämnen som var obehagliga. Bakom hans lättsamma sätt fanns något annat, en intuition kanske, en skärpa som var höljd i en släntrande och harmlös gestalt. Cato Isaksen visste inte riktigt, men han litade inte på Roger, hade aldrig gjort det.

De båda utredarna satt i bilen på väg ut till Asker. De skulle träffa Vidar Edland och Anita Kvarme, modern till den efterlysta femåringen.

"Hon är av *den* sorten", sa Roger Høibakk. "Ensamstående mor och fullkomligt oduglig. Du känner väl till typen?"

Cato Isaksen koncentrerade sig på att bromsa in för bilen framför.

Kollegan fortsatte oförtrutet. "Varför är det alltid sådana människors ungar som försvinner?" Han böjde sig fram, öppnade luckan till handskfacket och plockade fram en chokladbit.

Cato Isaksen lade i femman och svängde ut i ytterfilen. "Har du ett förråd i mitt handskfack, eller?" frågade han.

Roger Høibakk skrattade. "I händelse av matbrist", sa han, vände sig mot honom och viftade med chokladbiten.

"Jag är säker på att pojken, brodern till flickan som är försvunnen, blir kriminell eller knarkare eller något", sa han. "Det är sådant man bara vet. Ungar från sådana miljöer, fy fan … det är föräldrarnas fel." Han väntade inte på svar utan stoppade in hela chokladbiten i munnen och tog upp VG från golvet. Han bläddrade tills han hittade det han letade efter. "Hör här", sa han.

"*Det är naturligt att ett samhälle är på kant med sina ungdomar. Men om ungdomarna kommer på kant med sig själva och förvandlar sig till ett flagellantiskt sorgetåg av självförlåtande självplågare är det något allvarligt fel någonstans.*"

Cato Isaksen slöt fingrarna så hårt om ratten att knogarna vitnade. Det värkte i armarna. Den otäcka känslan satt på plats igen. Gard hade gått med på att lämna urinprov en gång i veckan. Cato Isaksen hade varit inne på läkarmottagningen med det första provet i dag, innan han åkte in till arbetet. Läkarsekreteraren som tog emot det hade inte bevärdigat honom med en blick. Han tvingade sig att verka lugn. Han blinkade och lade sig i högerfilen igen.

Roger Høibakk fortsatte: "*Prince är född i Pakistan och kom till Norge när han var fyra år gammal. Han har åtta syskon, som alla har artat sig väl. Föräldrarna är strängt religiösa muslimer. De fick en chock när sonen greps, anklagad för omfattande vålds- och egendomskriminalitet under en period av ett och ett halvt år sedan han hade fyllt femton.*"

Roger Høibakk pladdrade på. "De fick en chock, föräldrarna fick en chock. Herrejisses", sa han och fortsatte att berätta om alla möjliga idiotiska föräldrar han hade träffat på. "Kom inte och säg att föräldrar inte får de barn de förtjänar."

"Lägg av nu." Cato Isaksen dunkade händerna hårt i ratten. Han bromsade in och blinkade för att svänga av mot Asker. "Du börjar låta som Preben", sa han kort. "Jag orkar inte höra på sådant dravel."

ANITA KVARME SÅG på de tre utredarna som satt runt hennes köksbord. Hon trodde inte på dem längre. Det hade gått för många dagar. Nätterna drog ut i det oändliga. Smärtan var en jättelik elefant. Hon skulle komma att bära den i kroppen för resten av livet. "Hon är död", sa hon entonigt. "Jag vet det."

Vidar Edland gav Cato Isaksen en förtvivlad blick. "Vi har absolut inte givit upp hoppet än", sa han.

"Nej, men det har jag." Modern tände en cigarrett. Hennes ansikte var helt utan makeup. Håret var ovårdat, och tröjan hade kaffefläckar på den ena kragsnibben. Under de här få dagarna hade hon förvandlats från en kompetent kvinna och mor till någonting annat.

"Vi har avfört din före detta man från fallet", sa Vidar Edland lugnt.

Anita Kvarme log matt. "Herregud", sa hon, "ni trodde väl inte att han hade något med det här att göra? Visst är han en drummel och en latmask. Men han gör inte sina barn något illa."

Det ringde på dörren. "Kom in", ropade hon. Dörren öppnades, och en av grannarna kom in. Hon nickade kort mot utredarna. "Jag tänkte att du behövde litet middagsmat", sa hon. "Jag har gjort en köttgryta."

"Tusen tack", sa Anita Kvarme och började gråta. "Thomas springer vind för våg. Han är vettskrämd. Han är säker på att det är hans fel att hon är försvunnen. Snart orkar jag inte längre", sa hon.

Grannkvinnan gick fram och slog armarna om henne. De tre utredarna såg hjälplöst på varandra.

När grannen hade gått redogjorde Vidar Edland i detalj för hur spaningsarbetet skulle fortsätta. Han sammanfattade också kort vad de hittills hade gjort. "Vi kan för närvarande inte se något samband med att du arbetar tillsammans med Tanja Geber", sa han. "Det är antagligen en ren slump."

"Klart att det är. Jag vet att ni har gjort allt", sa Anita Kvarme. "Jag är bara så trött. Bilder av vad som har hänt henne surrar omkring i huvudet hela tiden. Jag blir galen av det. Jag orkar inte bry mig om spaningsarbetet. Kan jag inte få slippa?"

RA RIP, RA RIP, RA RIP, RA RIP, vrålade den gröna ödlan ur hålet i väggen.

Någonstans långt bak i huvudet förstod han att det var en flashback. Men ödleögonen tvingade honom att stirra på hålet i stenväggen alldeles intill sportaffären där djuret satt, redo att gå till attack. Gard var på väg hem från skolan. Folk skyndade förbi honom på gågatan. Ödlan, som blev smalare och smalare och förvandlades till en orm, var nu nästan genomskinlig. Den var elak och snabb.

"Var inte dum nu", mumlade han för sig själv och märkte inte att folk på trottoaren stannade och tittade på honom.

Ödlan är bara en bild på väggen, tänkte han. Men det hjälpte inte. Hjärnan ville inte ta in signalerna från verkligheten. Inte just nu. Bilden åt sig fram mot honom. Tuggade sig genom luften. Han lyfte armarna och drog sig bakåt. Han vågade inte vända ryggen åt djuret, som representerade djävulen, det visste han. Man vände inte ryggen åt djävulen. Han kunde hämnas senare. Gard var livrädd för hämnden, som var svartare och djupare än havet. Han visste att han var alldeles ensam om det här.

En glimt väckte honom. Glimten var hård och gjorde ont i kroppen. Det var en liten pojke som gick med en tänd ficklampa fastän det inte var riktigt mörkt. Han gick tillsammans med sin mamma. Gard kände att han frös. Han drog jackan hårdare om kroppen. En polisbil körde sakta förbi. En man i röd täckjacka kom ut ur sportaffären med en stor pulka under armen.

IDA HENRIKSEN KÄNDE I KROPPEN att det var något som inte stod rätt till i källaren. Hon hade lett cykeln bredvid sig uppför den mörka gångvägen. Så snart hon var innanför källardörren stannade hon och lyssnade. Det hördes bara ett tomt litet knäpp från strömbrytaren. Någon hade skruvat ur glödlampan igen. Det hade hänt flera gånger på senaste tiden. Hon undrade vem det var som roade sig med att skruva ur den. Hon misstänkte tonårspojken tre trappor upp. Hon väntade en stund, men sedan skakade hon av sig obehaget och ledde bestämt cykeln vidare in i mörkret. Hon var irriterad på sig själv. Det här var bara dumheter.

Hon trevade sig fram med ena handen längs raderna med källarkontor. Plötsligt ryckte hon till. Något mjukt stötte emot hennes hud. Men det var bara en handske som någon hade hängt på ett av hänglåsen. Hon famlade vidare inåt och hittade till slut hänglåset. Hon lutade cykeln mot dörren till källarutrymmet, körde ner handen i fickan, hittade den lilla nyckeln, stack den i låset och öppnade dörren. Hon ledde in cykeln och ställde den ifrån sig där hon brukade. Källardörren gled sakta igen bakom henne. Det knarrade i gångjärnen. Den lilla smällen åstadkom ett eko i hennes kropp. Hjärtat bultade i halsgropen.

Pjoskig hade hon aldrig varit, men sedan Therese dog hade hon säkert förändrats. Nu kände hon plötsligt att gråten var nära. Hon måste ta sig samman. Egentligen tyckte hon inte om att ha cykeln i källaren. Men hon hade inget val. Om hon låste fast den i cykelstället utanför kunde hon riskera att bara hjulet stod kvar nästa morgon. Hon kunde ta den med upp i lägenheten. Men vem ville ha en smutsig cykel inne? Dessutom var hissen så liten att hon måste lyfta upp den på högkant för att få in den.

Ett plötsligt, främmande ljud fick henne att stelna till. Ljudet var pyttelitet och annorlunda. Egentligen var det bara en vag förnimmelse. Hon kunde inte riktigt lokalisera det. Hon svalde och gick bort till den andra väggen. Lade örat tätt intill och lyssnade. Tystnaden i den skrovliga träväggen vilade mot hennes öra. Men det var något med tystnaden. Hon fick en stark känsla av att det var någon på andra sidan väggen. Någon som andades lågt. Känslan gjorde henne förlamad. Hon visste att hennes fantasi höll på att skena i väg med henne. Vem skulle stå och lyssna på henne på andra sidan väggen? Hon drog sig sakta tillbaka igen. Men skräcken hade redan lagt sig som en mantel över henne. Hon blev alldeles stel, kände hur mörkret arbetade sig genom kroppen. Hur skulle hon klara av att ta sig ut ur källarkontoret, genom gången och bort till dörren? Om hon blev överfallen och måste skrika skulle hon inte klara det. Rösten skulle krympa ihop till ett ljud som ingen skulle höra. Hon hade drömt om sådana situationer. Hon visste att de var värre i verkligheten.

HAN HADE VARIT PÅ SMYGJAKT i källaren igen. Det hade varit en extatisk upplevelse. Hon hade anat något. Han förstod det när hon gick ända intill väggen och lyssnade. Ida Henriksen hade börjat bli på sin vakt. Han kunde inte vänta särskilt länge till.

Han stack in nyckeln i låset och vred om. Det lilla knäppet fortplantade sig gradvis uppåt i trappuppgången. Han blev stående en liten stund och lyssnade åt alla håll. Det var någonting extremt ensamt med ett sovande höghus. Nästan hundra människor som sov och andades innanför de arton dörrarna bara i den här uppgången. Sovande människor var inte medvetna om vilka de var eller var de befann sig. Sovande människor ingav honom en känsla av makt. Han gick förbi raden med gröna brevlådor. Arton brevlådor i två rader ovanför varandra.

Han började gå uppför trapporna. Tystnaden dunkade i takt med hans hjärtslag.

Utanför dörren till flickornas lägenhet stannade han ett litet ögonblick innan han stack nyckeln i låset. Han måste vara ytterst tyst och försiktig. Han gick lugnt in i den lilla hallen och stängde dörren bakom sig. Tystnaden kom svävande mot honom genom vardagsrummet. Bara en liten lampa på TV:n lyste försiktigt genom sin gröna skärm. Det var så tyst att han hörde sitt eget hjärtas djupa slag mot insidan av bröstkorgen. Han öppnade dörren till Ida Henriksens sovrum. Den gled villigt upp och utvidgade mörkret ytterligare. Han försökte uppfatta hennes andetag, men det var inte så lätt. Ida Henriksen var en människa som andades svagt.

Sedan gick han in till Tanja. Hon låg i fosterställning, som ett litet djur, till hälften dold av täcket. Hon andades. Hennes axel var bar. Hennes hals lyste vit mot honom. Han gick ända fram till henne och böjde sig ner över henne.

TANJA GEBER SOVER lika lätt som vatten. Men hon förnimmer en oro genom vattensömnen. Den börjar på ett okänt ställe. På bottnen, nere i medvetandets dy. Oron har en konkret lukt, eller fragment av en konkret lukt. Den rinner genom vattnet. Hennes sinnen förmår inte identifiera den. För hon sover. Men hennes hjärna registrerar allt och vidarebefordrar det till hennes nerver. Det är så det är. Hon vet det inte än. Men hennes kropp vet det. Hennes kropp är ett redskap. Ett finstämt redskap.

Hon drömmer att hon hör något. Handfasta ljud av liv. Oväsen från människor som gråter och skrattar. Barn som skriker. Det är vad hon tror. Men hon hör alltsammans som tystnad.

Skräcken är en massa som livnär sig på människor. Den har starka drifter och vill äta allt som finns inom räckhåll.

Tanja Geber vaknar. Hon drar täcket helt över sig men kastar det av sig igen med detsamma. Hon stiger upp och går ut ur rummet och genom vardagsrummet. Hon går bort till Idas rum. Men hon går inte in. Hon dricker vatten ur kranen och går in i Thereses rum. Hon kryper upp i hennes säng. Hon tar fram hennes nattlinne, som ligger hopknycklat under huvudkudden. Hon trycker det mot ansiktet. Hur många timmar är det sedan Therese var levande? Hon börjar räkna. Hon vet att det för var minut som går kommer att bli allt svårare att hämta henne tillbaka.

PSYKIATERN HADE BETT HENNE beskriva sorgen och mörkret efter systerns död. Det hade inte varit svårt. Tanja Geber visste vad hon skulle säga till honom. Hon berättade för honom om sina tankar och om drömmarna. Efteråt bad han henne att skriva ett brev till sin bästa väninna.

"Nu får det räcka", sa hon trött. "Jag mår bra, jag behöver ingen hjälp längre. Det är förstås mamma. Det är väl hon som säger att jag fortfarande behöver hjälp?"

"Saker och ting har förändrats", sa han. "Det har uppstått en extrem situation. Jag vet inte om du klarar det."

"Att Therese är död, menar du?"

Han nickade kort. "Det är viktigt att du inte börjar flörta med Smal Oförståndig igen."

"Sluta använda det där idiotiska namnet." Tanja såg irriterat på honom. Hon sjönk ihop i fåtöljen. Kände hur hopplösheten smög sig över henne. Det hade redan gått några veckor sedan hon var här senast.

Sven Wangberg såg på sin patient. På sätt och vis var hon annorlunda. Något av otillgängligheten och smärtan var borta. "De säger att du hanterar din systers död väl", sa han.

Tanja Geber skakade på huvudet och stirrade ner på sina händer.

"Nej", sa hon, "det går inget vidare."

"Men du hanterar det?"

"Har jag något val?"

"Äter du?"

Hon nickade. "Ja, jag äter, men inte så mycket som jag vet att jag borde."

"Varför inte det?" Han lutade sig bakåt i fåtöljen och såg på henne.

Tanja Geber lyfte på huvudet och suckade. Hon var verkligen trött på de här besöken. Kände att hon hade kommit över det värsta. "Jag blir inte sjuk igen", sa hon bestämt och kastade en blick bort på fotografiet av hans familj. Det var taget på gräsmattan framför den vita villan. Hans vackra, mörka fru log mot henne. Sonen satt i hennes knä. Dottern stod bakom.

"Nehej", sa han, "det är bra att du har bestämt dig för det."

"Hur gamla är dina barn?" frågade hon.

Hans ansikte förändrades och blev mindre allvarligt. "De är sju och nio", sa han.

"Vad heter de?"

Sven Wangberg log hastigt. "Tanja", sa han, "vi ska inte prata om min familj, vi ska prata om dig."

"Varför har du ett foto av dem på kontoret om du inte vill prata om dem? Du måste ju räkna med att folk blir nyfikna."

"Det har du rätt i."

"Du ser dem ju varenda dag, du behöver väl inte sitta här och glo på fotot av dem hela dagen."

"Det har du också rätt i." Han log.

Tanja märkte att hon inte tyckte om fotot. Hon tyckte inte om att Sven Wangberg hade familj. Hon ville ha honom för sig själv. Hans familj gjorde honom främmande.

Telefonen ringde på skrivbordet framför honom. Han lyfte luren, och Tanja kunde tydligt höra att det var en kvinnoröst i andra änden. Hon förstod av hans svar att det var frun.

"Javisst", sa han och försökte avsluta samtalet. "Jag är litet upptagen just nu, Nita", avslutade han. "Visst, det blir bra", sa han och lade på.

Tanja sjönk liksom in i sin egen kropp.

"Nu gör du dig liten igen", sa han. "Jag trodde vi var överens om att du inte är liten längre."

Hon rätade på sig i fåtöljen och förde handen till huvudet. Hon kände en liten smärtsam ilning i pannan. "Jag orkar inte mer i dag", sa hon.

"Nehej", sa han.

Hon såg på de grå gardinerna med det intetsägande mönstret. "Vilka trista gardiner du har", sa hon. "Är det för att folk ska känna sig dystra när de är här? Eller är det för att de inte ska bli distraherade av glada färger?"

Sven Wangberg smålog. "Det är min fru som har valt dem", sa han. "De var säkert de dyraste hon kunde hitta."

Tanja skrev brevet samma kväll.

Kära Smal Oförståndig!

Jag vet att du önskar att jag ska bli till luft. Att vi ska bli så smala båda två att vi nästan försvinner eller försvinner helt och hållet. Och jag vet att du önskar det därför att du tycker om mig. Det är jag tacksam för. Vi har så många gemensamma tankar, du och jag. Vi vill detsamma hela tiden. Jag är rädd för att förlora dig. Känner att jag inte är någon ensam; tillsammans med dig blir jag stark.

Vi delar kroppen. Skelettet, musklerna, köttet och fettet. Blodkärlen och hjärtat. Nu när Therese är död blir det ännu värre. Jag står inte ut med tanken på att förlora dig också. Jag klarar inte av att tänka mig ett liv utan dig. Du är smal som ett streck inuti mig. Du är vacker som ett tyllsjok. Du dansar och lever och skrattar. Du förbränner kalorier tillsammans med mig. Jag vill ha dig. Så är det. Jag tror att vi kan hitta en balansgång tillsammans. Du och jag. Jag och du.

IDA SKRATTADE MOT FÖNSTRET. Hon stod inne i Tanjas rum och använde fönstret som spegel igen. Glasrutan var en spegel.

Hon hade en röd jumper på sig. Brösten såg större ut i den. Hon var smal om midjan. Hon hade svarta långbyxor och var barfota. "Jag tänkte att jag skulle ha de svarta skorna", sa hon och kikade på de höga, klumpiga skorna som låg slängda halvvägs in under sängen.

"Jag vet inte riktigt om jag ska ta kjol i stället", ropade hon in till Tanja som satt i vardagsrummet och väntade.

Plötsligt stod hon i dörröppningen. "Jag tycker du är fin så där, Ida", sa hon. "Men dra för gardinerna då, alla kan ju se dig."

Ida skrattade mot henne. "Jag använder fönstret som spegel", sa hon. "Jag skiter i om någon gammal gubbe glor på mig."

Hon gick ända fram till rutan och tryckte ansiktet mot den. "Det är kallt ute", sa hon, "det är höst nu, Tanja."

Då började Tanja gråta. Hon satte händerna för ansiktet och snyftade. "Det är höst, och snart är det vinter, och Therese är inte här", snyftade hon. "Jag orkar inte gå."

Ida gick bort till henne. "Lägg av nu", sa hon. "Det var dumt sagt det där med hösten. Jag tänkte mig inte för. Men det är bra för dig att komma ut litet. Marius kommer att bli besviken om du inte går på festen."

Tanja slutade gråta och drog några djupa andetag. "Stackars Marius", sa hon. "Jag har inte varit särskilt rolig på senaste tiden. Nästan bara gråtit. Jag saknar honom. Jag saknar honom verkligen", sa hon. "Han gör allt han kan för att hjälpa mig, men jag kan liksom inte ta emot det."

"Tycker du att det här läppstiftet är för mörkt?" Ida vände sig mot henne. "Det är ju nästan svart."

Tanja ryckte på axlarna. "På dig är det okej", sa hon.

Det ringde på dörren. Det var Hanne Marie. Hon var klädd i stora, oformliga jeans och ett slags tunika. Hennes hår såg lika trist ut som det brukade, trots att det var nytvättat. "Hej", log hon osäkert och sparkade av sig skorna.

Hissen åkte ner igen. "Det är säkert Teddy och Marius", sa Ida och gick bort till räcket och kikade ner. Hon kunde inte se något, men hon hörde att någon öppnade hissdörren och steg in.

Det var Teddy. Han drog ett djupt bloss på cigarretten och fimpade den på golvet utanför dörren. "Det är väl fortfarande förbjudet att röka?" flinade han.

Ida stod barfota ute i trappuppgången. "Du har ju inte klätt upp dig alls", konstaterade hon.

"Det gör väl detsamma", sa Teddy irriterat.

"Vad tycker du?" Ida trutade med munnen. "Nytt läppstift."

Teddy sköt henne milt åt sidan. "Läppstiftet är okej", sa han. "Men för övrigt ser du ut som en satanist i ansiktet. Du blir så jävla blek med det där svarta håret."

Ida kastade huvudet bakåt och skrattade. "Du skulle väl hellre vilja att jag var en dum blondin, eller rödhårig, kanske?"

Teddy log ett snett leende. "Rött går väl an", sa han. "Men dummare än du är kan du inte bli", sa han och gav henne en vänskaplig dask i baken. "Marius, då?" frågade han.

"Han kommer", sa Tanja.

Berit Geber valde att ta trapporna. Hon kände en viss motvilja mot hissar, var alltid rädd för att de skulle stanna mitt emellan två våningar.

Hon hade tagit en eftermiddagspromenad. Måste bara ut ur huset. Hon var orolig och deprimerad hela tiden. Kunde liksom inte bli kvitt sig själv. Visste att hon snart måste börja tänka på julen men blev illamående vid blotta tanken. Men för Tanjas och Karens skull, och för Rolfs, måste hon klara det. Han bjöd verkligen till, men hon tyckte inte att de hade kommit varandra närmare, snarare tvärtom. Just nu var han i Bergen i tre dagar.

Själv hade hon stunder då hon kände att hon var ett med Gud, att han verkligen tog all hennes sorg och skingrade den tills det inte fanns en enda sorgpartikel kvar inom henne. Men de stunderna varade aldrig länge. Hon tänkte på bibelställena hon brukade läsa, om och om igen, för att hitta ett svar, för att lindra den mörka smärtan. Ordspråksboken. *Hat uppväcker trätor, men kärlek skyler allt som är brutet.*

Det luktade mat i trappuppgången. Hon hörde ett barn som skrek högt där uppe. Hon ryckte till när barnet tydligen sparkade i räcket. Ljudet av järn fortplantade sig längre och längre ner. Sedan hörde hon en arg kvinnoröst. Hon tänkte på sina egna barn, sina tre flickor. En bild framträdde på näthinnan. Sommar vid vattnet. De nakna småflickorna på rad med ryggarna vända mot henne. Hon satt och solade sig på en filt en bit högre upp på stranden. Karen två år, Tanja och Therese fem. Hon mindes att hon grämde sig över att hon hade glömt kameran hemma. Hon skulle aldrig glömma det ögonblicket. Med solen och himlen och havet och barnen.

Utanför dörren stod det många par skor. Hon ringde på. Det var Tanja som öppnade. Hon blev förvånad över att se modern.

"Kommer du nu?" frågade hon. Berit Geber stod där i sina skotskrutiga långbyxor och sin eleganta jacka och sitt välvårdade hår.

Berit Geber såg på dottern. "Jag tog bara en promenad", sa hon. Tanja hade snofsat upp sig. Hon skulle tydligen ut på någonting. Hon hörde röster och skratt från vardagsrummet och ljudet av TV:n som stod på.

"Du ska väl inte ut?" frågade hon.

Dottern såg på henne. "Jo", sa hon, "bara en liten stund."

"Det är bara några veckor sedan Therese dog, inte kan du väl …"

"Jag ska bara ut en liten stund, mamma", sa Tanja och förbannade tårarna som trängde fram i ögonen. Ida kom utkilande i hallen. "Hej, Berit", sa hon snabbt och fortsatte ut i köket.

Berit Geber svarade inte. Ingen av dem hade hört hissen förrän dörren plötsligt gick upp och Marius Berner steg ur. "Hej", sa han vänligt och drog ner blixtlåset i sin jacka.

Tanja såg olyckligt på honom innan hon smällde igen dörren och sprang igenom badrummet och in i sitt eget rum.

"DET VAR ETT UTMÄRKT BREV du skrev till din bästa vän, Smal Oförståndig", sa psykiatern och såg på henne med varm blick. "Nu vill jag att du ska skriva ett brev till."

"Till vem då?" Tanja såg trött på Sven Wangberg.

"Till din fiende Smal Oförståndig."

Tanja Geber himlade med ögonen. "Äsch, lägg av", sa hon irriterat. "Min fiende? Det här är ju barnsligt."

Han skakade på huvudet. "Det är det inte", sa han.

"Men Smal Oförståndig är inte min fiende, och det vet du! Förra gången sa du att det var min bästa väninna."

Han skakade på huvudet en gång till. "Nu ljuger du, Tanja. Du hatar Smal Oförståndig. Du har själv sagt att du vill mörda henne."

"Mörda henne, herregud. Mörda en ätstörning. Nu räcker det."

Sven Wangberg reste sig. "Du ska skriva ett sådant brev", sa han lugnt och gick bort till henne. "Det är en del av behandlingen." Han lade handen på hennes axel. Hon skyndade sig att slå bort den.

"Dessutom ska du titta upp till Torkel Bru igen. Han är orolig för dig."

"Så fan heller", sa Tanja argt, "det ska jag inte alls."

"Jo, det ska du. Jag tycker att du ser smalare ut igen." Han bad henne kavla upp ärmarna. "Du kan välja om du vill gå frivilligt till doktorn eller om jag ska kontakta din mamma igen."

"Nej." Tanja såg förskräckt på honom. "Du kontaktar inte

mamma. Det får du inte göra. Jag är över arton, jag är myndig. Jag bestämmer själv. Ingen kan tvinga mig att gå vare sig till dig eller till den där idiotiska doktorn."

Psykiatern suckade. "Jag vet det", sa han och granskade hennes arm. "Men det här handlar inte bara om lagar och bestämmelser", sa han.

"Jag går frivilligt", suckade Tanja och kände att hon blev illamående vid blotta tanken. Hon visste vilken apparat modern skulle dra i gång om hon vägrade. De hade anlitat samma doktor sedan hon var liten. Farbror Bru hade modern kallat honom. Tanja hade avskytt att gå till honom redan på den tiden. Varje gång de skulle dit var det blodprov eller hostmedicin eller sprutor. Hon tyckte inte om hans utseende heller. Han var äcklig och flintskallig. Och de där löjliga polisongerna irriterade henne. Dessutom luktade han svett. En läkare skulle inte lukta svett.

För fyra år sedan, när Smal Oförståndig flyttade in i henne, hade han börjat väga dem båda två.

"Jag beställer en tid åt dig. Och du ska skriva det där brevet", avslutade Sven Wangberg bestämt.

Hon lade ifrån sig pennan. Ansiktet var vått av tårar. Hon vilade huvudet i händerna och grät. Det var tyst i lägenheten. Ida var och arbetade på Cubus. Butiken stängde klockan åtta. Nu var hon tio i.

Smärtan var tillbaka, som för att straffa henne. Alla ville straffa henne hela tiden. Hon önskade att hon förstod, hur smärtsam sanningen än var.

Kära Smal Oförståndig, min fiende!

Jag är tvingad att skriva till dig. Det är lika bra att jag gör det ordentligt med en gång, annars måste jag bara göra det om och om och om igen.

Jag hatar dig. Du hänger efter mig hela tiden. Du låter mig aldrig vara i fred. Du kan väl hitta dig en ny kropp att flytta in i. Du är en papegoja, en härmapa. Du är en padda. Du är gul och giftig. Du skyddar mig från mig själv så att jag aldrig får träffa den egentliga Tanja. Du är feg och svartsjuk och löjlig. Jag hatar dig.

Efteråt gick hon bort till sängen och lade sig ner. Hon vände sig över på sidan. Sedan tänkte hon: *Jag kunde ha mördat dem allihop. Psykiatern och doktorn och mamma. Och Smal Oförståndig.*

IDA HENRIKSEN LEDDE CYKELN bredvid sig uppför gång-vägen. Oktoberhimlen var svart och klar, och hon tyckte att hon såg en ljus ring runt månen. Månen var full av skuggor. Det luktade kyla också. Kanhända skulle det snart komma snö. Hon längtade efter snön. Längtade efter att landskapet skulle bli vitt och annorlunda. Hon saknade Therese. Men hon kunde fortfarande inte riktigt fatta det. Att hon var död, att hon verkligen aldrig mer skulle komma tillbaka. Smärtan skulle säkert aldrig försvinna. Therese hade varit hennes bästa vän. Det kunde aldrig bli samma sak med Tanja.

Tanja hade varit svartsjuk. Hon började gråta om någonting gick henne emot. Hon åt konstig mat. Ibland bara kex och morötter. Therese hade ofta skojat om det. En gång hade hon sagt att det inte fanns skönhetstävlingar för skelett. *Och då menar jag skelett. Ingen är väl intresserad av att veta hur vackert skelett du har, Tanja.*

Therese och Ida hade varit så lika. De tog inte så allvarligt på saker och ting. Hon trodde aldrig att hon skulle hitta någon som Therese igen. Det var kanske lika bra att de frågade Hanne Marie om hon ville flytta in i lägenheten. Hon kunde inte komma på någon som var bättre att fråga, och de behövde en till att dela hyran med.

DET ÄR NÅGOT ursprungligt med skräcken. Den är som ett brunt tyg mot läpparna. Den kväver, men först smeker den. Gnider sig mot huden och nafsar lätt i nervtrådarna. Skräckens innehåll är av intim karaktär. Som en hemlig älskare klär den av dig naken. Och sedan förtär den dig. Likt en eld, likt lågor som uppslukar sitt offer. Som om du bestod av papper eller trä.

Han tänkte på detta när han hörde att hon öppnade källardörren. Han visste att det var hon. Han visste allt om hennes cykelljud.

Ida blev stående ett ögonblick i dörren. Hon bara visste att glödlampan var urskruvad. Hon hatade den som höll på med det här. Det var inte det ringaste roligt.

Hon ledde cykeln mot källarutrymmet. Trevade sig fram som vanligt. Kände att hon fick en sticka i fingret när hon drog med ena handen längs raden av källarkontor.

Hon hittade hänglåset. Fiskade upp den lilla nyckeln och stack den i nyckelhålet. Låset gled upp, och hon gick in och ställde ifrån sig cykeln som hon brukade. Hon blev stående orörlig ett ögonblick och lyssnade. Tystnaden susade i huvudet på henne. Ett litet plötsligt ljud fick det att gå kalla kårar genom henne. Hon kände rädslan skjuta upp i halsen som en blixt. Det fanns en häftig smärta i känslan. Snabbt gick hon mot dörren, som hade glidit igen. Hon slog upp den och började springa längs källargången. Hon vågade inte slösa tid på att låsa dörren.

Då hörde hon en hel rad verkliga ljud. Hon visste inte varifrån de kom. Hon sprang, tog sig inte tid att vänta på hissen utan sprang uppför alla trapporna. Hela tiden tittade hon bakom sig, och då och då stannade hon och kikade över räcket ner i källaren.

Tanja, som hade suttit och skrivit fiendebrevet inne på sitt rum, reste sig från sängen och kom springande genom badrummet och ut i den lilla hallen. "Vad är det, Ida?" ropade hon och satte sig på huk bredvid henne. "Vad är det?"

Men Ida, som hade sjunkit ihop omedelbart innanför dörren, tittade förtvivlat upp på henne och andades tungt.

"Det är någonting", sa hon hårt. "Jag vet inte … men det är någon i källaren. Jag bara vet det."

Tanja såg på henne. Hon var blek och sammanbiten. Tuffa Ida stod inte att känna igen.

"Okej", sa Tanja. "Då ringer vi till Cato Isaksen." Hatbrevet till Smal Oförståndig hade frigjort en kraft inom henne. Nu var det hon som tog kommandot.

RANDI JOHANSEN STOD borta vid fönstret. Ute snöade det. Vita änglahuvuden dansade hit och dit i vinden. Cato Isaksen såg på henne. Hon verkade annorlunda. Hon såg inte så värst pigg ut.

"Jag väntar barn", sa hon plötsligt och kom fram och satte sig på stolen bredvid honom.

Han tittade förvånat på henne. "Jisses", sa han. "Gratulerar."

"Jag har bara gått ett par veckor", sa hon. "Myklebust vet inte om det, och inte Roger heller."

"Jag ska inte säga något", sa Cato Isaksen.

"Bra", sa hon, "jag ska berätta det för dem så småningom, men du känner ju Myklebust. Hon kommer att bli irriterad."

"Inte irriterad", log Cato Isaksen. "Margaret Thatcher kommer att bli förbannad."

"Jag mår illa, förstår du. Springer ut och kräks i ett kör."

"Usch, då", sa Cato Isaksen. "Det låter inget vidare."

"Det är ingen fara, bara jag inte blir stressad."

"Nehej", sa Cato Isaksen sarkastiskt. "Det blir du ju absolut inte i det här jobbet." Han log snabbt.

Dörren öppnades och de andra kom in med Myklebust i täten. När de hade slagit sig ner runt det ovala bordet började hon med detsamma. Det var tydligt att hon var arg. "Nu är mitt tålamod slut", tillkännagav hon. "Ni har inte kommit ett dugg längre. Pressen är efter oss hela tiden. Det är verkligen ett nederlag att inte kunna komma med något som helst. Cato," – hon vände sig till hälften mot honom – "har ni ingenting?" Hon väntade inte på svar. "Ni har hundratals röda trådar, men inga av dem hänger ihop."

"Vi har verkligen arbetat natt och dag allihop", sa Cato Isaksen. "Det här fallet irriterar mig mycket mer än det irriterar dig", sa han hårt. "Jag vill gå till botten med det. Det vill vi allihop."

"Femåringen, då?"

"Vi har kontakt med Edland och Asker varje dag. De arbetar också dygnet runt. Men resultaten serveras inte alltid på silverfat. Det måste väl du känna till?" sa han irriterat.

De andra nickade ihärdigt runt bordet. Randi Johansen bad om ursäkt och lämnade hastigt rummet.

Roger Høibakk fiskade nervöst upp sin kam ur bakfickan. Asle Tengs lyfte händerna i en lugnande gest.

"Vi ska gå till botten med fallet", sa Cato Isaksen och såg på Ingeborg Myklebust. "Den som mördade Therese Geber ska gripas."

"Jag kan slå vad om att det är en invandrare", sa Preben Ulriksen bestämt. "Vi måste byta fokus, vända blicken åt annat håll. Den nya rapporten om invandrarvåld säger allt. Åtta av tio rån begås av invandrare. Sju av tio Oslomord."

Cato Isaksen låtsades inte om honom. "Jag fick ett samtal i går", fortsatte han, "från Tanja Geber och Ida Henriksen. De blir fortfarande uppringda av någon galning som inte säger något. De är rädda för att det kan ha en koppling till fallet. Vi borde kanske undersöka det närmare. Dessutom tror de att det är någon som smyger omkring i källaren och spionerar på dem. Jag skickade ut ett par man för att kontrollera. Antagligen är det bara nerverna som spelar dem ett spratt."

TEDDY HOLM HADE FÖLJT Ida Henriksen till dörren. Han hade kysst henne hårt ett par gånger och retat henne för att hon var rädd för att gå ner i källaren ensam.

"Ska jag följa med dig?" frågade han och dunkade henne lätt på axeln. "Ska jag det?"

"Nej." Hon knuffade undan honom. "Skoja inte om det. Jag vet att jag är dum." Hon huttrade i den kyliga luften. Tog ett hårdare grepp om styrstången, lyfte på huvudet och tittade upp längs väggen med alla fönstren. "Tanja har säkert somnat för länge sedan", sa hon och kastade en blick ner på sin klocka. "Å, herregud, hon är nästan halv ett, och jag har en föreläsning klockan nio i morgon bitti."

"Jaha", sa Teddy och drog skinnjackan hårdare om sig. "Hej då", log han och började gå.

"Hej då", sa Ida och ropade efter honom att de kunde talas vid under morgondagen. "Jag är hemma igen vid fyratiden", sa hon och ledde in cykeln i gången. Teddy Holm stannade, vände sig om och såg efter henne.

Hon drog cykeln efter sig bort till dörren och till hälften bar, till hälften rullade den nedför trappan till källarvåningen. Hjulen studsade upp och ner mot stegen.

Hon fumlade med nyckeln i fickan. Hennes händer var stela av köld. Hon stack in nyckeln i låset och vred om. Hon sträckte sig upp och tryckte på strömbrytaren. Hon ryckte till när det gula skenet spreds över stengolvet och raden med källarkontor. Hon log snabbt.

"Herregud, vilken idiot jag är", sa hon.

NOLL NALEN VÄNTADE på henne i källaren. Han ansåg att tiden var inne. Han hörde henne komma nedför trappan med cykeln.

I källaren var det hörseln som talade. Örat var en kompass. Den mätte alla ljuden, sorterade dem och arkiverade dem i hjärnan. Han hade lärt sig att tolka ljuden. Rovdjursljuden mullrade genom kroppen på honom. Han var ett djur. Den kyliga luften vilade mot pannan. Han tvingade sig att hålla sig lugn så länge som möjligt.

Det var medvetet, det där med ljuset. Han hade en stark önskan att hon äntligen skulle få möta honom. Han såg fram mot det ögonblick då hon skulle stå ansikte mot ansikte med honom. Ett par sekunder, deras blickar som möttes, innan sanningen gick upp för henne.

Han stod med ryggen intill några säckar med gamla klänningar. Han hörde ljudet av vatten som rann genom ett rör. De digitala siffrorna på klockan lyste mot honom. Han drog ner jackan över handleden.

Han visste att hon var rädd, trots att det var ljust. Han visste också att det blev riskfyllt om han drev leken för långt, då kunde han själv bli offret.

Han tyckte om hennes viskande. Nu hörde han att hon pratade för sig själv, liksom lugnande.

Han formade sina läppar till en kyss, förde tungan lätt fram och tillbaka över läpparna. Det kliade i tänderna. Han längtade efter att bita henne men visste att han måste behärska sig. Han kunde allt om bett i kroppar. Visste att de var som fingeravtryck.

Han skulle slita av henne en hårtott som han sedan kunde binda in i sin drömfångare.

Plötsligt var det som om allt exploderade inuti honom. Han älskade den här katt och råtta-leken. Livs- och dödsleken. Han hade laddat upp, precis som förra gången.

Han kände igen små fragment av hennes parfym. Den blandade sig med den tunga grå dammlukten som svävade omkring i källaren.

IDA HENRIKSENS HJÄRNA arbetade med pyttesmå, oklara bilder. Hon satte ihop dem, stämde av dem, jämförde och analyserade dem. Lukt har inte mycket med elementarpartiklar och kemiska ämnen att göra. Lukt är bara en rubbning av syrebalansen.

Rörelse, däremot, är någonting som ögat omedelbart kan mäta. Hon grep hårdare om styrstången. Skräck och rörelse. Hennes instinkt registrerade ett påtagligt ljud, ett släpande ljud, som om någon kom emot henne. Som om någon hade öppnat en dörr. Att det var ljust och inte mörkt hjälpte inte. För hon såg ingenting. Hennes syn blockerades av skräcken. Röda prickar dansade framför ögonen på henne. Hon uppfattade någonting som hade formen av en människa, men hon ville inte se det. Hon slog ner blicken och kände hur allting låste sig inom henne. Händerna satt fast i cykeln. Hon hade unga, starka ben, men de ville inte lyda henne. Hon ville springa därifrån, men en smärtsam broms av skräck kämpade emot impulserna från hjärnan. Fötterna rörde sig inte. Hon stod som fastklistrad vid golvet. Allt gaddade ihop sig och förlamade henne. Hon fick en nervurladdning, men den tog sig inte annat uttryck än att hon tappade greppet om cykeln. Hon försökte skärpa sig men hörde ingenting annat än applåderna som skallade mot henne och efterklangen av cykeln som hade fallit omkull.

När hon äntligen förmådde röra sig var det för sent. Hon sprang. Men hon kom ingenvart. Hon sprang bakåt, åt sidan, framåt, men hon stötte hela tiden emot honom. Hon blev ivägslängd som om hon hade varit en trasdocka. Hon fastnade med ena foten mellan ekrarna i cykelhjulet. Hon kände en skarp smärta i vristen. Det var allt. Sedan kände hon ingenting. Hon var omgiven av svarta hål som hela tiden förökade sig och blev fler. De flöt ihop med varandra och blev större och större.

DET BÖRJADE SOM en helt vanlig dag. Det var tisdagen den 27 oktober. Tanja gick raka vägen ur sängen in i badrummet. Hon drog nattlinnet över huvudet. Nyckelbenen lyste mot henne i spegeln. Hon tyckte om dem, de var vackra. Spegeln var blank, som nyputsat silver, eller genomskinlig tunn is. Men ytan grumlades av många små tandkrämsprickar som hade sprutat ut som vita stjärnor. Det såg ut som om stjärnorna satt fast i hennes ansikte. Hon vände sig bort och skruvade på vattnet i duschen. Hon fortsatte att betrakta sitt ansikte i spegeln. Snart försvann hennes anletsdrag bakom de grå imfläckarna. Ögonen, näsan och munnen, kindbenen. Hon tyckte inte om det hon såg. Hon avskydde sitt ansikte.

Hon kände hur härligt det var med varmt vatten mot kroppen. Hon lät tvålen glida över höftpartiet, kände benstommen under huden. Hon var smal, kanhända var hon tillräckligt smal. Hon var tillräckligt smal. De andra hade kanske rätt i att hon var för smal. Hon blev som vanligt stående kvar i duschen ett par minuter för länge.

Hon tittade på klockan och insåg att hon inte skulle hinna äta frukost i dag heller. Hon var inte precis ledsen för den skull. Hon hade faktiskt ätit två smörgåsar kvällen innan. Hon kände sig inte utvilad. Hade arbetat med franskaläxan hela kvällen. Hon hade legat och lyssnat efter Ida men somnat ändå. Ida måste ha kommit sent hem.

Medan hon torkade sig tänkte hon på hur märkligt det var att dagarna kom och gick precis som förut. Som om ingenting hade hänt. Ett ögonblick lyckades hon också inbilla sig att ingenting hade hänt, att allting verkligen var som förut.

Medan hon frotterade kroppen öppnade hon dörren. Ångan vällde ut i hallen. Hon ropade på Ida. "Färdig", ropade hon. "Du måste stiga upp."

Men Ida svarade inte, och hon gick bort och öppnade dörren till hennes rum. Det var tomt. Tanja Geber stod kvar ett ögonblick och stirrade på den obäddade sängen. Hade hon redan gått? Så tidigt? Eller hade hon sovit över hos Teddy? Hon brukade inte göra det. Ida ville alltid hem till sin egen säng.

Tanja gick ut i köket och tog ett glas ur skåpet. Fyllde det med vatten från kranen. Drack. Tänkte att det var ett tidsfördriv det här, att dricka vatten. Hon kände ingen hunger men visste att hon borde äta något. Kroppen kändes slapp. Kanhända var det något som höll på att bryta ut. Hon höll kanske på att bli sjuk. Hon ställde glaset i diskhon och gick bort till fönstret. Motorvägen dånade mot henne. Hon kikade ner på de stora byggnaderna i centrum. Bort på kyrkan, såg det spetsiga tornet som reste sig likt ett spjut mot himlen. Hon såg ett moln som hängde alldeles bakom tornet. Det såg ut som ett hundhuvud.

TANJA GEBER GICK raka vägen upp till föräldrarna efter skolan. De hade bjudit henne på middag. Hon tyckte det var jobbigt. I synnerhet som modern fortfarande förebrådde henne att hon inte hade flyttat hem igen.

Karen kom nedskyndande i hallen när hon låste upp dörren. Hon gick i strumplästen. "Hej", sa hon, log försiktigt och gav systern en snabb liten kram. Hon stoppade båda händerna i byxfickorna. "Hur är det?" frågade hon.

"Hyggligt", svarade Tanja. "Och du då?"

Karen ryckte hastigt på axlarna. "Jag tycker det blir ensamt här", sa hon snabbt. "Mamma ligger till sängs och gråter flera timmar varje dag."

"Gör hon?" Tanja kände ett mörkt styng av dåligt samvete. "Tror du det hade hjälpt om jag hade flyttat hem igen?"

Karen såg allvarligt på henne. Sedan ryckte hon snabbt på axlarna.

"Egentligen inte", sa hon. "Du vet ju hurdan mamma är."

Tanja nickade. "Ja", sa hon. "Jag tror jag blir sjuk igen om jag flyttar tillbaka."

"Det får du inte bli", sa Karen och granskade henne hastigt uppifrån och ner. De båda systrarna såg allvarligt på varandra.

"Det är konstigt", sa Tanja, "att mamma inte kan se vad hon gör."

"Hon ser ingenting annat än Gud", sa Karen. "Men frågan är om Han ser *henne*."

BENTE ISAKSEN HÖLL PÅ ATT BAKA en äppelkaka. Hon lade ner hela sin sorgsna själ i att göra det trevligt för familjen. Hon kände sig tämligen maktlös. Gard hade, otroligt nog, lugnat ner sig. Det verkade nästan som om han var lättad över att de hade upptäckt vad han höll på med. Men sedan, i nästa ögonblick, var han rasande och aggressiv och rusade ut genom dörren igen. Han hade faktiskt gått med på att lämna de där urinproven. Hittills hade alla proverna varit utan anmärkning. Inga spår av hasch eller amfetamin eller någonting annat.

Bente var lika nervös varje gång hon ringde för att få provsvaren.

Telefonen ringde. Det var Vetle som svarade. Bente hörde honom säga att fadern inte hade kommit hem än. "När kommer pappa?" ropade han.

Bente tittade snabbt på klockan. "Om någon halvtimme, skulle jag tro", sa hon.

"Om en halvtimme", hörde hon Vetle säga i telefonen. "Ja", sa han, "visst, det ska jag säga."

"Vem var det?" frågade Bente nyfiket.

Vetle ryckte på axlarna. "Någon som hette Tanja", sa han. "Pappa skulle ringa så fort han kom hem."

"Jaha", sa Bente, "men varför bad du henne inte ringa honom på mobilen?"

"Det tänkte jag inte på", sa Vetle och gick tillbaka till kamraten han hade haft med sig hem.

Telefonen ringde en gång till. Vetle svarade igen. Den här

gången var det till Gard, som satt uppe på sitt rum och lyssnade på musik. Vetle sprang uppför trappan och öppnade dörren. Brodern var snabbt nere i vardagsrummet. Han log när han hörde vem det var.

"Vem var det?" Bente såg nyfiket på Vetle som kom ut i köket för att hämta ett par äpplen.

"Det var Tone Berner", sa Vetle.

"Jaså", sa modern. "Vem är det?"

"Vet inte", sa Vetle.

Bente gick bort till dörren och lyssnade. Hon var livrädd för telefonsamtalen till Gard. Visste aldrig vem det var. Morten ringde aldrig numera. Det var hon glad för. Hon hade försökt ta upp problemen med sin kollega, Mortens mamma. Men hon hade inte velat lyssna på det örat. Trodde inte att hennes son höll på med sådant. En del i processen med att få bort Gard från missbruket gick ut på att byta umgänge. Därför var inte Morten viktig längre. Hon tog ett litet franskbröd ur skafferiet. Undersökte kanterna. Strök med fingrarna över den släta ytan medan hon tänkte.

Gard hade gått med på att inte umgås med Morten. Han hade gått med på allt. Det förvånade henne. Hon visste inte om hon kunde lita på det eller om det bara var en skenmanöver.

Hon återgick till kaksmeten. Hon började tappa greppet om mathållningen. Hon gjorde saker och ting mekaniskt. Allt var förändrat. Skräcken för framtiden överskuggade det mesta.

Gard kom ut i köket och satte sig på en av stolarna. Hon vände sig till hälften mot honom. Han sa att han tänkte gå ut en sväng.

"Snälla Gard", sa hon snabbt, "inte nu. Det är fredag. Jag bakar äppelkaka. Snälla Gard."

"Jag orkar inte längre", sa han uppgivet. "Ni behandlar mig som en brottsling. Jag är inte narkoman, mamma, jag har bara prövat litet. Jag är inte beroende. Ni överdriver så förbannat."

"Vem var det som ringde?" frågade hon.

Han såg på henne. Svarade inte först. Sedan sa han att det inte var den hon trodde.

"Jag tror ingenting", sa hon, "jag frågar dig vem som ringde."

"Det var Tone", sa han snabbt.

"Vem är Tone då?" frågade hon.

"Snälla mamma", sa han irriterat.

Hon såg på sonen. Han var sjutton år. Det här blev fel. Allt blev liksom fel. "När kommer du hem igen?" frågade hon.

"Inte sent", sa han och gick ut i hallen och tog på sig ytterkläderna.

CATO ISAKSEN SLOG NUMRET till Tanja Geber så snart han fick meddelandet. Han hade inte ens tagit av sig ytterkläderna. Han pratade allvarligt med henne i ett par minuter innan han lade på luren. Han reste sig. Hungern kurrade i magen. Han tittade på sin klocka. Den var fem över halv sju.

"Nu sätter jag in pizzan", sa Bente och gav honom en frågande blick när han kom ut i köket.

"Jag måste ge mig i väg igen", sa han kort och frågade efter Gard.

"Han gick ut."

Cato Isaksen lutade sig trött mot dörrkarmen.

"Vad är det nu då?" Bente såg uppgivet på honom.

"Ida Henriksen är försvunnen", sa han. "Hon har redan varit borta i ett dygn."

Bente vände ryggen mot spisen. "Herregud", sa hon, "vad är det egentligen som sker? Vad tror du har hänt?" frågade hon.

"Jag vet inte", sa han. "Låt oss hoppas att det finns en naturlig förklaring."

"Asker har ju blivit rena vilda västern", suckade hon bekymrat.

Tanja hade krupit ihop i ett slags fosterställning på soffan. Hon hade ringt runt. Först till Teddy. Han sa att han inte hade sett henne sedan de skildes åt mellan tolv och halv ett i går natt. Idas mor, Agnes Hansen, som bodde tio minuter därifrån, hade inte hört något ifrån henne på över fjorton dagar.

"Jag hade tänkt ringa endera dagen", sa hon.

Tanja Geber analyserade och tänkte. När var det egentligen hon hade sett Ida sist? Det var på eftermiddagen dagen innan. Hon stod i köket och hällde i sig en kopp med soppa. Hon skulle jobba, och efteråt skulle hon träffa Teddy för att gå på bio.

Blå bilder flimrade över TV-skärmen. De hade inte betalat någon licens. Ida hade mumlat något om det för ett par dagar sedan, att de kanske snart var tvungna att anmäla att de hade TV. Hon tyckte hon hade sett en sådan där bil med pejlingsutrustning på taket.

Tanja kände sig som dunungen igen. Sådan som hon hade varit när hon blev inlagd på sjukhuset. Hon önskade att hon hade haft ett skal att gömma sig inuti. Ida hade inte varit hemma i natt. Hon hade helt enkelt inte kommit hem.

Hon reste sig och gick bort till dörren till Idas rum. Sköt försiktigt upp den. Allting var en enda röra där inne. Hon stirrade på skrynklorna i den tillstökade sängen. På de halvt fördragna gardinerna. Böckerna som låg strödda på golvet. Den låsta sekretären. De svarta byxorna och tröjan som hängde över stolsryggen. Garderobsdörren som stod halvöppen.

Hon gick bort till den låsta sekretären som Carlos ägde. Lade handen på den kyliga träytan. Hon hade egentligen vetat det redan i morse. Hon hade vetat det redan när hon stod i duschen. Hon hade vetat det innan hon visste det.

DE LYCKADES HÅLLA PRESSEN stången i ett dygn. Sedan var det någon som lade ihop två och två och tipsade Dagbladet. Torsdagen den 29 oktober täcktes hela förstasidan av ett flygfoto av Asker med omgivningar. **Skräck i Asker** stod det med feta bokstäver över hela sidan. Inramade längst ner i högra hörnet syntes tre små bilder av Therese, Stine Marlen och Ida. Vad har de tre gemensamt? var en av frågorna som ställdes. Artikeln handlade om mordet på Therese Geber och om femåriga Stine Marlen Kvarme och tjugoåriga studerande Ida Henriksen som båda var försvunna. Vad sysslar polisen med egentligen? var en av de mindre rubrikerna. Flera Askerbor var också intervjuade. Allihop var rädda, sa de. I en smal spalt överst på sidan stod det: **Börja planera julen redan nu.**

TANJA GEBER HADE FLYTTAT HEM till sina föräldrar igen. Hon hade inte haft något val. Hon kunde inte bo ensam i lägenheten. Men hon kunde inte acceptera tanken på att något skulle ha hänt Ida. Hennes rädsla blockerade tankarna. Hon blev motsatsen till apatisk; hon blev rastlös och energisk.

"Hon kommer säkert tillbaka", sa hon sammanbitet.

Föräldrarna jämnade vägen för henne på alla sätt. Berit Geber tjatade inte om någonting. Karen var lycklig över att systern var tillbaka. Fadern tassade omkring utan att säga något. Randi Johansen körde och hämtade Tanja i skolan varje dag.

De hade fått hemligt telefonnummer och en direktlinje till polisen i Asker. Bara för säkerhets skull.

Marius Berner var hos henne varje kväll. Flera gånger om dagen ringde journalister och fotografer på dörren. De blev bestämt avvisade och gav till slut upp försöken att få en kommentar.

Hanne Marie Skage blev omhändertagen på samma sätt. Hon blev skjutsad till och hämtad från skolan, och en civil polisbil med två poliser stod parkerad utanför huset varje natt.

Lägenheten på Fredboes vei, källaren och källarkontoret undersöktes grundligt. Poliserna visste inte vad de letade efter. Cykeln stod prydligt uppställd, och källarkontoret var låst med det lilla hänglåset. Någonting måste i så fall ha hänt på väg upp till lägenheten. Men vad? Ingen hade hört eller sett något. Teddy Holm var den siste som såg henne. Han berättade att hon verkade som vanligt.

Lägenheten undersöktes rum för rum. Poliserna visste inte vad de letade efter. Det enda de inte kom åt att undersöka var sekretären i Idas rum. Den var låst. De lät den vara tills vidare.

Tanja Geber måste inställa sig till ett formellt förhör på polishuset. Cato Isaksen beklagade hela situationen och frågade om det var något han kunde göra för henne. Hon skakade häftigt på huvudet. "Jag står bara inte ut med att bo hemma", sa hon. "Hur länge måste jag bo där?"

Cato Isaksen suckade. "Vad är det egentligen som är så hemskt med det?"

"Tja" – hon ryckte på axlarna – "allt och ingenting", sa hon.

"Klarar du av skolarbetet?"

"Nej", sa hon, "jag har tappat koncentrationen."

"Det är inte svårt att förstå."

"Men jag måste helt enkelt klara det." Tanja Geber fick ett trotsigt uttryck i ansiktet. "Jag kan ju inte gå om ett helt år."

Cato Isaksen betraktade henne. Han log snabbt. "Du verkar osedvanligt stark, Tanja."

"Gör jag?"

Han nickade. "Är du inte rädd?"

"För att det ska hända mig något, menar du?"

"Ja."

"Jag vet inte", sa hon och vände sig bort. "Det verkar så långsökt, liksom." Hon vände sig mot honom igen. "Bör jag vara det, tror du?"

"Ärligt talat vet jag inte. Vi har ju undersökt allt. Om Ida har givit sig i väg, med flyg, tåg eller buss. Om hon har rest till någon hon känner. Jag menar, vi vet ju inte. Och vi har inte fått in några trovärdiga vittnesobservationer. Men hon har inte rört sitt bankkonto. Det är väldigt viktigt att du rannsakar din hjärna för att komma på något, vad som helst, som du kanske inte betraktar som viktigt. En detalj, något som du och Ida kan ha pratat om."

Tanja Geber såg trött på honom. "Men jag vet inte vad det skulle vara", sa hon bedrövat. "Det finns ju ingenting. Det har ju inte hänt något särskilt. Jag har ju berättat om telefonsamtalen och om källaren, att hon var rädd för källaren."

"Hennes cykel står ju i källarutrymmet", sa Cato Isaksen, "prydligt uppställd. Källarkontoret var låst. Hon måste ha försvunnit senare. Gått upp från källaren och ut." Han ryckte på axlarna. "Märkligt, det här. Det är ingen som har kontaktat er, pratat med er?"

"Bara den där karln som har ringt", sa hon.

"Och han sa ingenting?"

"Nej", sa hon.

"När ringde han senast?"

"Det är inte så länge sedan."

"Hur många gånger har han ringt?"

"Ingen aning. Sammanlagt kanske ... sju åtta gånger ungefär."

"Tanja, vad tror du egentligen kan ha hänt? Först med Therese och nu med Ida?"

Tanja Geber hade svårt att behärska sina känslor. Plötsligt steg tårarna upp i ögonen på henne. "Jag har ingen aning ... jag vet ju ingenting", grät hon.

"Tror du att det kan vara någon du känner som är inblandad?"

"Vem tänker du på då?"

"Ingen särskild", sa Cato Isaksen, "men vi måste få fundera och analysera. Jag menar, har vi anledning att vara oroliga för din skull också?"

"Det känns nästan tvärtom", sa hon, "som om det var någon som beskyddade mig. Jag vet inte. Det stämmer säkert inte, men det känns så."

"Tycker du om uppmärksamhet, Tanja?"

"Uppmärksamhet?"

"Ja."

"Jag förstår inte vad du menar."

Cato Isaksen betraktade henne lugnt. "Du höll på att dö en gång, gjorde du inte?"

Tanja Geber mötte hans blick. Tårarna var borta. Hon var alldeles lugn. "Ärligt talat vet jag inte om det var så allvarligt", sa hon.

"Jag har hört sägas att det var så allvarligt."

"Det kändes inte så", sa hon. "Jag menar, jag var aldrig rädd för att dö."

"Men du fick mycket uppmärksamhet?"

"Alla kom och hälsade på mig, om det är det du menar." Hon såg osäkert på honom.

"När någon dör eller håller på att dö eller bara försvinner får de mycket uppmärksamhet", sa Cato Isaksen.

En mörk skugga for över Tanja Gebers ansikte. "Jag förstår inte vad du menar."

Han svarade inte med detsamma. Ljudet av hennes röst klingade bort.

"Det verkar som om du sökte smärtan", sa han brutalt.

Hon skakade på huvudet.

"Jo", sa han hårt. "Du konstruerar saker och ting. Självsvälten, förhållandet till din mamma. Sorgen efter din syster."

"Jag har väl inte konstruerat sorgen efter min syster?" Hon tittade lamslagen på honom.

Tanja Geber började gråta igen. Först lågt och stilla, sedan häftigare. Hon försökte säga något, men orden dränktes av gråten.

CARLOS DE SILVA, Ida Henriksens halvbror, hade kommit hem från Spanien där han studerade. Han var på plats bara två dagar efter det att han hade fått underrättelsen om systerns försvinnande. Cato Isaksen och Roger Høibakk besökte honom och modern i hennes lilla lägenhet i ett rödmålat fyrfamiljshus intill Gullhella. Det var måndagen den 2 november. Vägbanan var hal av ett tunt lager frost. Lägenheten låg ända nere vid Røykenveien, där bilarna sakta körde förbi i det hala väglaget.

Modern hette Agnes Hansen. Förutom Carlos och Ida hade hon en son som var utvecklingsstörd, som hon själv uttryckte det. Hon använde inte ordet sjuk. Sonen bodde för närvarande på Blakstads sjukhus. "Han är inte sjuk", sa hon, "bara litet utvecklingsstörd. Han bor periodvis på Blakstad, men det är inte mer än ett par veckor sedan han bodde här hemma hos mig", sa hon och öppnade dörren till hans rum.

"Han är egentligen inte utvecklingsstörd heller", fortsatte hon forcerat, "det är bara jag som kallar honom det. Egentligen är han begåvad, det är bara nerverna som slår slint på honom. Han är lik mig", suckade hon och fick plötsligt ett bedrövat uttryck i ansiktet. Hon var påtagligt tagen av dotterns försvinnande. "Jag kan helt enkelt inte begripa det här", sa hon med gråten i halsen. "Vad är det Ida har hittat på egentligen?"

Agnes Hansen hade precis som dottern färgat håret svart, men hennes var tunt och spikrakt och ljusbrunt inne vid rötterna. Hon var några och femtio men rynkig och sliten. Hon hade ett skarpt rosa läppstift på sig, och ögonbrynen var svärtade med

240

svart kajal. Hennes vader var smala och händerna röda och fulla av små sår. "Ni får ursäkta att jag ser ut som jag gör om händerna", sa hon, "men jag tvättar på ålderdomshemmet där borta." Hon pekade ut genom fönstret. "Det är bara femtio meter att gå", sa hon. "Vet ni något mer om vem som har gjort det?" Kvinnan talade fort och osammanhängande hela tiden. Hon var klädd i en rosa, aningen för kort veckad kjol och en blåblommig blus. Kontrasten mot sonen Carlos, som var lång och kraftig, var enorm.

"Kan vi slå oss ner?" frågade Roger Høibakk och pekade på en liten brunrutig soffa som stod borta i ett hörn.

"Ja, ja, ja." Agnes Hansen slog ut med armarna. "Sätt er, sätt er", sa hon.

"Mamma" – det var Carlos som bröt in med sin mörka röst – "ta och lugna ner dig några varv. De får ju inte en syl i vädret", sa han och ledde modern bort till en sliten fåtölj som stod på andra sidan om teakbordet.

"Jag begriper ingenting av det här", fortsatte Agnes Hansen. "Jag har gjort många fel under årens lopp, men förtjänar jag det här?" Hon slog ut med de magra armarna.

"Vill ni ha kaffe?" avbröt Carlos.

"Gärna", sa Cato Isaksen, och Roger Høibakk instämde.

"Idas far", sa Roger Høibakk snabbt, "lever han?"

"Han ja, javisst, han lever i bästa välmåga. Men jag har inte fått tag i honom, så han vet ingenting om det här. Han är omgift, han gifte sig några månader efter att Ida hade fötts. Han bor någonstans borta i Lambertseter. Jobbar för kommunen, med renoveringar, tror jag. Men han har kanske läst tidningarna. Det är typiskt att han inte har tagit kontakt."

Carlos kom tillbaka från köket med koppar och fat.

"Alla vi tre barn har olika fäder", sa han lugnt. "Det är kanske litet speciellt."

"Speciellt och speciellt", sa Agnes Hansen irriterat. "Det bara blev så. Mitt liv har inte varit lätt precis."

"Min far var spanjor", fortsatte Carlos de Silva. "Han dog för sex år sedan."

"Och nu studerar du bestämt?" frågade Cato Isaksen.

"Ja, i Spanien."

"Vad studerar du då?"

"Ekonomi", svarade han snabbt.

Cato Isaksen mötte Roger Høibakks blick. Han visste att de tänkte samma sak. Carlos de Silva såg inte ut som någon som studerade ekonomi. Han såg inte ut som någon som studerade över huvud taget. Han såg mer ut som något slags maffiamedlem. Han var lång och mörk och kraftig, med dagsgammal skäggstubb.

"Vad heter platsen där du studerar?"

Carlos de Silva kläckte ur sig någonting.

"Tror ni att hon är död?" Agnes Hansen hade satt sig längst ut på kanten av fåtöljen.

"Nej då, mamma", sa sonen snabbt. "Ida kommer säkert till rätta."

Agnes Hansen lutade sig tillbaka igen.

Cato Isaksen och Roger Høibakk iakttog spelet mellan mor och son. "Din andre son då." Cato Isaksen bytte ämne. "Kan du berätta litet mer om honom?"

"Ivar, ja, han heter Hansen efter mig", nickade hon och fumlade med ett cigarrettpaket. Hon tände cigarretten med darrande händer. "Jag har aldrig fått så mycket som en krona av Ivars pappa. Han förnekade att barnet var hans."

Roger Høibakk grävde efter sin kam i bakfickan.

"Ivar är bara litet nervös", upprepade Agnes Hansen.

"Ivar är inte nervös, han är våldsam", sa Carlos de Silva snabbt. "Han slår morsan."

"Inte alltid", sa modern irriterat. "Ivar är en snäll pojke, men ibland knyter det sig litet för honom."

"Ja, så kan man ju se det", sa Carlos de Silva ironiskt. "Ivar är trettiotre", fortsatte han. "Jag är tjugosex och Ida är … tjugo." Carlos de Silvas ansiktsuttryck hårdnade. "Det som har hänt är för jävligt", sa han och slog sakta knytnäven i bordet.

"Hon är … var den yngsta. Jag blev så glad när det var en flicka." Agnes Hansen reste sig.

"Ivar var jättesvartsjuk när Ida föddes", sa Carlos och tog en djup klunk av kaffet.

Modern såg uppgivet på honom. "Det är ju tjugo år sedan. Ivar tycker om sin syster. Det händer att han går och hälsar på hos flickorna. Han tycker bra om flickorna. Ida studerar", sa hon stolt och satte sig igen. Tårarna steg upp i ögonen på henne och började trilla nedför de rynkiga kinderna. Hon drog några djupa bloss på cigarretten, som hade fått ett tydligt rosafärgat märke av läppstiftet, innan hon fimpade den i den överfulla askkoppen.

"Kan vi få namnet på Idas far?" frågade Cato Isaksen och tog fram sitt anteckningsblock.

"Roar Henriksen", sa Agnes Hansen snabbt, "fyrtiosex år, fem år yngre än jag", tillade hon. "Ta och ring upp honom och berätta vad som har hänt. Nu kan han gott få ångra att han inte har haft någon kontakt med sin dotter."

"De har visst kontakt, mamma", sa Carlos och började hälla upp kaffe i de vita kopparna.

Roger Høibakk gav Cato Isaksen en resignerad blick. De var båda två införstådda med att de måste få Carlos de Silva att komma in till polishuset. Här fick han knappt en syl i vädret.

"Var hon ovän med någon?" insköt Cato Isaksen och tog en klunk av kaffet.

"Nej", sa Agnes Hansen och tog fram en ny cigarrett ur paketet.

Carlos skruvade nervöst på sig där han satt på en av de rangliga matsalsstolarna en bit ut på golvet. "Det beror på vad ni menar med ovän", sa han.

"Vad som helst", sa Cato Isaksen, "minsta bagatell kan vara viktig."

"Du menar Teddy?" sa modern snabbt.

Carlos skakade på huvudet. "Nej, inte Teddy", sa han. "Alla grälar då och då. Jag tänker på familjen där hon satt barnvakt."

"Javisst, de ja", sa Agnes Hansen snabbt.

Cato Isaksen och Roger Høibakk väntade på fortsättningen.

"De påstod att hon knyckte saker", sa Carlos, "smycken och sådant. Jag tror inte på det, men de hotade med att anmäla henne."

"Var bor den här familjen?" frågade Cato Isaksen.

"Tja, någonstans uppe i Borgen", sa han, "jag minns inte vad de hette, men Tanja vet det säkert."

FAMILJEN DÄR IDA hade suttit barnvakt bodde i en villa på Rødhettes vei i Borgen. Randi Johansen begav sig dit dagen därpå efter att ha skjutsat Tanja till skolan. Modern i huset var hemmafru. Hon var klädd i dyra märkeskläder och hade två diamantringar på samma finger. Familjen hade tre pojkar, mellan två och sju år, och en dotter på nio. Kvinnan hävdade bestämt att det hade försvunnit saker från hemmet.

"Jag kan inte säga så exakt", sa hon, "mer än att jag saknar en guldring och en glasvas som var rätt speciell för mig. Dessutom tyckte jag inte om hennes pojkvän", sa hon. "Han var här tillsammans med henne vid ett par tillfällen. Jag tror att de använde telefonen också. De visste väl inte att vi får en specificerad räkning. En gång hade de pratat med någon i Spanien i en halvtimme."

På väg hem från skolan talade Randi Johansen med Tanja om familjen. "Tror du att Ida stal saker?" frågade hon.

Tanja skakade bestämt på huvudet. "Det är rent struntprat, det vet jag", sa hon och såg på utredaren. "Att hon använde telefonen tror jag däremot mer på. Sådana saker skulle Ida gott kunna göra."

Randi Johansen körde in på uppfarten och parkerade bilen.

"Vad ska du göra i kväll?" frågade hon.

"Marius kommer och hämtar mig. Han har fått låna sin pappas bil. Det händer inte så ofta, för han har en väldigt fin bil."

"Vart ska ni?"

"Bara på bio."

"Se till att du inte går någonstans ensam", sa Randi Johansen allvarligt. "Inte ens på toa."

"Jag vet." Tanja Geber vände sig mot henne. "Hur länge tror du att det här kommer att pågå, Randi?"

"Ja, säg det. Vi jobbar på för allt vad vi kan. Och vi ger oss inte, så mycket kan jag i alla fall lova dig. Ring mig när du är hemma igen", sa hon. "Du har mitt hemnummer."

Tanja Geber nickade och steg ur bilen.

TEDDY HOLM ÖPPNADE DÖRREN iförd sin taxiuniform. Gråblå kavaj och byxor och ljusblå skjorta med slips. Cato Isaksen räckte honom handen och frågade hur det stod till. För en gångs skull var det Asle Tengs han hade med sig. Teddy tog den framsträckta handen, suckade och bad dem stiga på. "Jag skulle egentligen ner på centralen", sa han. "Jag blev ditkallad nyss, men det spelar ingen roll."

"Så du klarar av att arbeta?" Cato Isaksen gav honom en forskande blick.

"Vad fan ska jag annars göra?" sa Teddy Holm olyckligt. "Jag blir ju galen av att sitta här och tänka. Jag begriper fanimej ingenting. Vart har hon tagit vägen? Hon har för helvete inte gjort någon något."

"Nej, det är det vi gärna vill prata litet om", sa Cato Isaksen och satte sig i en av de båda fåtöljerna i det sparsamt möblerade vardagsrummet. En låg bokhylla stod utmed väggen mittemot. Den var full med broschyrer och pärmar och några resehandböcker och prydnadsföremål. På väggen ovanför den hängde ett märkligt prov på modern konst.

Asle Tengs såg sig nyfiket omkring. Han gick ut i köket. På bordet låg en tjock bok med en flottfläck på omslaget. Han gick bort till det smutsiga fönstret och kikade ut på huset nedanför.

Teddy Holm såg på Cato Isaksen och sjönk ner i den andra fåtöljen.

"Hur länge har ni varit tillsammans?" frågade Cato Isaksen

och tog upp sitt anteckningsblock.

"I två år", sa Teddy Holm mörkt. "Det här har jag redan svarat på."

"Sedan hon var sjutton?"

Han nickade trumpet.

"Är du inte litet väl vuxen för henne?"

Teddy Holm fnös ljudligt. "Åldern har väl ingen betydelse. Frank är över trettio. Han har ju varit ihop med Therese."

"Vem är Frank?"

"Fastighetsskötaren", sa Teddy Holm och såg osäkert på honom. "Har jag sagt något tokigt nu?" frågade han.

Cato Isaksen skakade på huvudet. "Egentligen vill vi gärna att du kommer in till ett nytt formellt förhör."

"Nu igen?"

Utredaren nickade.

"Nere på stationen i Asker?"

"Nej, inne på polishuset", sa Cato Isaksen, "på samma ställe som senast. Det är vi som har hand om det här fallet nu. I samarbete med Asker og Bærum-polisen", tillade han, "men eftersom alltsammans började med att Therese dog i Oslo, ja, du förstår … "

"Ni tror att det finns ett samband, eller hur?" Teddy Holm sneglade oroligt på honom.

Cato Isaksen ryckte på axlarna. "Vi vet inte", sa han, "men det verkar inte vara en ren slump."

"Det här med att vi hade grälat." Teddy Holm suckade. "Ni lägger väl inte för stor vikt vid det, hoppas jag."

Cato Isaksen och Asle Tengs iakttog honom avvaktande. "Vi har bestämt inte hört någonting om något gräl? Var det samma kväll som hon försvann?"

"Nej, för fan, då var vi ju vänner igen. Det var ju därför vi gick på bio."

"Du hade grälat med Therese också innan hon blev mördad, stämmer inte det?"

"l helvete heller." Teddy Holm reste sig. "Therese och jag var oeniga om det mesta", sa han uppgivet. "Therese grälade med alla för jämnan."

PSYKIATERN SVEN WANGBERG var en älskvärd man i fyrtio-
femårsåldern. Han var klädd i mörkblå pullover, jeans och en
grov tweedkavaj. Han hade glasögon och halvlångt, mörkblont
hår. Cool, tänkte Cato Isaksen, avgjort cool.

Mottagningen, som låg mitt på gågatan i Askers centrum, var
enkel men exklusivt möblerad i skinn och stål. Väggarna var lju-
sa, gardinerna grå med ett svagt mönster i grönt och blått. På
skrivbordet stod ett fotografi av hans familj.

Sven Wangberg var en aktad man. Han berättade att han drev
privatpraktiken tre dagar i veckan samtidigt som han upprätt-
höll en tjänst vid en av de tyngsta långtidsavdelningarna på
Blakstads sjukhus.

Utredaren tackade för att psykiatern hade tagit sig tid att träf-
fa honom. "Du har väl kalendern fulltecknad, kan jag tro."

Sven Wangberg log hastigt. "Ja, det är väl ingen hemlighet
precis", sa han och lade det ena benet över det andra.

Cato Isaksen berättade varför han hade kommit. "Det gäller
det här Geberfallet", började han.

"Ja, jag trodde nästan det", sa psykiatern med sin djupa, be-
hagliga stämma. "Förskräckligt", sa Wangberg och skakade på
huvudet.

"Det har inte kommit ut än", fortsatte Isaksen, "men vi är
tämligen säkra på att det finns ett samband mellan mordet på
Therese Geber och Ida Henriksens försvinnande."

"Jag har ju läst om det i tidningarna."

"Men det är bara spekulationer", sa Cato Isaksen. "Vi har

ingenting som bekräftar dem. Så länge vi inte vet något mer måste vi emellertid arbeta med utgångspunkt från den teorin."

"Och det andra fallet då, det med den lilla flickan som är försvunnen?"

"Det är klart att det ligger nära till hands att tänka sig ett samband", sa Cato Isaksen. Han kände hur frustrationen arbetade sig igenom kroppen på honom. Blotta tanken på den lilla flickan gjorde honom illamående. Han var trött, dödstrött. Det här med Gard höll på att ta knäcken på honom. "Tanja Geber är patient hos dig, eller hur?"

Psykiatern nickade.

"Vi måste kartlägga alla förhållanden kring de här flickorna. Vad för slags människor är det egentligen du arbetar med?"

Sven Wangberg såg på honom. "Menar du vilka typer av problem?"

Cato Isaksen nickade.

"Tja, det kan vara allt möjligt, men du inser förstås att Tanja Geber har gått hos mig på grund av sina ätstörningar?"

"Ja", sa Cato Isaksen, "det är vad jag har fått veta."

"Det var ganska illa ett tag", sa psykiatern. "För ett par år sedan blev hon inlagd på Bærums sjukhus med delvis allvarliga symtom. Det var hennes läkare, Torkel Bru, som fick henne inlagd. Vi har haft ett nära samarbete för att få henne på rätt köl igen. Jag fick ett samtal från Torkel i går. Han är bekymrad över hur hon tacklar den här situationen."

Cato Isaksen nickade. "Är Tanja Geber fortfarande patient hos dig?"

"Ja", sa Sven Wangberg. "Men det är bara delvis frivilligt. Hon tycker själv att det är onödigt." Han log snabbt. "Det är ofta så", sa han. "Hon anser inte själv att hon har något problem. Inte nu längre i alla fall. Det är föräldrarna, i synnerhet modern, som håller uppsikt över henne. Tanja är ju över arton år och myndig.

Men på något sätt lyder hon ändå sin mor."

"Hur då?"

"Tja, hon kommer ju fortfarande hit."

"Och hur står det till med Tanja?"

"Hon mår ganska bra nu, men hon behöver fortfarande hjälp. I synnerhet med tanke på den absurda situation som har uppstått. Jag litar inte på henne helt och hållet. Hon är mycket sårbar."

Cato Isaksen nickade. "Det är väl inte bara ätstörningar du arbetar med?"

Sven Wangberg log ett hastigt leende. "Nej", sa han, "absolut inte, även om jag måste erkänna att ätstörningar intresserar mig. Men jag har också patienter som är sexuellt utnyttjade och personer som har varit, eller är, narkotikamissbrukare. Och jag har patienter som är schizofrena och borderlinefall."

Cato Isaksen betraktade honom. "Narkotikamissbrukarna", började han, "kan du göra något för dem?"

"Naturligtvis", sa Sven Wangberg.

Cato Isaksen tog sig samman för att hålla sig till saken.

Psykiatern betraktade honom.

"Är det för övrigt något speciellt du kan säga om Tanja Geber, något som kan kasta ljus över förhållandet mellan de tre flickorna?"

Sven Wangberg suckade. Han svängde runt sin stol så att han blev sittande och såg ut genom fönstret. "Du vet ju att den information jag får lämna ut om patienternas behandling och prognos är starkt begränsad", började han. "Men en del har jag ju redan berättat." Han reste sig och gick bort till ett grönt metallskåp bredvid dörren. Han öppnade den mellersta lådan och letade sig fram tills han hittade en mapp som han tog upp. "Jag har givetvis en del på data också", sa han, "men jag föredrar de här gammalmodiga mapparna."

Cato Isaksen skruvade sig oroligt på stolen medan psykiatern bläddrade igenom papperen.

"Vad jag kan säga är att ätstörningar ofta, eller nästan alltid, är ett symtom på något annat."

Cato Isaksen antecknade i sitt block.

"Ungdomar med ätstörningar har problem. Ofta andra typer av problem än man tror. De är ofta mycket duktiga barn. Anorektiker är de som är framgångsrika. De är starka och de lyckas."

Cato Isaksen tittade upp. "Ja, det stämmer ju på Tanja i alla fall. Hon är både klipsk och duktig i skolan."

"Ja", avbröt psykiatern. "Det är det som är hennes problem, för hennes duktighet är tämligen desperat."

"På vilket sätt?"

"Tja ..." Psykiatern drog på det. "Hon hade stora problem med relationen till sin syster, bland annat. Förhållandet till systern betydde väldigt mycket för henne. Hon betraktade Therese som arrogant och cool, men samtidigt" – han drog litet på det – "ond, om jag kan tillåta mig att använda det ordet. Jag vet att det är ett starkt ord, och därför får du inte heller lägga för mycket i det. De flesta av dagens ungdomar överdriver och använder stora ord. Men hon beskrev henne faktiskt så. Therese Geber överglänste nog sin syster, om jag kan uttrycka det på det viset. Men", tillade han, "det här är bara generella iakttagelser och måste ses i det ljuset."

Cato Isaksen nickade allvarligt. Han hade fått en obehaglig känsla.

"Tanja fungerar väl utåt, hon är söt, aktiv, positiv, förstår du? Men hon har faktiskt stora psykiska problem."

Cato Isaksen rörde sig oroligt på stolen. "Hennes föräldrar", sa han, "inser de allt det här?"

Sven Wangberg log ett snabbt leende. "Det är ju föräldrarna som känner flickorna bäst, eftersom du frågar", sa han. "Modern är hysteriskt fixerad vid sin tro. Jag vågar också påstå att hon har psykopatiska drag. Fadern är reserverad och full av komplex. För att säga det rent ut tror jag att han helst hade önskat sig söner. Eller i varje fall en son. Tanja har nämnt det för mig vid något tillfälle." Psykiatern studerade utredarens reaktioner. "Nu har jag kanske sagt litet för mycket", sa han.

"Men det är ytterst viktigt för utredningen", sa Cato Isaksen tacksamt.

Sven Wangberg suckade. "Generellt kan jag säga att Tanja i alla år har försökt hävda sig genom en extrem objektivering. Kanske i synnerhet därför att hon är tvilling och hela livet har känt att hon har blivit jämförd, eller jämfört sig själv, med systern. Hon vill vara duktigast, sötast och smalast."

"Och hon har lyckats?"

"Hon har kanske lyckats, men till vilket pris? Nu är ju systern borta." Han skakade snabbt på huvudet och tog upp en penna från skrivbordet. "Hon har lyckats med något annat också. Hon har lyckats bli sårbar och ensam och ledsen. Hon flörtar med alla slags ytterligheter, förstår du. Det har blivit hennes sätt att möta livet. Hennes liv är på sätt och vis svartvitt, om du förstår vad jag menar – hon aktar sig för färgerna. Döden intresserade henne, men bara som idé."

Cato Isaksen betraktade psykiatern. "Är det något du försöker berätta för mig?" frågade han.

Sven Wangberg skakade bestämt på huvudet. "Tvärtom", sa han. "Jag vill att du ska vara klar över att de här tvångstankarna hon har har kastat henne ner i en avgrund. Tankarna blev så att säga till verklighet. Förstår du? Jag vet inte om hon har pratat med någon annan om det här. Men ni får lov att vara försiktiga. Tanja Geber är inte stark, och hon tål inte särskilt mycket. Om det är riktigt att det har hänt Ida något måste Tanja skyddas. Inte minst från sig själv."

"Vad menar du?"

"Hon är kapabel att gå över gränsen", sa psykiatern lugnt. "Det här kan bli för mycket för henne."

Cato Isaksen lät psykiaterns oroväckande ord sjunka in. Han kände sig förvirrad. Han lade märke till att psykiatern tittade på klockan. "Är det någonting annat som du tror kan bidra till att klara upp mordet på Therese och Ida Henriksens försvinnande?" avslutade han.

Sven Wangberg såg honom rakt i ögonen innan han skakade lätt på huvudet. "Egentligen inte", sa han.

Cato Isaksen reste sig, men borta vid dörren vände han sig om igen och frågade: "Du har berättat mer för mig än vad som kanske är tillåtet", sa han, "men i princip har du tystnadsplikt, eller hur?"

Sven Wangberg nickade. "Naturligtvis", sa han.

Utredaren stoppade ner anteckningsblocket och pennan i kavajfickan. Han hade svårt att hålla rösten lugn när han sa: "Min son … han … han … vi har upptäckt att han använder droger. Eller har använt droger."

Sven Wangberg, som också hade rest sig, stirrade på utredaren ett ögonblick innan han uppfattade situationen. "Sätt dig ner", sa han vänligt men bestämt.

Psykiatern betraktade honom lugnt en stund innan han tog till orda. "Hur länge har det pågått?"

"Jag vet inte, i något år, antar jag", sa Cato Isaksen och kände hur känslorna vällde fram.

"Vad för slags droger handlar det om?"

"Hasch, amfetamin, ecstasy."

Psykiatern nickade. "En skön blandning", sa han. "Och nu känner du dig totalt misslyckad som far, eller hur?"

Cato Isaksen nickade och förbannade de lömska tårarna som steg upp i ögonen på honom. "Det är ett helvete. Jag har aldrig varit i ett sådant helvete förr, trots att jag har upplevt litet av varje. Skilsmässa, nytt barn … och hela köret."

Han gav psykiatern en kort sammanfattning av hela sitt misslyckade liv, men han utelämnade förhållandet till Ellen Grue. Han tänkte på Bente. Han visste att hon var beredd att göra allt för att hålla ihop familjen, men det fanns en gräns. Han hade redan överträtt den gränsen många gånger. Han hade berövat sig själv självrespekten. Han var svag. Bente var en person med stor självrespekt. Hon hade tagit honom tillbaka trots att han inte förtjänade det. Hon var inte den svaga, hade aldrig varit det. Hon var den starka. Tankarna gjorde honom livrädd.

"Hur gammal är din son?"

"Sjutton", sa Cato Isaksen.

"Och du tror att det här är om inte helt så i varje fall delvis ditt fel?"

Cato Isaksen tittade förvånat på psykiatern. "Tja…" Han nickade.

"Jag tror att du ska ta just det där med skulden med en nypa salt. Miljö och vänner spelar minst lika stor roll. Och gener", tillade Sven Wangberg. "Mig förefaller det som om ni bägge två, både du och din son, har mycket lätt för att ta på er skam. Han kanske är lik dig, helt enkelt."

"Vad menar du?"

"Ja, skam är något speciellt, det finns många som söker skammen. Aktiv skam, kallar jag det. Det kan handla om narkotikamissbruk, maktutövning, otrohet, förnedrande sexualitet, till exempel."

"Jaha." Cato Isaksen svalde och kände att det hettade i ansiktet.

"Skammen är i renodlad form ensamhet", sa psykiatern, "och den är högst personlig, eller *kan* åtminstone vara det", tillade han. "Det är hur som helst en dålig utgångspunkt att känna skuld", sa han bestämt.

Cato Isaksen gick nedför trappan med en liten gnista av hopp i hjärtat. Psykiatern hade fått honom att se saken på ett något annorlunda sätt. Han kände ett slags lättnad. Allt hade varit bara svart i några veckor. Han hade beställt tid åt Gard hos Sven Wangberg. Han skulle få komma redan nästa onsdag. "Jag gör ett undantag", hade psykiatern sagt, "för jag har egentligen flera månaders väntetid."

Cato Isaksen hade tackat honom å det varmaste.

CATO ISAKSEN DROG JACKAN hårdare om sig. Det blåste en grå vind längs gågatan i Askers centrum. Medan han gick mot bilen tänkte han att han måste ha tålamod med pojken och inte gå för fort fram. Det kunde leda honom ännu djupare in i mörkret. Det kunde stänga alla dörrar för gott.

Han betraktade ett barnansikte som kom emot honom på trottoaren. Den lille pojken mötte hans blick. Det var en främmande pojke som höll sin mamma i handen. Världen snurrade runt runt. Han hörde en liten röst stiga mot sig. Gards barnaröst för länge sedan. *Pappa, titta här. Pappa, titta här. Pappa, titta här.*

Han gick tvärs över parkeringen där bilen stod. Han frös. Han körde ner båda händerna i fickorna. Han gick förbi Sigerneskaféet i den färggranna paviljongen. Han gick inte bort till gångtunneln utan fortsatte tvärs över parkeringen bort till ett dike som var täckt av fruset gräs. Han gick upp på vägen och förbi Rimibutiken, där folk rullade kundvagnar fulla med varor ut till sina bilar.

Den lilla snö som hade kommit hade smält bort igen. Det hade redan blivit november. Han gick längs dikena och tittade på löven som låg utmed vägkanten. De var blodlösa och urblekta. De hade dött sin egen död långt innan de hade förseglats av den tunna ishinnan som obarmhärtigt lät dem behålla sina färger några dagar till.

Han kände att han var våt om fötterna. Vintervinden blåste genom kroppen och gjorde honom osynlig. Han tänkte på sin egen far, som alltid hade funnits där. Han hade anklagat honom för mycket under årens lopp. Men hade han haft skäl till det? Nej, han hade inte haft skäl till det. Och nu var han död.

Gard, däremot, hade skäl att anklaga honom. Medan han gick analyserade han det som psykiatern hade sagt. Han hade lyckats befria honom från en del av skuldkänslorna, något som avgjort skulle göra det lättare att arbeta vidare med sonen. För det var så han såg det, som ett arbete. Men psykiatern kände inte till allt.

Ändå var det mer än nog.

Han hade kommit nästan ända hem. Han gick förbi brevlådorna och bort mot radhuset. Då slog det honom plötsligt att han hade gått ifrån bilen. Hans huvud kändes som en trumma. Tankarna for häftigt hit och dit. Det var vinterkallt. Det var dött. Till och med husets färg var annorlunda. Dystrare.

Han tänkte på Sigrid och det nya barnet hon väntade. Man borde inte få barn. Allt möjligt kunde hända med dem. Han tänkte på hennes nakna axel. Brösten och den stora magen. Ansiktet och ögonen. Han tänkte på Ellen. Han var inte mätt på henne. Han hade nätt och jämnt känt smaken av henne. Men allt var ändå för sent.

Skammen är i renodlad form ensamhet. Och den är högst personlig.

Han höll på att tappa greppet om livet. Han grävde efter nyckeln i fickan. Hittade den och stack den i låset. Gråten höll på att kväva honom.

Han sjönk ihop tungt alldeles innanför dörren. Satte sig på den lilla pallen med den röda dynan. Han behöll jackan på. Tårarna brände i ögonen. Han lutade huvudet bakåt mot väggen och andades djupt. De svartvita familjefotona på väggen såg ut som mörka, anklagande ögon i sina gamla ovala ramar. Tystnaden i huset bröts av ett vitt ljud. Katten kom smygande ut ur vardagsrummet. Tog några små rundor i hallen innan den satte sig och trött blinkade med de gulbruna ögonen. Sedan riktade den

sin genomträngande blick mot honom och gäspade. Tänderna
såg ut som stiletter i munnen på den.

GARD VAKNADE AV ett otäckt ljud. Han klippte med ögonen några gånger och satte sig förskräckt upp i den obäddade sängen. Han hade somnat ovanpå sängkläderna. Ljudet steg åt fel håll, uppför trapporna, genom dörren och in i huvudet på honom. Det grova ljudet var ingenting annat än gråt. Och gråten var till förväxling lik vanlig gråt men var det inte. Den var annorlunda, som ett instrument av järn. Med vassa taggar.

Han reste sig omtumlat upp. Blev omväxlande varm och kall. Fönstret hängde på väggen och var en grå tavla.

Han gick ut ur sitt rum och stannade högst upp i trappan och lyssnade. Fast det lät inte som gråt utan som skratt. Han väntade. Från det översta trappsteget kunde han se ner i vardagsrummet. På glasbordet såg han avtryck av händer. Det blev tyst ett ögonblick. Skrattet var inte skratt ändå.

Han försökte identifiera ljudet. Det verkade liksom aldrig ta slut. Han böjde sig fram och kikade genom räcket. Men det var utifrån hallen ljudet kom.

Han tog prövande ett par steg ner i strumplästen. Hela tiden hackade den grova gråten mot honom. Skräcken växte inom honom.

Den vita köksklockan slog fjorton gånger med sin ljusa röst. Katten gick förbi honom. Den bevärdigade honom inte med en blick utan gick bara med högburet huvud in i vardagsrummet och flög utan vingar upp i fönsterkarmen. Där satte den sig till rätta mellan två krukväxter och stirrade ut på vinden som ruskade om trädet utanför.

Gard gick ut i hallen. Fadern satt framåtböjd med huvudet i händerna. Han hade fortfarande ytterkläderna på sig. Hans rygg skakade. Sonen blev stående och stirrade på honom. Det ihåliga ljudet av den främmande gråten fick skräcken att sprida sig som gift i hans kropp.

Cato Isaksen lyfte på huvudet och mötte sonens blick. Den här gången kunde de inte se förbi varandra.

Han reste sig. Hans huvud fylldes av ett våldsamt oväsen. Ingen av dem sa något. Sonens ansikte hade rämnat totalt. Först då gick det upp för Cato Isaksen hur djup pojkens sorg egentligen var. Den var djupare än hans egen. Den var svartare. Plötsligt förstod han allt. Varför saker kunde hända. Vrede. Sorg. Smärta. Ensamhet. Hat. Vanmakt. Avsky.

Gard satte sig i faderns öronlappsfåtölj. Han stirrade på den mörka TV-skärmen. Och han såg sig själv inne i den blanka bilden.

Fadern satte sig i soffan. "Jag har varit hos en psykiater", sa han lågt. "Han rev upp en del inom mig. Som gjorde ont. Även i mitt förhållande till dig. Det var därför."

Gard nickade stumt.

"Det är det här med smärta och ensamhet och skuldkänslor."

"Det här har ingenting med dig eller mamma att göra", sa Gard. "Det är jag", sa han tonlöst. "Det är jag som bara är sådan."

Efteråt hade de värmt en pizza och druckit apelsinjuice till. Så här hade de inte pratat på många år. Men marginalerna var små. Det insåg de, båda två. Sedan hade de tillsammans promenerat tillbaka till Asker för att hämta bilen. Gard erbjöd sig att följa med. Först hade han tänkt säga att han kunde slippa, men som tur var förstod han i tid att det var viktigt att han sa ja.

"Jag fattar bara inte att jag kunde glömma den", sa Cato Isaksen och såg på sonen. Han var längre än han själv. Det skrämde honom att han hade glömt bilen. Han måste ha fått något slags blackout. Han, som hade haft så svårt att tro på andra när de berättade om sådana händelser.

Bente Isaksen kom körande i den röda Polon. Nyheterna malde i bilradion. Värmesystemet hade hakat upp sig. Plötsligt fick hon syn på dem. Maken och sonen, gående vid vägkanten pratande sinsemellan. Hon kastade en blick på klockan. Den var halv fyra. Hon förstod ingenting, blev först rädd, men körde förbi dem utan att de lade märke till henne.

CATO ISAKSEN HÖRDE SOPBILEN skramla utanför fönstret. Han reste sig och drog ifrån gardinerna. Några kråkor flög upp från garagetaket med smattrande vingslag.

Dubbelsängen var tom. Bente hade givit sig i väg till det tidiga passet klockan sju. Han såg på klockan. Den var fem över halv åtta. Han hörde pojkarna i badrummet.

Han satte sig ett ögonblick på sängkanten. Han kände att musklerna var ömma, som om han hade ägnat sig åt fysisk aktivitet.

Händelsen från gårdagen brände i kroppen. Den satt som en film noir i huvudet på honom. Han kunde frammana ljudet av händelsen när som helst. Om och om igen.

Kråkorna var tillbaka på garagetaket. De svarta fåglarna följde honom oroligt med blicken när han öppnade fönstret för att släppa in litet frisk luft. Han var trött men kände sig på något märkligt sätt renad. Sonen hade inte velat gå till psykiatern. Han ansåg att han bara behövde litet tid. Fadern måste respektera det. Cato Isaksen stängde fönstret. Han måste komma ihåg att ringa Sven Wangberg och lämna återbud.

Urladdningen i går hade gjort hans nya tankar klarare. Sven Wangberg hade sagt att Tanja Geber hade talat om mord. Kunde det vara så att hon, i samarbete med någon annan, hade röjt systern och väninnan ur vägen? Tanken var otäck och oroande. Han ville inte att det skulle vara så. Men lilla Stine Marlen

Kvarme, då? Vilka pusselbitar var det som passade ihop, och vilka var det som inte gjorde det?

TANJA GEBER TRODDE att hon kanske höll på att bli frisk. Hon stod i fönstret i föräldrarnas hus och tittade ut på de kala träden. Det kalla landskapet trängde sig på mellan stammarna. Hon mindes rävlyorna och ormbunkarna på sommaren. Nyponbuskarna och blåbärsriset.

Det var första gången hon längtade efter att få se allt det där igen. Insikten hade malt inom henne en god stund. Hon blev mer och mer övertygad om att det var sant, det som alla hade sagt. Att hon kunde bli frisk från sjukdomen. I kölvattnet på den vissheten vaknade en våldsam hunger i henne. Hennes tankar kändes hudlösa, som ett sår. Hon förstod med ens vad hon hade hållit på att göra mot sig själv. Hon ville inte vissna, hon ville leva. Men hon visste också att Smal Oförståndig var en trofast väninna som inte skulle lämna henne utan kamp.

När hon var tillsammans med människorna i sin omgivning, med Karen och föräldrarna och Randi och Marius, gick hennes egen identitet i upplösning.

Hon var inte den viktigaste längre. Den verkliga skräcken och den verkliga sorgen hade sprängt gränser inom henne, flyttat in i henne och trängt undan en del av det som inte var äkta. Hon hade känt sig fullkomligt övergiven; nu gjorde hon inte det längre. De tog hand om henne, allihop.

Hon lät Marius utforska hennes kropp på ett nytt sätt. De gjorde det i baksätet på hans pappas bil. Eller på hans rum, bakom låst dörr. Hennes hunger bara växte. Hennes kropp hade varit tyst. Hon hade varit nära att bryta ihop under dess tyngd.

I går, efter att ha varit på bio och efter att ha älskat i bilen, hade de varit på McDonald's. Tanja hade ätit en hamburgare och pommes frites och druckit en liten Coca-Cola till. Efteråt hade hon inte känt sig ledsen som hon brukade. Hon hade känt sig trött i stället. Hon hade känt det som om hon var på väg ut ur en mörk klyfta. Hon andades.

CATO ISAKSEN LÅSTE upp dörren till den tomma lägenheten på Fredboes vei 57. Det var på eftermiddagen den 23 november. Tystnaden i lägenheten bröts bara av knäppandet från elradiatorerna. Han stängde dörren bakom sig och stod en liten stund och lyssnade. I hissen upp hade han mött en mamma med tre snoriga och våta ungar. En av dem hade en blå hink som hon dunkade mot låret.

En plötslig ingivelse hade fått honom att bege sig till lägenheten. Här dolde sig alla svaren. Här i tomheten lurade de, ofullständiga och föga samstämda.

Han tände inga lampor. Gick bara rakt in i Tanja Gebers sovrum. Han gick bort till fönstret. Lekplatsen mellan husen lystes upp av tre gatlyktor. En klätterställning i trä föreställde ett tåg. Den var målad i bjärta färger. Rött, blått, gult och svart. En stor sandlåda, en anslagstavla och två små gungbrädor, den ena i form av en fågel som stod på en spiral, gjorde lekplatsen lockande för barn.

På vänstra sidan av huset ovanför fanns en skidbacke, där två pojkar i elva-tolvårsåldern åkte kana på två stora sopsäckar.

Mannen i det gula fönstret rörde sig inte. Han stod med båda händerna mot rutan, som om han koncentrerade sig på att betrakta något. Som om han lutade sig mot något annat än glas.

Cato Isaksen stirrade på mannen. Han stod onaturligt stilla. Utredaren insåg att ingen kunde se honom i det mörka rummet. Ändå drog han sig en halvmeter tillbaka, så att hans ansikte inte skulle synas i skenet från lyktorna utanför.

Mobiltelefonen ringde i hans ficka. Han svarade frånvarande och talade med Ellen Grue, som undrade om det var något nytt. "Jag är bara nyfiken", sa hon.

Medan han pratade höll han hela tiden blicken stint fäst på mannen i fönstret. Han räknade sig uppåt och kom fram till att han stod på sjätte eller sjunde våningen, i lägenheten till vänster i uppgången längst bort.

"Du låter så tillknäppt", sa Ellen Grue. "Är du stressad?"

"Nej, då", sa han kort.

Han avslutade samtalet och skrev en sexa och en sjua på ovansidan av handen. Vad var det mannen tittade på? Han kunde inte se pojkarna som åkte kana vid sidan av huset. Han kunde naturligtvis se Drammensveien och lyktorna på alla bilarna som körde förbi. Han kunde se ljusen från centrum och kanske skymta konturerna av huvudstaden också. Han började tänka på det som psykiatern hade sagt om Tanja, att hon jämförde sig med andra. Hon hade jämfört sig med systern. Hade hon vunnit eller förlorat? Hade hon konkurrerat med Ida Henriksen på samma sätt?

Efter en kvart stod mannen fortfarande kvar i fönstret och stirrade ut. Cato Isaksen blev mer och mer skärrad. Mannen såg ut som en frusen gestalt. Det kunde ha varit en docka, men det var en man.

Kriminalkommissarien intalade sig att det inte var förbjudet att stå i sitt fönster och titta ut. Men han önskade starkt att mannen skulle röra litet på sig. Vända på huvudet eller ta ner händerna. Men han rörde sig inte. Ett minne började vibrera innanför pannan. Cato Isaksen kom plötsligt på att han som barn en gång hade stått och betraktat en liten uppstoppad fågel i glasmontern i skolan. Det var märkligt vilket intryck fågeln hade gjort på honom. Den hade skakat om honom. Han hade känt en intensiv sorg när han såg på de döda, dammiga vingarna. En liten mässingsskylt hade varit fästad vid träplattan den stod på. Där stod det vad fågeln hette. Han mindes inte namnet. Vad han mindes var känslan av att bli lurad. Fågeln var död, men den såg levande ut. I sig bar den alla de försvunna åren som sedan länge var förbi.

Nu kom glasmonterkänslan tillbaka igen. Han visste inte varför. Han stod och tittade på en knäppskalle i ett fönster och kände sig orolig. Det irriterade honom.

Till slut gick han ut i vardagsrummet, öppnade balkongdörren och steg snabbt ut i den kalla luften. Han tittade upp mot fönstret. Mannen var borta. Fönstret var mörkt.

NÅGON HADE TAGIT med en spretig julstjärna i en grön plast-
kruka och ställt den på bordet i konferensrummet. "Vad ska det
här försöka föreställa?" sa Roger Høibakk och dråsade ner på en
ledig stol. Han log brett mot Ingeborg Myklebust, som hade en
liten julgran av guld på sin blus.

"Julfirandet har börjat, ser jag", flinade han.

Ingeborg Myklebust såg trött ut. "Jag får börja med tipsen", sa
hon och såg allvarligt på dem allihop. "Randi är väl ute i Asker
hos Gebers?"

"Just nu är hon här", sa Asle Tengs. Han skakade fram sitt
armbandsur. "Tanja Geber är i skolan till klockan halv fyra", sa
han.

Cato Isaksen tog till orda och berättade att Randi hade bett
om avlösning en kortare period. Hon behövde bara en liten
paus, sa han.

"Jag anmäler mig frivilligt", sa Preben Ulriksen och böjde sig
fram över bordet.

"Ånej", sa Roger Høibakk snabbt, "vi ska inte ha någon
kvinnojägare till en ensam flicka i en avsides liggande trakt."

"Jag tror vi bör hitta en kvinna", sa Cato Isaksen.

"Är inte det könsdiskriminering?" sa Roger Høibakk.

"Tanja Geber är mycket sårbar", sa Cato Isaksen men hörde
själv att ordet inte var det rätta. Han visste faktiskt inte hur sår-
bar hon var. De hade varit inne på teorin att hon var inblandad
på något sätt, tillsammans med någon, men den hade runnit ut i
gissningar.

Roger och Randi hade varit hos fastighetsskötaren för att kontrollera det som Teddy Holm hade berättat, att han skulle ha haft ett förhållande med Therese. Han hade erkänt det, men det var över ett år sedan det tog slut. Han höll med om att hon var väldigt ung, men han sa att hon verkade minst tre fyra år äldre än vad hon var. Flickorna bodde inte ens i lägenheten den gången. Han hade berättat att hennes föräldrar hade kommit till honom och med hot tvingat honom att hålla sig borta från dottern.

Utredarna lade rapporten till de övriga.

"Då börjar jag med tipsen." Ingeborg Myklebust började läsa upp vad en kvinna i Aust-Agder ansåg sig ha sett. Hon var helt säker på att hon hade sett dem bägge två, både Ida Henriksen och lilla Stine Marlen. Hon hade kört förbi dem när hon kom från affären.

Cato Isaksen antecknade i sitt block.

"Dessutom är det en ung man som påstår sig ha sett Ida Henriksen på Danmarksbåten för två dagar sedan. Hon reste uppenbarligen ensam."

Roger Høibakk gäspade högljutt. Randi Johansen kom in i rummet. Hon såg blek och trött ut. Än var det bara Cato Isaksen som kände till graviditeten. Han tittade upp på henne.

"Det går bra", sa han, "ta ett par dagar, du."

"Fint", sa Randi Johansen och backade ut ur rummet igen. "Jag ger mig i väg med detsamma", sa hon lättat.

"Värst vad hon fick bråttom", sa Roger Høibakk.

Ingeborg Myklebust läste upp några fler i den enorma flod av tips som hade strömmat in. "Folk är otillförlitliga", konstaterade hon. "Ida Henriksen kan inte vara både på Danmarksbåten, i Aust-Agder och i Nordnorge på en och samma gång."

DET VAR FASTIGHETSSKÖTAREN som till slut hittade Ida Henriksen. Det var måndagen den 30 november, nästan exakt fem veckor efter det att hon hade försvunnit. Det var redan full fart på Fredboes vei 57 när de taktiska utredarna anlände. Brottsplatsundersökarna var i full gång. Liket hade redan körts därifrån i ambulans. Det vimlade av uniformsklädda poliser från ordningsavdelningen. Några av dem tog hand om alla nyfikna som hade samlats. En lång fotograf från Asker og Bærums Budstikke var redan på plats. Detsamma var en journalist från VG.

Cato Isaksen anlände i sällskap med Randi Johansen och Roger Høibakk.

"Det var någonting som luktade", förklarade fastighetsskötaren och presenterade sig. "Frank Wergeland Halvorsen", sa han. Han var inte särskilt kraftig men ganska lång. Det blonda håret och de ljusa ögonfransarna och ögonbrynen gjorde honom nästan färglös. "Det slog mig liksom plötsligt att jag måste kolla hisschaktet", sa han. "Jag hade tänkt på det i ett par dagar, att det kanske var klokt att kolla. Men så rann det liksom ut i sanden. Tills i morse, då lukten hade blivit starkare. Det är tack vare kylan som hon har kunnat ligga där så länge. En nästan omärklig lukt", fortsatte fastighetsskötaren. "Jag har varit rädd för att det skulle hända en olycka någon gång, men jag måste säga att jag hade trott att det skulle hända någon av småungarna. De håller på och leker med hissen i tid och otid."

Frank Wergeland Halvorsen visade hur enkelt det var att

trycka på stoppknappen strax innan hissen stannade vid någon av våningarna. Sedan kunde man ändå öppna dörren och hoppa ut. Glipan mellan hissen och golvet var stor nog för att en människa skulle kunna ramla ner.

Ellen Grue stod inne vid brevlådorna och väntade på Cato Isaksen. "Hej", sa hon och nickade kort mot honom.

Han besvarade hälsningen. "Då var det dags igen", sa han trött.

Ellen Grue nickade. "Du ser för jävlig ut. Du är trött", konstaterade hon.

"Tack, det stämmer", sa han.

"Hur går det med din son?" Hon sänkte rösten så att ingen av de andra skulle höra.

"Jag tror det går fint", sa han men ändrade sig. "Jag vet faktiskt inte. Det frestar på. Man kan ju aldrig vara säker."

Det pågick dammsugning av trappan och säkring av andra spår i trappuppgången.

Roger Høibakk kom bort till dem. "Då återstår att se om hon dog av fallet ner i schaktet eller om hon redan var död", sa han.

"Hon hade stora märken på halsen", sa Ellen Grue. "Precis som Therese Geber."

"Fan", sa Cato Isaksen lågt. "Nu är vi verkligen i gång", mumlade han och hälsade på Vidar Edland, som kom nedför trappan med de irriterande blå skoskydden utanpå skorna.

"Ja, ja", sa han, "nu har vi i alla fall arbete så att det räcker en tid framöver."

"Ingenting nytt om den lilla flickan?" Cato Isaksen såg en antydan till irritation i Edlands ansikte.

"Nej", sa han. "Vi får lov att slå fast våra respektive roller i den fortsatta utredningen."

"Ja", sa Cato Isaksen, "det måste vi absolut göra."

"Gå inte längre in, är du snäll", sa Ellen Grue och högg irriterat tag i hans arm. Hon hade den där skarpa rösten som han hade haft sådan respekt för tidigare. Han vred sig vänligt ur hennes grepp.

Wergeland Halvorsen berättade att han hade varit fastighetsskötare i de båda översta höghusen i ett och ett halvt år. Han var 34 år gammal, ogift och bodde i en lägenhet i det övre huset. Jobbet passade honom bra. Han studerade vid sidan av och koncentrerade sig på ett ämne åt gången. På det sättet tog det litet längre tid, men fördelen var att han slapp ta studielån. Han skulle bli färdig med sin examen till våren och arbetade ihärdigt med sin uppsats.

Han var tydligt skakad. "Men jag förstår egentligen ingenting", sa han. "Det här är ett lugnt område. Det bor mest barnfamiljer här. Det är här de flesta etablerar sig. Lägenheterna är inte så dyra, så vanliga människor har råd med dem. Annars har ju Asker blivit rena Holmenkollåsen."

"Har folk i lägenheterna blivit uppmanade att hålla sig inne?" En av teknikerna gick förbi.

"Jag antar det", svarade Cato Isaksen. "Men det är ju flera veckor sedan mordet skedde, så det finns väl inte så mycket att hämta för oss. Trappuppgången har säkert tvättats fyra fem gånger sedan dess."

Ida Henriksen var ännu inte formellt identifierad, men fastighetsskötaren garanterade att det var hon. "Jag känner hennes bror", sa han med en nick mot Cato Isaksen. "Det var Ida Henriksen", konstaterade han.

"Okej, vi får ha en pratstund i kväll", sa Cato Isaksen och vände sig mot en av de andra utredarna.

Det rödvita plastbandet spändes upp för att hålla obehöriga på avstånd. Folk i huset ovanför stod i fönstren och tittade ner på kaoset. Roger Høibakk hade stort besvär med att hindra VG från att ta sig in i uppgången. "Jag ska bara ha en bild av hissen", sa fotografen, som just hade anlänt. Han verkade minst lika pressad som Høibakk. "Då får du gå in i någon av de andra uppgångarna", sa Roger Høibakk bestämt, "den här är avspärrad."

En mörkblå Mercedes med taxiskylt på taket kom körande och tvärstannade framför folkmassan. Teddy Holm hoppade ut. Han blev stående ett ögonblick och stirrade på den lilla skaran med kvinnor, barn och ungdomar som hade samlats utanför nummer 57. VG-journalisten och den unge mannen från Budstikka iakttog uppmärksamt scenen och tog också flera bilder. Teddy Holm gick bort till Roger Høibakk. "Jag fick ett meddelande på radion om att en död person hade påträffats i Hagaløkka", sa han. Han vred sina händer. Han hade tårar i ögonen. "Det är väl inte Ida? Det är väl för fan inte Ida?"

"Vi vet inte", sa Roger Høibakk, tog honom vänligt i armen och ledde honom genom avspärrningarna.

"Tror ni att det är Ida?" Teddy Holm gav sig inte.

"Det ligger nära till hands att tro det", sa Roger Høibakk lugnt.

Teddy Holm reagerade omedelbart. Han greps av häftigt ursinne. Han vred sig loss och störtade mot skaran med människor medan han skrikande och fäktande ropade att de skulle försvinna. Han knuffade till en yngling så att han for baklänges. Sedan sprang han bort till sin taxi och började sparka i sidan på den av alla krafter. Gång på gång, samtidigt som han hävde ur sig obegripligheter.

"NU HAR VI INTE TID att ha lekstuga längre." Cato Isaksen slängde mappen med rapporterna från Therese Geber-mordet framför sig på bordet. Han hade varit ute i lunchrummet och hämtat en kopp kaffe ur kaffeautomaten. Han blickade ut över utredargruppen som nu hade vuxit till arton personer. "Jag förstår att ni redan har hört det allihop, men jag upprepar det ändå. Ida Henriksen, Therese Gebers väninna, hittades i dag död på bottnen av hisschaktet i huset där de tre flickorna delade lägenhet."

Utredarna skruvade oroligt på sig. De nya hade fått papperen och redan börjat sätta sig in i fallet. Roger Høibakk var tydligt skakad. Han reste sig från stolen och gick ut för att hämta en kopp kaffe.

Cato Isaksen tittade på klockan. "Kalla hit Myklebust igen, Randi", bad han. Men i samma ögonblick kom intendent Ingeborg Myklebust in genom dörren. Hon såg allt annat än belåten ut. "Nu tar jag mig en cigarrett", sa hon, "vare sig ni vill det eller inte. Det här är ett nödfall." Hon grävde i sin väska efter cigarrettpaketet och tändaren.

Cato Isaksen malde vidare. "Nu har vi tre fall", sa han. "Therese Geber, Stine Marlen och Ida Henriksen." Roger Høibakk kom tillbaka och satte sig på sin plats igen.

"Vi har ett nära samarbete med Asker og Bærum-polisen", fortsatte Cato Isaksen. "Vidar Edland vill själv ta aktiv del i den vidare utredningen. Han är på väg in just nu. Han kommer när som helst."

"Det värsta är", sa Randi Johansen, "att Tanja Geber faktiskt svävar i stor fara nu. Det måste vi ta på allvar." Hon tittade på Asle Tengs som sakta nickade medan han bläddrade igenom sina papper. "Vi måste hitta ett gömställe åt henne", sa han.

"Hanne Marie Skage också", tillade Preben Ulriksen.

Ingeborg Myklebust fimpade cigarretten i en pappmugg. Roger Høibakk reste sig demonstrativt och öppnade fönstret.

"Nu anmäler jag dig snart för polisen", sa han.

"Tanja och Hanne Marie måste få skydd." Cato Isaksen var allvarlig. "Vi har ju ingen aning om vad för slags mönster den här galningen följer. De var fyra stycken på Arcimboldo den första kvällen. Hanne Marie Skages mamma ringde för ett tag sedan. Det har uppstått viss panik där ute. Vi måste försöka dämpa den tendensen, samtidigt som vi inte kan ta några risker. Vad föreslår ni?"

Han såg ut över den allvarliga församlingen. "Kom igen", sa han irriterat, "kläm fram med något."

Ute hade det börjat regna. Det gav rummet en mörk och dyster prägel, trots att alla lampor var tända.

"Vad har vi?" började Cato Isaksen.

"Ingenting", sa Roger i lätt ton, "absolut ingenting."

"Vi har fingeravtrycken från Thereses bil", sa Preben Ulriksen. "Vi har några hårstrån och en knäpp pojkvän som håller på att driva oss till vansinne." Han tänkte på Teddy Holm som formligen hade löpt amok. Han hade kastat sig över dem allihop i tur och ordning och hotat med att hänga sig om de inte hittade mördaren snart.

"Jag vet inte om han spelar teater", sa Asle Tengs. "Fingeravtrycken i bilen är identifierade. De tillhör vännerna: Rudolph Vogel alias Mongo, Teddy Holm, Hanne Marie Skage, Marius Berner, ja, hela gänget."

"Två andra fynd är emellertid inte identifierade. Ett hårstrå och fibrer från ett klädesplagg. Men de kan ju härröra från vem som helst." Cato Isaksen blickade allvarligt ut över församlingen.

Stein Billington tog över ordet. "Vad gäller fotavtrycken i Slottsparken", började han, "utesluter vi ingen av vännerna. Storleken passar mer eller mindre in på allihop. Men skorna har vi inte lyckats spåra. Vi har inte haft något formellt tillstånd att göra husrannsakan hos familjen eller vännerna heller", sa han. "Vi har ju inga konkreta misstankar. Vi har inga skäl att gripa någon."

"Det är någonting skumt med flickornas familj eller umgängeskrets", sa Cato Isaksen. "Men jag vet inte vad det är." Han skakade på huvudet. "Det är någonting där som vi har förbisett."

"Modern är speciell", sa Randi.

"Fadern också", sa Roger Høibakk.

"Och vännerna", fortsatte Cato Isaksen. "Jag vill ha en ny grundlig genomgång av allihop. Av vännerna, i synnerhet Ida Henriksens bror." Han bläddrade febrilt i sina papper. "Carlos någonting. Han har redan varit inne på förhör, men vi måste gå grundligare till väga."

"Tänker du på något särskilt?" frågade Randi nyfiket.

"Nej, egentligen inte", sa Cato Isaksen.

"Förhör med alla de boende i flickornas hus och i huset ovanför. Det är ett helvetes jobb. Det är nio våningar i varje uppgång", sa Roger Høibakk.

"Och tipsen måste sorteras."

"Julledigheten hänger på en skör tråd", sa Ingeborg Myklebust och såg ut över de församlade.

Cato Isaksen kom plötsligt ihåg den bärbara CD-spelare han hade lovat Bente att köpa i julklapp åt Gard. Hon tyckte om att ha julklapparna färdiga i god tid. Han hade glömt bort det. Han måste göra det på hemvägen i dag.

"Men hur ser planeringen ut i fortsättningen?" Ingeborg Myklebust såg från den ena till den andra. "Behöver ni mer folk?" frågade hon.

"Med hänsyn till utvecklingen tycker jag nog att det skulle vara motiverat med några till", sa Cato Isaksen tacksamt. "Vi har redan sex man på Stine Marlen-fallet. Och nu bör vi trappa upp avsevärt."

"Ja, det måste vi göra", sa Ingeborg Myklebust allvarligt. "Jag ska avgöra vilka och hur många", sa hon, reste sig och lämnade rummet.

TANJA GEBER SATT I BAKSÄTET tillsammans med Randi Johansen. Hon lutade huvudet bakåt mot nackstödet och kände sig bedövad. Cato Isaksen körde, och bredvid honom satt Asle Tengs och visade vägen. November hade gått över i december.

Det hade bestämts att Tanja skulle hållas gömd tills vidare. Asle Tengs hade föreslagit att de skulle låna hans sons lägenhet på Odden, ute i Slemmestad. Sonen hade ett utlandsuppdrag för företaget han arbetade i. Han befann sig just nu i USA och visste inte när uppdraget skulle vara slutfört.

Tanja var rädd. Det ringde i huvudet. Hon förstod inte det här. Hon hade packat en resväska med kläder och toalettsaker. Randi Johansen log mot henne. Hon försökte le tillbaka. Randi hade anförtrott henne en hemlighet. Hon hade sagt att ingen annan visste om det, bara Cato Isaksen och hennes man. Hon var med barn, i fjärde månaden. Det var därför hon mådde litet illa ibland.

Tanja tyckte bra om henne. Hon tänkte på barnet som växte inuti hennes mage.

Randi skulle bo tillsammans med henne ute i lägenheten i Slemmestad. Ibland skulle hon bli avlöst av en annan kvinnlig polis. Men det var okej för Tanjas del. Det värsta var att hon hade blivit förbjuden att tala om för någon var hon skulle bo. Ingen fick veta var hon var. Inte ens Marius. Inte föräldrarna eller systern eller Hanne Marie heller. Alltihop var overkligt och skrämmande. Men de hade upprepat flera gånger att ingen, absolut ingen, fick veta var hon höll hus.

Polisen skulle skjutsa henne till skolan på morgnarna och hämta henne på eftermiddagarna. Och hon fick inte vara ensam en enda sekund.

Gamla Slemmestads centrum bestod av små gula arbetarbostäder av betong klädda med eternitplattor. Torget mellan husen, som numera inrymde små butiker och ett solarium, var gropigt och slitet. I bakgrunden ruvade den stora, nedlagda cementfabriken. Lägenheten som Tanja skulle bo i låg emellertid i ett nytt bostadsområde med vackert läge, ända nere vid vattnet.

BERIT GEBER VAR RASANDE och hysterisk över att hon inte fick veta var dottern höll hus. Tanja Geber hade bott i Slemmestad i tre dagar. Det blev för mycket för modern. Hon trodde att hon snart inte skulle stå ut längre.

Cato Isaksen förklarade så lugnt han kunde att det bara gällde en kortare period och att det var för allas bästa.

"Men jag vill veta vad som händer." Berit Geber grät med händerna för ansiktet. Maken försökte trösta, medan Karen förtvivlat satt och såg på.

Roger Høibakk vankade av och an på golvet. Han var uppenbart irriterad. "Det är ju för hennes egen säkerhet", sa han. "Ni vill väl att hon ska känna sig trygg?"

"Trygg för vad då?" skrek Berit Geber.

Rolf Geber reste sig. "Jag tror att jag ska ringa till Torkel Bru", sa han. Berit Geber protesterade inte.

"Naturligtvis", sa Cato Isaksen. "Är han god vän till er?"

Rolf Geber skakade på huvudet. "Han är vår familjeläkare. Han hjälpte oss, hjälpte Tanja, när hon blev sjuk. Vi är med i Lions båda två", sa Rolf Geber.

Cato Isaksen nickade.

"Men jag vill ju bara veta var hon är", fortsatte Berit Geber. "Jag vill veta att hon har det bra. Jag tror det har hänt något som ni vill dölja för mig." Hon reste sig till hälften och stirrade på utredaren med skrämd blick.

Cato Isaksen bestämde sig för att säga som det var. "Tanja har

283

det bra", sa han, "jag tror faktiskt att det är skönt för henne att få vara litet i fred."

Karen gick bort och satte sig bredvid modern i soffan.

"Såja, mamma", sa hon.

Cato Isaksen såg på henne. Han bestämde sig för att ta in även Karen Geber till ett formellt förhör.

Mobiltelefonen ringde. Den låg på bordet framför honom. Cato Isaksen svarade och reste sig. Det var Bente som påminde honom om att han skulle köpa revbensspjäll på hemvägen. "Se till att det inte är för fett, är du snäll", sa hon. "Och så köper du fyra burkar rödkål också. Och den radiostyrda bilen vi kom överens om att Georg skulle få. Jag blir stressad om vi inte får det gjort snart", sa hon. "Det är ju mindre än tre veckor kvar till jul."

"Inga problem", sa han irriterat.

"Trekanten har öppet till tio", avslutade hon.

Berit Geber såg hätskt på honom. "Ni ska fira jul, ni", sa hon. "Vad för slags jul tror du att vi får i år?"

Roger Høibakk satte sig längst ut på en stol. Rolf Geber talade lågt med Torkel Bru i telefonen.

"Det blir jul, mamma", sa Karen lugnt.

"Tanja kommer givetvis hem över julen. Det ordnar vi", sa Cato Isaksen lugnande. Men han förstod vad hon menade.

JULMUSIKEN STRÖMMADE UT genom högtalarna i köpcentret. Det var proppfullt med folk i Trekanten. Det var inte precis vad han behövde just nu, tänkte Cato Isaksen och banade sig fram med kundvagnen. Överallt stötte han emot människor. Han trängde sig fram till köttdisken och fick tag i revbensspjäll. Han köpte rödkål och den obligatoriska marmeladasken och inlagd sill och kattmat och mjölk och juice och fyra limpor. Bente blev hysterisk om inte julmaten blev inhandlad. Revbensspjällen skulle i frysen och det andra ut i förrådet. Det verkade som om det var fler som resonerade som hon.

En jultomte gick omkring och stötte i golvet med en stor käpp.

Han fick köa i tjugo minuter för att betala i kassan. När han äntligen hade fått ner varorna i plastkassarna var han alldeles svettig. Han avskydde att handla. Ett barn i en barnvagn skrek hjärtskärande. När han stod i rulltrappan med bärkassarna i händerna fick han plötsligt syn på Teddy Holm och Mongo i folkmassan på det nedre planet. De släntrade omkring, till synes utan att ha något särskilt för sig. Han tyckte inte om bilden av dem. Den skorrade. Teddy Holm, som för bara ett par dagar sedan hade varit fullkomligt hysterisk och ringt till utredarna i tid och otid, promenerade nu omkring med händerna i fickorna som om ingenting hade hänt.

CATO ISAKSEN VAR PÅ VÄG in till polishuset när han ändrade sig och körde rakt fram i rondellen i stället för att ta till vänster och ut på Drammensveien. Han passerade Askerhallen och fortsatte ner mot Vettre. Vid Finamacken svängde han till höger och fortsatte Slemmestadveien utåt. Han skulle till Blakstads sjukhus. Han tänkte ta sig en titt på Ivar Hansen, Ida Henriksens och Carlos de Silvas halvbror.

Han ringde till Randi Johansen och sa att han skulle komma litet senare, berättade vart han var på väg.

"Visst", sa Randi, "men Myklebust har bett Tønnesen att komma ner senare i dag, vid tvåtiden tror jag, så se till att du är här till dess. Jag kan tyvärr inte vara med. Jag ska hämta Tanja så dags."

"Herregud", sa Cato Isaksen irriterat, "jag trodde det var jag som ledde utredningen, inte Myklebust."

"Ja", sa Randi och suckade, "det trodde vi också."

Karsten Tønnesen var psykiater och kallades in för att reda ut de psykologiska aspekterna i svåra fall. Han hade hjälpt till förr. Även om hans insatser inte hade lett till några direkt konkreta resultat hade han i varje fall metoder som gjorde att utredarna ibland kunde hitta nya tankebanor. För närvarande fanns det ingenting konkret att ta fasta på. Så vad sjutton var det han skulle analysera nu? Cato Isaksen skakade irriterat på huvudet.

"Förresten", sa Randi Johansen, "så var Roger och jag ute hos Torkel Bru, läkaren du vet, tidigt i morse."

"Jaha?"

"Du ska få höra mer om det, men han var litet ... märklig."

"Märklig?"

"Han var irriterad över att det var vi som kom och inte du, som är chef för utredningen. Han visste att du hade varit hos Wangberg. Han undrade varför han var mindre viktig."

Cato Isaksen suckade uppgivet. Han körde förbi Aaby gård, där Bente brukade plocka jordgubbar på somrarna. Ett vackert landskap utbredde sig bakom gården. Vidsträckta åkrar ner mot vattnet, och Blakstads psykiatriska sjukhus med alla sina små och stora sten- och träbyggnader, till synes utplacerade på måfå.

"Jag är framme, Randi", sa han, "vi får talas vid senare."

Han körde genom allén med de svarta, avlövade träden och stannade på parkeringsplatsen framför huvudbyggnaden. Han steg ur bilen. Det var ett råkallt drag i luften.

Det var ingen i receptionen. Han såg sig omkring. Byggnaden präglades av förfall. Gardinerna i fönstren var hela men urblekta. Väggarna var ljusgröna. På en av väggarna hängde två akvareller i blanka ramar. En bänk och ett bord stod till höger om entrén. I en förgylld kruka på bordet tronade en halvvissen julstjärna.

En glasdörr ledde in till en av avdelningarna, en annan till sjukhusadministrationen. Han ringde på klockan och ställde sig att vänta.

En kvinna i femtioårsåldern kom ut från den administrativa avdelningen. Hennes vita jumper hade ett rörigt, lila mönster.

"God morgon", sa hon och undrade om hon kunde hjälpa till med något.

Cato Isaksen förklarade kort varför han hade kommit.

"Så du har inte beställt tid?" frågade kvinnan.

Han skakade bestämt på huvudet.

Kvinnan letade tills hon hittade namnet på dataskärmen.

"Problemet är att vi är så få i tjänst och att jag inte riktigt vet var han är", sa hon ursäktande.

"Är han långtidspatient?" frågade Cato Isaksen och letade fram sitt ID-kort.

"Ja", sa kvinnan och kastade en snabb blick på kortet som han höll fram mot henne.

"Jag ska ringa ett samtal", sa hon.

Utredaren gick bort till sittgruppen och satte sig. Det vilade alltid något vemodigt över sådana här ställen. Till och med luften var annorlunda, tyngre på något sätt, gråare. Från det blankbonade linoleumgolvet steg en kväljande lukt.

Kvinnan kom emot honom med en lapp i handen. "Han är i den kreativa verkstaden", sa hon. "Om du går tvärs över planen här och ett stycke ner mot vattnet kommer du till en stor sten-byggnad till höger. Nere i källaren där", sa hon. "Tala med en som heter Tove Karlsen."

Cato Isaksen tackade och gick ut i kylan igen.

Han hittade byggnaden och gick ner i den lilla källarlokalen. Dörren stod öppen. Runt ett bord satt fyra män och en kvinna. Patienterna målade på tjocka pappskivor med vattenfärger och limmade sedan på stenar och snäckskal. De samtalade inte sins-emellan. En lång, ljus kvinna instruerade den kvinnliga patien-ten.

Cato Isaksen blev alltid lika förundrad över hur psykiska sjukdomar kunde prägla människor. Man tror liksom att sjuk-domen sitter i huvudet och i känslorna, att den fysiska kroppen är helt normal. Men hos de här långtidspatienterna var sjuk-domen påtaglig. Fyra av dem såg verkligen annorlunda ut. Deras sätt att sitta, tomheten i blicken, de fumliga händerna. Hela framtoningen. Den femte, däremot, en lång, kraftig man, hade en helt annan utstrålning. Hans blick mötte utredarens. Cato Isaksen visste intuitivt att det var Ivar Hansen.

Den ljusa kvinnan, som var i fyrtioårsåldern, vände sig överraskat om mot honom. Hon kom bort till honom och frågade om hon kunde hjälpa till med något. Han förklarade lågt varför han hade kommit.

Kvinnan nickade och vände sig mot patienterna igen. "Det borde väl gå bra", sa hon lågt. "Men du får lov att hålla uppsikt över honom." Hon log ett snabbt leende och fingrade på alarmknappen hon bar runt halsen. "Du är ju polis, så det är du väl van vid, men han är väldigt ... företagsam. Han har rymt några gånger tidigare. Jag undrar om du kanske ska ta honom med dig till kafeterian en trappa upp", sa hon.

"Hur har han lyckats rymma, då?" frågade Cato Isaksen nyfiket.

"Han ber att få ta en promenad", sa kvinnan lugnt. "Han har givetvis en vakt med sig, men han har ... slagit ner dem ett par gånger."

Cato Isaksen nickade kort mot mannen, och Ivar Hansen reste sig genast och hälsade vänligt. Han hade mycket klar blick och var nästan lika lång som halvbrodern Carlos, men han var blondare och axlarna var en aning hopsjunkna. Han hade tjocka markerade ögonbryn som var nästan hopvuxna över näsroten.

Kafeterian var nästan tom. Bara en inåtvänd invandrarkvinna i byxdress av främmande snitt satt och åt ett wienerbröd. Cato Isaksen beställde en kopp kaffe åt dem var och valde ett bord borta vid fönstret. I änden av rummet fanns en stor, tom scen. Ivar Hansen fortsatte att tiga.

Cato Isaksen slog sig ner mittemot honom vid bordet. "Varför är du här?" frågade han utan omsvep och ställde koppen framför mannen.

Ivar Hansen tog en klunk av det varma kaffet och lutade sig bakåt på den hårda pinnstolen. "Är det något särskilt du vill att jag ska säga?" frågade han.

Cato Isaksen betraktade honom. "Nej", sa han, "det är det inte."

Ivar Hansen fingrade på örat på koppen. "Tja … de säger att jag passerar gränsen ibland, att jag går för långt."

"På vad sätt går du för långt?"

"Tja … jag har ringt till statsministern några gånger, och till kungen", tillade han. Han log hastigt. "Men jag fick inte tala med dem."

Cato Isaksen nickade. Han stirrade intensivt på mannen på andra sidan bordet. Han försökte komma underfund med vad det var med honom. Han granskade hans ansikte. Var det här en man som var i stånd att mörda?

"När du rymmer", frågade han, "vart tar du vägen då?"

"Det är litet olika", mumlade mannen ointresserat. "Hem till morsan, på Røykenveien 179. Eller in till stan, eller … ibland till Ida. Fast hon blir galen", sa han. "Men jag trivs där."

"Har du varit i de tre flickornas lägenhet?"

"Javisst", sa han.

"Är det länge sedan du var där?"

"Nja, några veckor sedan, kanske. Fem eller sex, jag minns inte."

"Men du vet att hon är död, att Ida är död." Cato Isaksen iakttog intresserat mannen.

"Ja … eller nej." Ivar Hansen strök sig över den två dagar gamla skäggstubben. "Carlos var här, men han pratar så mycket dumheter, så jag vet inte riktigt. Det kan väl hända att det är sant."

"Det är sant", sa Cato Isaksen.

"Jag får mediciner", sa Ivar Hansen oberört. "För att jag ska hålla mig lugn. Och så dämpar de ångesten. I somras åt jag blommor", fortsatte han provocerande. "Innan dess tog jag med mig mjölkkartonger i sängen. Jag gömde dem. De var mina.

Men nu gör jag inte det längre. En annan här slår sönder sitt sängbord ett par gånger i veckan, men jag håller inte på så längre."

Det var något obehagligt med hans sätt att tala, som om han undanhöll någonting. Som om han gjorde sig dummare än vad han var.

"Vad sysslar du med nu då?"

"Tja ... " – han drog på det – "man kan väl säga att jag forskar i saker och ting. I min situation, till exempel. Jag läser en del, försöker analysera mig själv, skulle man väl kunna säga. Det är inte mitt intellekt det är något fel på, förstår du. Det är kopplingarna som slår slint ibland. Hur hög IQ har du?"

Cato Isaksen tittade förvånat på honom. "Det vet jag inte", sa han.

Ivar Hansen nickade. "Jag ska testa mig", sa han. "Jag har pratat med en av psykiatrerna här. Han anser att jag helt enkelt är för klok." Ett underligt leende gled över hans läppar.

"Vet du att Therese Geber är död?" Cato Isaksen såg stint på honom.

"Ja", sa han kort, "men inte Tanja", sa han och tog upp sin näsduk och torkade sig om munnen. "Tanja lever."

"Tycker du om Tanja?"

Han ryckte hastigt på axlarna, vände på huvudet och stirrade ut genom fönstret.

"Jag har hört sägas att du slåss, att du är våldsam", sa Cato Isaksen.

"Ja", sa Ivar Hansen, "ibland, så. Men jag får mediciner. Jag har inte tänkt tillbringa resten av livet här, tillsammans med alla de här galningarna." Han lät höra ett barnsligt skratt och torkade sig om munnen med näsduken en gång till.

Efteråt tog Cato Isaksen vägen förbi receptionen igen och lämnade ett meddelande till överläkaren och bad honom vara så vänlig att ringa honom. Han måste kontrollera Ivar Hansens alibi. Det var något kusligt med mannen. Han var naiv och barnslig och klipsk och obehaglig på samma gång. Men det var väl sådana de var, de inlagda. Han visste inte, hade lyckligtvis inte så stor erfarenhet av psykiatripatienter. Men han måste kontrollera Ivar Hansen närmare, så att han kunde avföra honom från fallet.

Han körde tillbaka igen, genom allén med de svarta träden. Alldeles innan han kom fram till korsningen och skulle ta till höger ut på Slemmestadveien svängde en stor, mörk bil in på sjukhusområdet. Just när bilarna passerade varandra såg Cato Isaksen att föraren var psykiatern Sven Wangberg.

"STACKARS TANJA GEBER", sa Randi Johansen och drog ner persiennerna. Hon skulle delta i det viktiga mötet trots allt. Hon hade ordnat så att någon annan hämtade Tanja i skolan.

Den kalla vintersolen slickade intensivt på fönstren för att ta sig in i rummet, där utredarna satt bänkade runt det ovala konferensbordet. Dagarna gick i ett. Avdelningen hade sällan haft så mycket att göra. Vidar Edland och två andra tjänstemän från Asker og Bærum-polisen hade också infunnit sig.

Fotografierna av Ida Henriksens döda kropp låg på bordet framför dem. Bilderna var otäcka. Hennes ansiktsuttryck var groteskt. Märkena på hennes kropp var svarta och blå. Fotografierna visade sanningen.

Psykiatern Karsten Tønnesen blickade ut över den lilla församlingen med sina smala ögon. De nedfällda persiennerna gav rummet en mörk och otrivsam prägel.

"Jag har fått en redogörelse för fallet", började Tønnesen torrt, "och kan mycket väl förstå att ni har ett svårt jobb, för det finns inte många konkreta hållpunkter att ta fasta på."

Preben Ulriksen gäspade, och intendent Ingeborg Myklebust reste sig och drog med sig sin stol bort till fönstret. Hon öppnade det på glänt, satte sig igen och tände en cigarrett.

"Efter vad jag förstår arbetar ni utifrån en teori om att det är en och samma mördare som har bragt båda flickorna om livet, stämmer inte det?"

Cato Isaksen nickade och tillade att de också måste ta femåringen i Borgen som försvann under samma period i beaktande. Han tog tillfället i akt att presentera Vidar Edland och hans kolleger.

Karsten Tønnesen antecknade något i sina papper. Sedan fortsatte han: "Jag tror det är farligt att låsa fast sig vid teorin att det rör sig om en och samma mördare", sa han. "I synnerhet när det gäller flickan från Borgen. Det är något som inte stämmer här. Men okej, låt oss gå ett steg längre.

Therese Geber mördades den 16 september och dumpades någonstans i Oslofjorden, antagligen i närheten av Aker Brygge. Vilka personer har vi med anknytning till henne? Jag har läst alla rapporterna och även haft ett telefonsamtal med min käre kollega Sven Wangberg ute i Asker. Jag ser att han har varit involverad i behandlingen av Tanja Geber, syster till en av de mördade."

Psykiatern rättade till sina små glasögon.

"Han är antagligen involverad i Ida Henriksens bror också", avbröt Cato Isaksen. "Jag kommer just från Blakstad."

"Jaha", sa Karsten Tønnesen och gick bort till den vita tavlan. "Det är kanske inte så konstigt egentligen", sa han. "Psykiatrer växer inte på trän, och Asker är inte så stort. Men låt oss se vad vi har", fortsatte han. Han skrev några namn med svart tuschpenna på tavlan. "Jag skriver ner alla namn som har dykt upp i rapporterna. Jag begränsar mig till män", sa han uttryckligen och började skriva. När han var färdig stod det sex namn på den vita tavlan. Carlos de Silva, Teddy Holm, Marius Berner, Rudolph Vogel alias Mongo, Rolf Geber och fastighetsskötaren Frank Wergeland Halvorsen.

"Varför har du skrivit upp fadern?" Randi Johansen lät indignerad.

"Det här är inte någon lista över misstänkta", sa psykiatern snabbt. "Det här är en lista över män som på något sätt har haft med flickorna att göra."

"Då är det lika bra att du tar med Ivar Hansen också", sa Cato Isaksen. "Han har varit och hälsat på dem i lägenheten flera gånger och betraktas som våldsam. Han har rymt vid flera tillfällen."

Karsten Tønnesen skrev Ivar Hansen efter de andra.

"Hurdan var han?" frågade Ingeborg Myklebust bortifrån fönstret.

"Jag vet inte än", sa Cato Isaksen. "Han var egentligen litet annorlunda mot vad jag hade väntat mig."

Karsten Tønnesen avslutade med ett stort frågetecken. Han drog ett tjockt streck under frågetecknet.

"Då går vi ett stycke vidare", sa han och lade ifrån sig tuschpennan. Han stod kvar borta vid tavlan. "I princip förefaller det mig som om morden har blivit råare det senaste året. Och jag beklagar givetvis att jag måste framhålla att mördare med utländsk bakgrund är i majoritet här i Osloområdet. Nu talar jag rent generellt om alla typer av mord. Förövarna och deras offer har på något sätt blivit ett slags negativa ikoner i ett samhälle som har bytt ut förebilder mot avskräckande bilder. Ni minns kanske mordet i Sverige för fyra år sedan, då en artonårig pojke mördade två jämnåriga flickor. Han gjorde en teckning av mordet där alla tre ler belåtet. Han förstod över huvud taget inte allvaret i det han hade gjort, och han förklarades för tillräknelig. Ändå sa han att de tre delade en hemlighet. Kommer ni ihåg att det kom en bok om morden? Den hette 'Den leende mördaren'.

Vad jag vill", fortsatte psykiatern, "är att fokusera på oberördheten. På ondskan, som framställs som en ny teoretisk upptäckt."

Cato Isaksen kände irritationen komma krypande. Han var trött på teorier. "Allt det här känner vi ju till sedan tidigare", sa han. Preben Ulriksen nickade instämmande.

Då gick dörren upp, och Roger Høibakk kom insläntrande på

sedvanligt sätt. "Har ni hittat den skyldige?" log han och drog ut en stol.

Ingeborg Myklebust fimpade sin andra cigarrett och stängde fönstret. Hon bar med sig stolen tillbaka till bordet. "Det här tänker jag lägga på minnet", sa hon irriterat. "Det får då finnas gränser."

"Instämmer", sa Roger Høibakk, "jag ber om ursäkt."

Karsten Tønnesen verkade oberörd av avbrottet. Han log hastigt mot församlingen och tog oförtrutet upp tråden där han hade släppt den.

"Vi måste börja våga tala om ondskan", sa han. "För den finns. Och jag vågar påstå att det från de svåraste sociala förhållanden och de djupaste barndomstrauman ändå är ett metafysiskt kvantsprång till de ohyggliga handlingar människor är i stånd att begå. Försummelse", fortsatte han, "eller tomhet, mindervärdeskänslor – ingenting kan ursäkta ohyggligheterna. Med tanke på alla mord som begicks i fjol måste vi akta oss, och pressen måste akta sig. Det bär åt skogen om vi betraktar en avtrubbad mördare som ett symtom på ett samhällstillstånd. Förstår ni?"

"Du pratar politik", sa Roger Høibakk och rätade på sig på stolen. "Vi vet allt om det där."

Karsten Tønnesen nickade. "Men märk väl att jag fokuserar på de unga", sa han. "Det är dem jag talar om nu. Förakt", sa han, "rastlöshet, drogmissbruk. Har ni kontrollerat om några av de här ungdomarna använder narkotika? Har ni tänkt den tanken?"

Cato Isaksen kände blodet rusa till huvudet.

"Jag förstår inte riktigt vart du vill komma", sa Ingeborg Myklebust allvarligt. "Är det någonting vi har förbisett, tror du?"

Karsten Tønnesen ryckte demonstrativt på axlarna. "Ingen aning", sa han. "Men droger, rädsla, pengar, manliga könshormoner ... Jag vet inte", upprepade han, "men ha ögon och öron öppna när ni går vidare. Under ungdomsåren frigör man sig från efterhängsen omsorg. Varför flyttade de tre flickorna hemifrån?" Han väntade inte på något svar. "Nå, jag ska inte trötta ut er längre, men glöm inte att mördare ofta är genier. Att de kan bestå av motsättningar som hos så kallade normala människor utesluter varandra. Man ser ofta att mördare inte är bara en person utan att de har många personligheter. Genier behöver inte förtränga sidor av sig själva för att fungera, som vi andra dödliga måste göra."

"Jag vill att du ska föra upp Berit Geber på listan också", sa Cato Isaksen, "inte över misstänkta, men det är någonting med henne. Hon framstår som en ängel, men jag kan läsa häxa mellan raderna", sa han.

"Det kan du väl hos de flesta kvinnor", mumlade Ingeborg Myklebust.

"Hur sa?" Cato Isaksen såg ursinnigt på henne.

"Nej, hör ni" – Randi Johansen log trött – "nu ska vi inte bli alldeles paranoida", sa hon.

"Jo", sa Preben Ulriksen och satte henne på plats, "låt oss bli paranoida."

"Okej", sa Randi, "är det så det ska låta, så. Det är någonting med den där läkaren också."

"Vilken läkare?" Karsten Tønnesen gav henne ett forskande ögonkast.

"Torkel Bru", sa Randi Johansen. "Jag tror inte att han har något med morden att göra, men eftersom vi ändå pratar om … tja, knäppa människor. Han verkar en smula obehaglig."

"Obehaglig?" Karsten Tønnesen log mot henne. "Kan du utveckla det närmare?"

"Nej", sa Randi Johansen och rodnade, "jag vet inte, det är bara en känsla. Roger och jag var ute och pratade med honom."

"För all del", sa Karsten Tønnesen, "känslor är inte alltid det sämsta."

ONSDAGEN DEN 9 DECEMBER lades Ida Henriksen till den sista vilan. Det var nästan som en repris på Therese Gebers begravning. Samma vita kista på den sammetstäckta katafalken, samma färger på blommorna, samma ljud. Samma sorg. Till stor del samma människor.

Kapellet fylldes sakta. Agnes Hansen, Idas mor, kom i sällskap med en kvinna i femtioårsåldern. Hon hade högklackade skor och en svart kappa med en stor, dramatisk skinnkrage med ett leopardmönster i svart och silver. Cato Isaksen tänkte att de båda kvinnorna säkert var systrar. Han spanade frånvarande efter Gard i folkvimlet men kunde inte se honom den här gången. För ett ögonblick flög en skräckvision genom huvudet på honom. Gard i kistan, död av en överdos.

Mongo och Morten lyste också med sin frånvaro. Carlos de Silva, klädd i mörk, skräddarsydd kostym och med en lång, grå rock, anlände i sällskap med halvbrodern. Ivar Hansen såg sig nyfiket omkring. Han hade en för liten, blå täckjacka över kostymen. De satte sig i den första bänkraden. Tanja Geber och Hanne Marie Skage kom tillsammans och satte sig på andra sidan om mittgången, längst fram, bredvid Teddy Holm och Marius Berner. Allra längst ut i samma bänk satt en smal man med magert ansikte. Det måste vara Ida Henriksens far.

Bänkarna fylldes med gamla klasskamrater och grannar och kolleger. Tanja Gebers föräldrar var inte där. En fotograf med Se og Hør-märke på kameraväskan smög sig tyst ner i den bakersta bänkraden.

Cato Isaksen satt bredvid Randi Johansen och Vidar Edland. Utredarna talade inte med varandra. De satt med allvarliga, mörka ansikten och följde deltagarna med blicken.

Cato Isaksen betraktade människorna i kapellet. En man med tjocka, ljusbruna polisonger, trista stålbågade glasögon och en missklädsam parkasliknande rock satte sig som en av de sista i den näst bakersta bänken.

Randi Johansen böjde sig fram mot honom. "Det där är Torkel Bru", viskade hon. "Där har du ett möte att gruva dig inför. Du skulle träffa honom i eftermiddag, eller hur?"

Cato Isaksen nickade. "Ja", sa han, "klockan halv fem."

SAMMA EFTERMIDDAG FICK Cato Isaksen veta att Sigrid hade fått en liten flicka. Det var Bente som ringde honom på mobilen och förmedlade nyheten.

"Jag vet inte riktigt om jag är rätt person att tala om det för dig", började hon, "men Georg har fått en syster."

"Jaså." Cato Isaksen satt i bilen på väg ut till Torkel Bru.

"De ville visst gärna att vi skulle komma med Georg med detsamma", sa Bente, "så att han får se henne. Det var Hamza som ringde. Det är visst besökstid nu."

"I helvete heller. Det är väl inte vår sak, Bente. Eller vad tycker du?"

"Nja, jag vet inte, Cato, men det skulle vara skönt att få lämna över Georg snart. Jag orkar inte längre. Jag vill ägna mig åt Gard, inte åt Georg."

Cato Isaksen lyfte ena handen och gned sig trött över pannan. "Så du menar verkligen att jag bör åka in med honom? Nu är det ju så att jag har en okänd mördare springande lös i distriktet. Vilket tycker du är viktigast?"

Det blev tyst ett ögonblick i andra änden, och sedan sa hon: "Jag tycker faktiskt att Georg är viktigast."

Han kunde höra att hon tänkte sig för innan hon fortsatte: "För du menar väl inte att jag ska skjutsa *ditt* barn in till sjukhuset så att han får hälsa på *din* före detta som har fått ett nytt barn? Det är väl inte det du försöker säga?"

Cato Isaksen svor högt när bilen framför honom tvärstannade. Han kastade en hastig blick på klockan. Den var halv fem.

Han visste att han inte hade något val. "Jag har ett möte jag måste passa, nu klockan halv fem. Jag är hemma om en timme. Jag skjutsar in honom då", sa han.

"Bra", sa hon, "och du – hur gick begravningen i dag, förresten?"

"Det var ingen trivsam tillställning precis", sa han och såg sig om efter en ledig parkeringsplats.

TORKEL BRU VAR faktiskt irriterad över att Cato Isaksen inte hade kontaktat honom tidigare.

"Jag vet ju att du har varit hos Sven Wangberg", började han. "Han berättade det för mig på förra Lionsmötet."

Cato Isaksen såg på honom. Så Sven Wangberg var också medlem i Lionsklubben. "Ja, men du har ju haft besök av ett par andra utredare", sa han och såg sig omkring på den sparsamt möblerade mottagningen. "Vi delar på arbetsuppgifterna", fortsatte han. "Jag hinner inte med allting ensam."

"Det är förståeligt", sa läkaren kort, "men jag trodde att du skulle kontakta mig eftersom jag var Therese Gebers läkare."

"Det var av det skälet jag skickade hit två utredare", sa Cato Isaksen.

"Nåja" – läkaren knäppte händerna i knäet – "det handlar väl egentligen om att jag tycker om att tala med rätt person, om jag får uttrycka mig så."

"Det får du", sa Cato Isaksen och kände att han var urless på att höra samma sak om och om igen. Det var det utrednings-arbetet gick ut på. Att höra samma sak från olika människor. Han var säker på att Torkel Bru inte hade något nytt att komma med. "Du vet ju", fortsatte han, "att innan Ida Henriksen hittades mördad arbetade vi utifrån teorin att Therese Geber kunde ha mördats av någon tillfällig förbipasserande." Han ryckte på ax-larna. "Men nu är bilden plötsligt en annan, om jag så får säga."

Läkaren nickade eftertänksamt. "Ida Henriksen var ju också min patient", sa han.

Torkel Bru var några och femtio. Förutom polisongerna hade han ett litet tunt pipskägg. Hans ögon var små och intensiva innanför glasögonen. På fötterna hade han ett par slitna, grova skor som var våta av snömodd.

En vit fläkt var placerad mitt i det ena fönstret. En plansch över kroppens anatomi prydde den ena kortväggen; för övrigt var rummet en smula luggslitet och gammaldags möblerat, med en svart undersökningsbrits och en skärmvägg.

"Jag var faktiskt med på begravningen i dag." Mannen, av medellängd och klädd i vit rock, pratade på. "Ja, jag måste ju säga att jag tycker att det här är synnerligen groteskt. Du ska veta att jag har dem alla fyra som patienter. Alla som tidningarna har skrivit om. Även den tjocka. Ja … just nu minns jag inte riktigt vad hon heter."

"Hanne Marie Skage", sa Cato Isaksen.

Läkaren nickade. "Det finns ju inte så många läkare i Asker, så det är egentligen inte så konstigt. Jag tror förresten att jag har haft med din telning att göra också."

"Ja, tyvärr", sa Cato Isaksen.

"Det kommer säkert att gå bra." Läkaren försökte lugna honom. "Du anar inte hur många ungdomar jag har som kommer och lämnar urinprov. Drogmiljön i Asker har formligen exploderat. Jag har barn ner i tolv-trettonårsåldern", sa han. "Och i kölvattnet på dem förtvivlade och slutkörda föräldrar. Jag vet ju inte riktigt. Jag menar, jag kan inte föreställa mig att jag egentligen kan ha någonting av betydelse att berätta. Men man vet ju aldrig."

"Nej." Cato Isaksen såg nyfiket på honom. "Du pratade ju litet i största allmänhet med mina båda kolleger som var här."

"Javisst, det var ett trevligt samtal", sa Torkel Bru.

"Jag vet inte om du kan säga något om … ja, om förhållandet flickorna emellan, till exempel. Eller något annat som du tror kan vara av särskilt intresse."

Torkel Bru såg skeptiskt på honom och lade armarna i kors. "Jag har flera tusen patienter", sa han, "och de här flickorna är egentligen inte speciella för mig på något sätt. Jag har ett tämligen anonymt förhållande till dem, frånsett Tanja, som är en av de tyngre patienter jag har haft."

"Du menar hennes ätstörningar?"

"Ja", sa läkaren kort. "Till att börja med gick det trögt. Men det ser ut som om hon mådde bättre nu. Hon är inte sjukligt mager längre, menar jag. Nu är det ingen som lägger märke till henne speciellt. Det finns ju så många trådsmala unga kvinnor i dag." Han skrattade till. "Jag måste väl säga att jag föredrar kvinnor med litet … ska vi säga hull på kroppen. Ja, inte så mycket hull som stackars fröken Skage, förstås", sa han allvarligt. "Nej, flickorna var här för alldagliga saker, som förkylningar, recept på p-piller och liknande. Men jag kände dem inte. Ida Henriksen hade jag inte ens kommit ihåg till utseendet om det inte hade varit för bilderna i tidningarna. Vad gäller Tanja vill jag helst tala mer allmänt om hennes problem", sa han. "Hon är trots allt inte död."

"Nej, inte än", sa Cato Isaksen och såg stint på läkaren. "Vi måste bygga ut bilden bit för bit, och vi samlar information från absolut alla tänkbara personer som kan ha något att bidra med. Så du behöver inte betrakta det här som något formellt förhör. Som du vet har vi talat med Sven Wangberg också, och med flickornas lärare och grannar och vänner och föräldrar, ja … alla."

Torkel Bru reste sig och tog av sig den vita rocken. Under den hade han en ostruken rutig skjorta och grå byxor. Han vek ihop rocken, och innan han satte sig igen lade han den över armstödet på stolen. Han blev sittande i egna tankar en liten stund innan han tog till orda. "Tanja Geber skickades till mig av föräldrarna för omkring två år sedan", började han. "Hon hade tidigare varit hos mig för helt andra åkommor, bagatellartade saker, precis som de andra flickorna. Då, för två år sedan, var hon så utsvulten och mager att jag omedelbart beordrade inläggning på Bærums sjukhus. Hon led helt klart av en allvarlig ätstörning. Jag tog också kontakt med Sven Wangberg, som är en god kollega och vän och som har specialiserat sig på bland annat detta. Tillsammans har vi sedan arbetat med henne, och jag måste säga att hon har gjort framsteg, men hon är fortfarande inte vad jag vill kalla för helt frisk. Och kanske i synnerhet nu, i en sådan här stressituation, är det viktigt att stötta henne."

"Kan du säga något om orsakerna till hennes ätstörningar?"

"Ja, det finns mycket att säga om dem. Tanja är en begåvad, duktig flicka. Hon har två mycket starka föräldrar och en stark syster. Ja, förlåt hade en stark syster."

"På vilket sätt?"

"Ja, det är här jag hamnar i ett dilemma", sa läkaren och såg uppgivet på utredaren. "Var går gränsen för vad jag egentligen får berätta?"

Cato Isaksen kände ett litet styng av irritation innanför pannan. Han funderade på det mest taktiska sättet att få mannen att öppna sig.

"Det kan ju hända", började han, "att det du har att berätta för oss kan kasta ett nytt ljus över situationen. Och jag utgår från att även du vill att den här otäcka mördaren ska åka fast."

Torkel Bru såg avvaktande på honom, och sedan sänkte han huvudet.

"Ni har väl också tänkt tanken att Tanja Geber kan bli nästa offer", sa han.

"Det har vi", sa Cato Isaksen kort.

Torkel Bru ryckte på axlarna. "Jag ska hjälpa till i den mån jag kan", sa han.

Cato Isaksen såg på honom. "Det var inte stor vits med att

rädda Tanja Geber från svältdöden om hon ändå ska råka ut för en kallblodig mördare."

"Nej, det har du rätt i."

Torkel Bru reste sig, tog rocken och lade den på en annan stol. Sedan satte han sig igen. "Visst, jag förstår", sa han och mötte Cato Isaksens blick innan han fortsatte. "Tanja har alltid varit hackkycklingen i familjen", sa han. "Särskilt modern har satt åt henne. Men hon anser att det är för flickans eget bästa. Och det håller jag faktiskt med om. När de var små gjorde de ju som modern sa, men nu?" Han skakade på huvudet. "Efter vad jag förstår har hon delvis lyckats få Karen, den yngsta, att söka och uppskatta tron. Therese däremot var ytterst stark och helt klar över att hon aldrig skulle komma att engagera sig i något som hade med religion att göra. Hon gjorde narr av modern och älskade att reta henne med vitsar om Gud och liknande."

"Hur vet du allt det här? Jag tyckte du sa att du inte kände dem så väl."

Läkaren såg osäker ut ett ögonblick. "Mycket av det har jag fått veta av Tanja", sa han. "Men också av Berit Geber själv." Han gjorde en liten paus och funderade. "Jag går själv ofta i kyrkan. Jag träffar fru Geber nästan varje söndag."

Cato Isaksen iakttog honom intresserat.

"Dessutom tror jag att jag kan säga att jag har en väl utvecklad intuition", sa Torkel Bru. "Negativa tankar och mentala påfrestningar tar sig ofta fysiska uttryck, som du vet. Sådana processer måste följas upp noggrant. Tanja är mycket ordentlig och duktig i skolan", fortsatte han, "och har antagligen tagit på sig för stort ansvar för att alla i familjen skulle fungera och må bra. Hon har ständigt varit utsatt för moderns lätta påtryckningar och faderns frånvaro. Här handlar det naturligtvis om en omedveten roll, och hon förnekade det starkt till att börja med." Cato Isaksen lyssnade uppmärksamt. Det var som om någonting sakta kom krypande uppför ryggen på honom. Läkaren framför honom hade en förvirrande utstrålning, och han betedde sig inte som en allmänläkare. Det var helt uppenbart att han frossade i de psykologiska aspekterna av Tanja Gebers fall.

Torkel Bru fortsatte oförtrutet: "Rolf Geber har väl på många sätt avsagt sig fadersrollen. Han reser mycket, har många affärskontakter. Ja, jag känner honom litet grand från Lions. Tanja har alltid fått höra att hon är otacksam, omöjlig och besvärlig. Men utåt har modern alltid skrutit med alla tre döttrarna som välartade och med hög moral. Therese var den starkaste av systrarna, men om hon hade så hög moral vill jag emellertid sätta ett frågetecken för. Hon har haft vissa sjukdomar som vi har givit henne penicillin för. Det var hon som bestämde var skåpet skulle stå. Det var hon som ville flytta hemifrån, vilket jag för övrigt tror var helt fel. Therese körde med Tanja också. Therese var sötare, och hon var starkare."

"Ida Henriksen och Hanne Marie Skage, då, hurdant var deras förhållande till Tanja?"

"Ida Henriksen hade nog litet av Therese över sig. Den fjärde av väninnorna, Hanne Marie Skage, bodde ju inte tillsammans med dem, men jag tror att hon och Tanja är starkt bundna till varandra. Hon är kanske en smula intetsägande. Men hon beundrar Tanja och vill gärna bli som hon." Han skrattade ett kort skratt. "Vilket hon naturligtvis aldrig kan bli."

"Känner du till deras pojkvänner också?"

"Nja, inte mycket – Marius någonting var det väl. Tanja har sagt att han betyder mycket för henne. Han är snäll och överseende och låter henne vara sig själv. Han har, vad jag vet, bara haft gott inflytande på henne. Men Berit Geber tycker inte om att dottern har bundit sig så tidigt. Och det kan jag ju förstå. Berit är en mycket positiv och självständig kvinna. Och såvitt jag vet skadar det inte att vänta litet med … ja, du vet."

Telefonen ringde, och läkaren blev sittande och pratade i ett par minuter innan han skrev något i sin kalender och lade på.

"Det var förresten en annan episod också." Han tog omedelbart upp tråden igen. "Tanja berättade att Idas bror, Carl ... någonting, blev förälskad i henne och försökte våldta henne vid ett tillfälle."

"Jaså." Cato Isaksen satte sig litet längre ut på stolen. "Carlos, menar du?"

"Ja, så hette han visst." Torkel Bru lade ena benet över det andra och knäppte händerna runt knäet. Det var något märkligt feminint med hans rörelser.

"Det är en smula typiskt, det där", sa Torkel Bru. "Tanja har något offerlikt över sig. Det har Sven och jag talat mycket om. De här flickorna, som kommer och blir behandlade av oss, är ofta starka och tjusiga på utsidan, men små och ynkliga inuti. De vågar helt enkelt inte vara sig själva. Därför verkar deras utstrålning förvirrande. Och den väcker ofta något hos andra människor, som vill utnyttja dem. Tanja berättade senare att hon inte kunde avvisa Idas bror och att hon kände att hon nästan måste göra honom till lags. Hon definierade det därför inte själv som något våldtäktsförsök. Ida och Therese kom hem precis i tid för att hejda det. Det blev visst ett riktigt spektakel, och han hotade med att kasta ut flickorna ur lägenheten."

DET VILADE EN sötaktig och varm lukt i rummet. Radiatorerna arbetade för glatta livet. Gardinerna var till hälften fördragna. Sigrid strålade där hon låg. Georg var trött och kinkig. Han kastade sig upp i moderns säng och log när han fick syn på lillasystern som låg i den genomskinliga plastsängen alldeles bredvid.

"Han har varit ute massor i dag", sa Cato.

"Hur kallt är det ute?" frågade Sigrid oroligt och lade munnen intill Georgs huvud.

"Tja, jag vet inte", svarade Cato, "tre fyra grader kallt, kanske."

Han kunde inte undgå att lägga märke till den lilla rosenbuketten som stod i en blank sjukhusvas på sängbordet. Sigrid följde hans blick. "Från Hamza", log hon.

"Så allt är bra?" frågade han.

"Det blir väl litet jobbigt till att börja med. Hon är ju född nästan fyra veckor för tidigt. Men hon är i fin form. Hon väger drygt två kilo."

Cato såg på barnet och var glad över att det inte var hans. Flickan hade tjockt, svart hår.

Det var som om Sigrid hade läst hans tankar. "Missunnar du mig?" frågade hon.

Han skakade häftigt på huvudet. "Det kan jag lova dig att jag inte gör", sa han. Han tänkte på de tre barn han redan hade. Det var mer än nog. Barn som växte upp var en process som han varken förstod eller var herre över. Han kunde inte styra någonting. Allt han hade tänkt på förhand blev annorlunda. Han kände en djup vanmakt vid tanken på fadersrollen. Han klarade helt enkelt inte av den.

Sigrids svällande bröst putade ut under sjukhusskjortan. Han tänkte på hennes uppslitna underliv.

"Hon påminner mig om Georg", fortsatte Sigrid, "bortsett från att hon naturligtvis är litet mörkare. Det är så starkt." Hon tittade upp på honom. Någonting vått glittrade i ögonvrån. "Jag hade glömt hur det var. Fastän det bara är tre år sedan Georg föddes. Det är ett helt landskap att föda barn", sa hon. "Jag hade glömt bort en del av färgerna."

Georg hade somnat med ansiktet mot filten. "Stackars liten", sa hon och klappade honom försiktigt på huvudet. "Kan du skjutsa honom hem till Hamza sedan, tror du? Så kan han lämna honom på dagis i morgon. Han åkte strax innan ni kom, förstår du."

Cato Isaksen nickade.

"Du är en bra pappa, Cato", sa hon.

Då vände han sig hastigt bort. Hans haka började skälva.

"Cato?"

"Nej", sa han, "det är ingenting." Han skakade på huvudet och suckade. Vände sig långsamt mot henne igen. "Det är Gard", sa han tonlöst. "Han har använt droger i ett års tid."

"Å nej, Cato", sa hon bedrövat. "Å, jag är så ledsen." Hon rätade på sig i sängen.

Han ångrade genast att han hade sagt det.

"Jag är så glad för att du berättade det för mig", sa hon allvarligt. "Jag ska hjälpa dig så gott jag kan."

Han skakade på huvudet. "Det kan du inte", sa han och tillade att de kämpade på tillsammans, han och Bente. "Vi hoppas det ska gå bra."

"Jag kan visst hjälpa dig", sa hon.

"Hur då?"

"Genom att förstå bättre", sa hon, "när du har problem med att hämta Georg i tid, till exempel. Hamza kan kanske ta tåget ut och lämna honom i Asker. Jag också, när babyn blir litet äldre."

"Jag vill inte att du ska berätta det här för Hamza", sa han hårt.

"Nehej", sa hon. "Men han är en fin människa, han fördömer ingen."

"Jag vill absolut inte att han ska få veta det", upprepade Cato.

"Okej", sa Sigrid. "Då stannar det oss emellan."

Dörren öppnades, och kvinnan i sängen bredvid kom in. Hon var klädd i en ljust turkos frottémorgonrock. Hon nickade snabbt åt Cato Isaksen. "Jag ska bara hämta en sak", sa hon vänd till Sigrid och gick bort och började gräva i en stor väska som stod bredvid hennes sängbord.

När hon hade gått ut igen fångade Sigrid hans blick. "Tack ska du ha, Cato."

"För vad då?" Han såg på henne.

"För att…" Hon drog litet på det. "För att du berättade för mig om Gard." Hon svalde för att hålla tårarna borta. Hon såg generad ut. "Förlåt", sa hon, "men det är viktigt för mig att få säga det här. Du har visat förtroende för mig genom att berätta det. Min far sa alltid att man skulle väga sin avigsida på guldvåg och bara visa den för den som var värdig att se den." Hon log. "Jag tycker att vi båda har lyckats reda ut saker och ting", fortsatte hon. "Till att börja med såg allting mörkt ut, men nu tror jag att vi har kommit dit vi ska. Det är bra för Georg", sa hon.

VINTERVÅGORNA RULLADE IN över klipphällarna och till-
baka ut igen. Tanja Geber stod och vilade pannan mot fönster-
glaset. Decemberkvällen hade lagt sitt ansikte tätt intill rutan.
Hon lutade huvudet mot det kalla fönstret och kände sig svart av
ensamhet. Känslan av att någon beskyddade henne höll på att
upplösas och försvinna. Hon förstod inte det som hände runt
omkring henne. Allting hade liksom bytt plats. Höger, vänster,
upp och ner. Allting hade fogats in i någonting annat. Allting var
annorlunda. Hon tänkte på vad psykiatern hade sagt om smär-
tan, att hon uppsökte den. Men hon förstod inte vad han mena-
de. Hon hade en känsla av att det var smärtan som uppsökte
henne. Den förlamade henne och förmörkade hennes liv och
gjorde sitt yttersta för att inta henne.

Hon vände på sig och såg på Randi Johansen som låg på sof-
fan och sov. Hon hade varit ute på toaletten och kräkts. Hon
mådde definitivt inte bra.

Den andra kvinnliga polisen hade gått ut för att handla på
Rortunet senter. Det låg bara ett par minuter bort.

Det var sen eftermiddag. Klockan var fem över sex.

Enformigheten gnagde henne. Ingenting hände. Hon lyssna-
de, tyckte att hon hörde någon viska i de andra rummen. Hon
drog sig undan från fönstret och gick in i rummen i tur och ord-
ning. En väckarklocka tickade taktfast inne i sovrummet. Hon
undrade vem som ägde lägenheten. Tengs och Moen, stod det på
skylten på dörren. Hon visste inte vilka de här människorna var.
Cato Isaksen hade sagt att hon inte skulle fundera på det heller.

"Slappna av bara", hade han sagt, "vi ska ta hand om dig."

Tanja Geber gick bort till Randi Johansen. Hon hörde de jämna andetagen, studerade hennes lugna ansikte. Hon log snabbt och tittade ner på hennes mage. Sedan gick hon tillbaka till det svarta fönstret igen. Ingen hade sagt åt henne att hon skulle hålla sig borta från fönstret.

På andra sidan om den lilla viken låg den nedlagda cementfabriken och ruvade som en grå jätte. En hög skorsten reste sig mot skyn. Den gamla fabriksjätten var dominerande och ful. Den förstörde mycket av utsikten för de nya husen. Vädret var klart; hon kunde se ljusen från Oslo långt borta.

Tanja tänkte på systern och på Ida. Hon tänkte på Smal Oförståndig. Hon visste inte vem hon skulle komma att sakna mest. Hon tänkte på Hanne Marie. Kände att hon saknade henne. Hanne Marie förstod.

Det värsta var ändå att vara borta från Marius. Hon kände den starka hungern efter honom. Hennes kropp hade utvecklats på ett okänt sätt. För första gången på väldigt länge var hon närvarande. Det gjorde henne både lättad och rasande på samma gång. Fötterna var i fötterna, bröstet i bröstet, och sorgfläckarna satt i huvudet och höll på att bli en del av henne. Hon skulle leva vidare. Därtill tvingade henne det grå samvetet. Ljus- och mörkerkänslan utkämpade en bitter strid. Hon kände att saker och ting höll på att tystna inuti henne. Kanske var tystnaden bara ett tecken på hur desperat hon egentligen var. För alltihop var absurt. I den här situationen borde allting ha varit kaos inuti henne. Hon visste inte hur länge hon skulle stå ut med att hålla sig borta från Marius. Hon älskade honom. Men hon hade lovat polisen att inte tala om för någon var hon befann sig.

Hon kände oron arbeta sig fram i medvetandet. Hennes andedräkt blev till en grå hinna på fönsterrutan. Hon tyckte inte om tanken på varför hon var tvungen att vistas i den här lägenheten vid det här decemberhavet. Hon insåg att ingen kunde förutsäga hur det skulle sluta. Hon såg på den rullande oron i vattnet och kände hur rörelserna vilade inuti henne, nästan som en regelbunden puls.

ANBLICKEN AV SIGRID I SÄNGEN med det lilla barnet hade gripit honom starkt. Han tänkte på Ida Henriksen och Therese Geber som var döda, och på det lilla barnet som just hade börjat leva. Livet vävde med trådar av silke och järn. Ytterligheterna var våldsamma. Han gick nedför trappan, kände sig rastlös. Kunde inte köra raka vägen hem. Orkade inte åka till tjänsterummet.

Det Torkel Bru hade berättat om att Carlos de Silva hade försökt våldta Tanja gjorde honom orolig. De skulle bli tvungna att kalla honom till ännu ett förhör, och det mycket snart.

Han gick bort till bilen, satte sig och startade motorn. Han satt där en liten stund och tänkte innan han bestämde sig för att hälsa på Ellen Grue. Bara för att prata litet. Kanske något mer också, han visste inte. Han kände sig tom och rastlös. Han bromsade in för en kvinna som sprang över gatan. Han tänkte på det här med tiden. Den motarbetade allt. Färdades hela tiden längre och längre bort med den döda människan. Han hade sett anhöriga sitta böjda av sorg över offret, som för inte länge sedan hade varit en levande människa. Det allra värsta var när det rörde sig om ett barn eller en ung människa. En del anhöriga skrek och tjöt som om de var skadade. Han rös, visste att även han själv, förr eller senare i livet, skulle tvingas uppleva vad det var att förlora någon.

Ellen Grue tittade förvånat på honom när hon öppnade dörren. Hon hade gjort sig fin, klätt sig i en svart, kort klänning och satt på läppstift.

"Cato", sa hon, "vad är det?"

"Du ska ut", konstaterade han.

Hon nickade. "På teatern", sa hon.

"Sigrid har fått barnet."

"Kom och sätt dig en stund." Ellen Grue gick före in i det ljusa vardagsrummet. "Hur står det till med Gard?" frågade hon.

Cato Isaksen satte sig i den aprikosfärgade fåtöljen. "Jag vet inte egentligen", sa han.

Hon gick ut i köket och kom tillbaka igen med ett glas i handen.

Han tittade upp på henne. "Vem ska du gå med?" frågade han.

"Henning Egeland från fingeravtryck." Hon log snabbt. "Vet du vem det är?"

Cato Isaksen skakade på huvudet.

Ellen Grue såg på klockan. "Jag är ledsen", sa hon, "men jag måste nästan gå."

Han drack ur glaset med mineralvatten. "Jag måste hem", konstaterade han. "Jag vet inte varför jag kom. Jag ber om ursäkt." Han drog rocken hårdare om sig och tvingade fram ett leende.

"Vi ses", sa hon och stängde dörren efter honom.

När han kom ut igen hade det börjat snöa. Stora, våta flingor dalade ner från den svarta himlen. Folk skyndade fram och tillbaka på gatorna med händerna fulla av bärkassar med julklappar. Ur en butik strömmade Stilla natt, från en annan hördes en glad poplåt.

Cato Isaksen strök sig trött över pannan, och innan han satte sig i bilen ringde han till Roger Høibakk och berättade om våldtäktsförsöket på Tanja Geber. Han bad Roger undersöka om Carlos de Silva var kvar i landet. I så fall måste han så snart som möjligt inställa sig till ett nytt förhör. Om han var tillbaka i Spanien fick de förhöra honom per telefon.

I bilen hemåt tänkte han på mördaren. Han manade fram en otydlig bild i hjärnan. Han plågade sig alltid med det när han arbetade med ett fall. Någonstans fanns svaret. Det var som att springa i en järntrappa. Mördaren gick omkring som om ingenting hade hänt. Omgivningen hade ingen möjlighet att genomskåda lögnen. Mördare liknade intill förväxling vanliga människor. Eller, ännu värre, de *var* vanliga människor.

DAGEN FÖRE JULAFTON tog Cato Isaksen med sig Gard och Vetle och hälsade på sin mor på Frognerhjemmet. Det låg på Erling Skjalgsonsgate i Frogner. Själva sjukhemmet var ett tämligen alldagligt stenhus. Men det låg omgivet av gamla vackra byggnader på alla sidor. Gard hade inte varit där på två år. Han höll upp porten åt fadern och brodern. De tog hissen upp till tredje våningen. De pratade inte med varandra.

De små borden som stod längs korridoren var pyntade med röda juldukar och vita ljus.

Gyda Isaksen satt inne på sitt varma rum och halvsov i en fåtölj borta vid fönstret. I fönsterkarmen stod två krukväxter med röda blommor.

Den gamla kvinnan började gråta när hon fick se sitt äldsta barnbarn. "Men pojken min", sa hon med skälvande stämma, "så snällt av dig att komma. Det är ju flera veckor sedan du var här sist."

Gard tog hennes framsträckta händer. Han lade märke till de otäcka blodådrorna som låg likt smala, ljusblå snören under huden. Hennes händer kändes som två små fågelungar. Värmen från henne var svag och tunn.

Vetle flinade och tittade på fadern. "Veckor sedan, va?" sa han och satte sig på sängkanten för att vänta på sin tur.

Cato Isaksen såg på äldste sonen. Egentligen trodde han inte att farmodern betydde särskilt mycket för honom. Varför skulle Gard vara annorlunda än han själv?

Tystnaden i rummet bröts av ett skrammel ute i korridoren.

Det lät som om någon tappade en bricka. Muntra skrattsalvor följde på skramlandet.

Rummet var möblerat med moderns egna tillhörigheter, bortsett från sängen, som var en sjukhussäng. Svartvita, inramade fotografier av familjen täckte en stor del av väggen. Cato Isaksen betraktade dem, som han alltid gjorde när han var här. Bilderna föreställde honom själv som barn, föräldrarnas bröllopsfoto, mor- och farföräldrarna, deras föräldrar. Och pojkarna. Gard som fyraåring, taget i parken. Vetle som fyraåring, taget i parken. Och ett nytt foto, av Georg. Det måste vara Sigrid som hade givit henne det. Det var större än de andra fotografierna, och det var i färg.

Vetle gick bort till farmodern. Han avskydde att krama henne. Stod inte ut med den sötaktiga lukten av hennes gamla hud. Farmodern ville ha en kram. Vetle kramade henne.

Cato Isaksen gick bort till fönstret. Han blev stående och stirrade på det kala trädet utanför.

"Vi har med julklappar till dig", sa Vetle och prasslade med bärkassen han hade i handen.

"Du milde", sa Gyda Isaksen. "Är det julafton i dag?"

Ingen av dem svarade.

"Du har det varmt och skönt", sa Cato Isaksen och log mot modern.

"Ja, och så hör jag att det har kommit en liten flicka", sa Gyda Isaksen med darrande stämma.

Cato vände sig häftigt om. "Vem har berättat det?"

Modern såg på honom med sina grumliga ögon. "Ja, vad heter han nu då ... han har varit här med Georg."

"Hamza?" sa Vetle högt.

"Ja, det tror jag bestämt."

"Det är inte ditt barnbarn, mamma", sa Cato Isaksen.

"Är inte Georg?"

"Jo, Georg jo, men babyn. Det är Sigrids dotter."

"Ja ... men det är ju ... mitt barnbarn."

Cato Isaksen tittade irriterat ner på henne. "Det är det inte", sa han.

Den gamla kvinnan såg förvirrat på honom. "Nej, nej ... då så", sa hon sorgset. Men sedan sken hon upp. "De lovade i alla fall att jag skulle få ett foto av henne att hänga på väggen."

Det knackade lätt på dörren, och ett sjukvårdsbiträde kom in med en bricka med två kaffekoppar och två glas med röd saft och en liten assiett med kex. "Jag tänkte att det kanske skulle smaka med en liten kopp kaffe så här dan före dan", log hon.

"Javisst, tackar", sa Cato Isaksen och tog emot brickan.

"Har du fått paket, Gyda?" sa sjukvårdsbiträdet med hög röst och nickade mot bärkassen som låg på golvet.

Den gamla kvinnan böjde sig lätt framåt. "Är det julafton i morgon?" frågade hon.

"Ja, mamma", sa Cato Isaksen, "det är det."

"Jaha", sa hon och lutade sig tillbaka i fåtöljen.

Cato mötte sönernas blick. "Det är inte så lätt för dig att komma ända ut till oss, vet du, mamma", sa han snabbt och såg på sjukvårdsbiträdet som böjde sig ner och tog upp bärkassen. "Jag tar hand om den", sa hon, "vi har gemensam julklappsutdelning där nere klockan fem."

De drack kaffet och saften. Modern tuggade och tuggade på kexet. Hon sa ingenting.

"Vilka fina julblommor du har", sa Cato och nickade mot fönsterkarmen.

Modern log. "Ja", sa hon, "de kom häromdagen. Antagligen är de från Sigrid. Hon brukar alltid komma ihåg mig."

Cato Isaksen kände hur irritationen växte inom honom. Sigrid hade ingen rätt att lägga beslag på hans mor på det här sättet. Och Hamza, varför i helskotta skulle han komma och hälsa på henne?

Han bestämde sig för att ta upp saken med dem för att sätta stopp för det.

TANJA GEBER HADE FLYTTAT hem för att vara tillsammans med familjen över julen. Flera poliser turades om att sköta bevakningen. Randi Johansen hade förklarat sig villig att ta dagen före julafton. Men julaftonen ville hon fira med sin man, eftersom det var deras första jul tillsammans.

Hanne Marie Skage och hennes föräldrar hade avvisat all form av bevakning. De förnekade att dottern hade något gemensamt med de tre väninnorna i lägenheten. Fadern hävdade att hon bara kände flickorna från skolan. Och att de inte alls var hennes typ. Morden hade ingenting med hans dotter att göra, ansåg han.

Tanja hade drömt om julmaten i natt. Det hade börjat som en mardröm. Ljuden i huvudet när hon tuggade. Det smärtsamma mysteriet, avskalat och naket. Smaken, som inte var god och inte dålig. Men det hade varit en konstig dröm. Så småningom hade den blivit komisk. Surkålen hade pratat och köttet hade dansat. Potatisarna hade rymt gatan fram i en lång rad. Hon hade sprungit efter potatisarna för att fånga dem. Hon hade skrattat. Potatisarna förökade sig och blev många. Hon skrattade och skrattade medan hon plockade upp dem. Hon hade lovat att äta julmaten. Hon trodde att modern hade bett henne om det, men hon var inte säker. Kanske hade hon bara drömt att modern hade bett henne om det.

Julgranen var klädd. Lukten från den var stark och obehaglig. Den stod där som en symbol för något slags avlägsen grön glädje. Berit Geber försökte ta sig samman. Sven Wangberg hade givit henne några olika mediciner. Hon märkte att de gjorde henne lugnare. Hon tog dem med gott samvete. Men hennes böner blev slöa de också. Hon kunde inte fokusera på den rätta guden. Han var nätt och jämnt närvarande. Det oroade henne starkt.

Karen och Tanja drog sig undan. Satt med armarna och benen hopflätade och pratade lågmält sinsemellan. "Det kommer att gå bra", sa Karen, "det vet jag."

"Jag också", sa Tanja. "Men jag känner mig alldeles slut." Hon skrattade till. "Förstår du?"

Karen såg på henne och började skratta hon också. "Berätta om Marius", bad hon, "om allt."

Tanja hade fått en ring med en vit pärla av Marius. Han hade inte kunnat vänta till julafton med att ge den till henne.

"Är det en förlovningsring?" frågade Karen.

"Nej, nej, det är bara en vanlig ring."

"Har ni gjort det?"

"Vilket då?"

"Du vet vad jag menar."

"Om jag ligger med honom, menar du?"

Karen nickade.

Tanja log. "Det är underbart", sa hon. "När han ligger intill mig känner jag att jag faktiskt finns där inne, någonstans inuti min kropp."

"Tycker han inte att du är för smal?"

"Jo, han säger det."

"Hur är det, just när han … du vet." Karen rodnade.

Tanja kastade huvudet bakåt och skrattade. Hon förde munnen ända intill systerns öra. "Jag tar den i munnen också", viskade hon. "Jag gör allt."

Karen knuffade försiktigt undan henne. Hon försökte verka oberörd. "Du vet väl att sperma är fettbildande." Hon knep ihop munnen för att inte brista i gapskratt.

"Men jag sväljer den inte", skrattade Tanja.

I samma ögonblick öppnades dörren. Berit Geber blev stående och betraktade döttrarna som satt tätt intill varandra i sängen och skrattade samma ljusa skratt.

Tanja och Karen. Bilden stämde inte. Hon tyckte inte om den men insåg med förnuftet att hon borde göra det. Förr hade det varit Tanja och Therese, och Karen ensam.

Hon log ett litet hastigt leende. "Sitter ni här", sa hon. Det var ingen fråga, bara ett konstaterande.

Tanja såg på henne och log försiktigt. Hon var inte säker på om de gjorde något fel när de satt och skrattade så här. Modern hade mörkblå byxor och en småblommig blus på sig. Höftpartiet och låren var kraftiga. Tanja fick inte bli sådan. Modern suckade. "Nu kommer mormor snart", sa hon.

"Bra", sa Tanja och Karen samtidigt. Men de visste allihop att det inte var så bra. Modern förändrades när mormodern var med, blev ännu mer spänd.

"Vi ska ha trevligt när mormor kommer", sa hon. "Ni får lov att hjälpa mig."

"Ja", nickade de.

Modern såg på dem och insåg att hon hade förlorat dem. Inte nu, men för länge sedan. De hade dragit sig undan. Hon visste inte när det hade skett, eller hur. Bara att det hade skett. De satt intill varandra med sina fyra ögon fästa någonstans ovanför huvudet på henne. De betraktade henne som om hon var en tavla de inte förstod. Hon hörde det främmande bruset från dem. De påminde om en snäcka. Två systrar i en. Det skrämde henne.

324

Snäckan var glatt och kylig. Den hade kanter av marmor som vred sig i spiral allt längre inåt mot det stora bruset.

ANNANDAG JUL FICK Cato Isaksen veta att modern hade varit hos Sigrid och Hamza på julafton. Det var Sigrid som ringde och berättade det. Cato Isaksen reste sig och vände ryggen mot Asle Tengs. Han reagerade med vrede. Han tyckte de var fräcka.

"Men hon hade trevligt", sa Sigrid. Hon lät ledsen och förvånad över exmannens starka reaktion.

"Hamza är muslim, han firar inte jul", sa han hårt i luren.

"Jo då", sa hon, "han gör det för Georgs skull. Det var hans idé att hämta Gyda. Han tycker tydligen att det är illa att hon sitter ensam så mycket. Jag trodde du skulle bli glad. Så slipper du ägna dig så mycket åt henne", sa hon.

Ingeborg Myklebust var frustrerad över att inga framsteg hade gjorts i fallet. "Något måste ni väl ha kommit fram till", sa hon och såg på Cato Isaksen som om han var en skolelev. "Det är nästan så att jag får lust att hugga i själv", sa hon och kavlade demonstrativt upp ärmarna på den mörkgröna jumpern. "Hur var det med Carlos de Silva och det där våldtäktsförsöket?"

Cato Isaksen, som hade varit ute i lunchrummet och hämtat en mugg kaffe ur kaffeautomaten, tittade skarpt på henne.

"Han säger att det bara var dumheter. Tanja vill inte prata om det. Över huvud taget." Han ryckte på axlarna. "Vilken relevans tror du att det har för fallet? Carlos de Silva har alibi för det första mordet. Då befann han sig i Spanien."

Ingeborg Myklebust suckade tungt.

"Vad gäller Ivar Hansen, Carlos bror…"

"Han som bor på Blakstads sjukhus?" avbröt Randi.

Cato Isaksen nickade. "De har granskat hans alibi och … tja, ingen hade lagt märke till att han skulle ha avvikit vid tidpunkten då Therese Geber mördades, men de kunde heller inte utesluta det, sa de."

"Har de inte ordning på någonting där ute?" frågade Ingeborg Myklebust irriterat.

"De har en massa extrapersonal", sa Cato Isaksen, "men de sa att han med åttio procents säkerhet var där."

Asle Tengs kunde berätta att kvinnan i familjen där Ida Henriksen suttit barnvakt hade ringt. "Hon framförde sina ursäkter för att hon hade beskyllt henne för att ha stulit en glasvas. Det visade sig att mellansonen hade haft sönder den och gömt skärvorna någonstans i källaren."

Ingeborg Myklebust såg ännu mer frustrerad ut.

"Jag har skrivit ner några punkter", fortsatte Asle Tengs, "lösa tankar och idéer."

"Det är viktigt att ta fasta på det som finns att ta fasta på", sa Ingeborg Myklebust uppskattande.

Cato Isaksen kände modlösheten breda ut sig i kroppen. Dörren öppnades och Roger Høibakk kom släntrande in i rummet. Han drog kammen snabbt genom håret, stoppade ner den i fickan, hälsade och satte sig.

"Jag får väl hämta kaffe som vanligt", sa Randi Johansen och reste sig.

"Nej", sa Ingeborg Myklebust med hög röst. "Det kan Roger göra."

"Jag?" Roger tittade på henne och flinade. Sedan reste han sig och släntrade ut ur rummet igen.

Cato Isaksen var skamligt medveten om att det var han som borde ha skrivit den sammanfattande rapporten och delat ut den.

Om det inte hade varit för att Tengs var en hygglig prick skulle han ha blivit sur på honom. Nu noterade han bara att han hade kommit till korta.

Iakttagelserna skilde sig inte mycket från de rapporter han själv hade skrivit. Det var en modstulen skara som satt runt bordet. Cato Isaksen samlade ihop papperen och lade ner dem i sin mapp. Han reste sig, redo att gå. Ett ljud utanför dörren fick honom att vända sig om. Men ljudet försvann igen. Dörren öppnades, och Roger Høibakk kom in i rummet, balanserande en bricka med kaffemuggar.

SNÖDRIVAN SÅG UT som ett spetsmönster. Ivar Hansen drog täckjackan hårdare om sig och sparkade försiktigt i drivan med foten. Det var kallt. Svarta pappersrester och några pinnar efter nyårsraketer låg strödda över lekplatsen. Det var söndagen den 3 januari. Han stod framför höghuset. Det var alldeles tyst, som om världen inte riktigt hade förstått att det nya året hade börjat.

Några högljudda barn åkte kana i den lilla backen.

Ivar Hansen hade varit uppe och ringt på hos flickorna, men ingen hade öppnat. Dörren var en enda stor, avvisande tystnad. Han lade örat mot den och lyssnade. Han trodde att Tanja kanske bodde där ensam.

Han hade gått från Blakstad. Han lyckades lura dem nästan varenda gång. Han låtsades som ingenting, men han var hela tiden mindre dum än vad de trodde. De kunde inte hålla ögonen på honom hela tiden. För han var inte farlig.

Det var kallt ute. Skuggorna hade legat som blå fingrar i skogen. Han hade varit uppe hos modern. Men hon ville inte prata med honom. Hon ville inte ens öppna dörren. Hon ropade till honom genom fönstret. "Åk tillbaka till anstalten igen."

Men han ville inte ge sig tillbaka än. Han hade fortsatt vidare längs Røykenveien, över bron och förbi husen i Borgen, förbi parkleken, som var stängd. Längs gångvägen och upp igen till Hagaløkka. Det var en bra bit att gå. Men han tyckte om att gå. Fast nu var han trött. Han var hungrig också. Han kände hur vreden började stiga inom honom. Ingen ville prata med honom.

Han hade inte stått ut i sitt rum längre. Han hade ägnat julen åt att förbereda sig. Han hade läst om sin situation. Han hade lärt sig den ena definitionen efter den andra. Det fanns många sätt att beskriva ett tillstånd på. Han tyckte om att manipulera läkarna. De förstod inte alltid hur han kunde ha sådan insikt. Han briljerade inför dem, tyckte om att förmedla tankar om sitt ego. Om hur eller varför han hade blivit som han hade blivit. En psykiater hade kallat honom utstuderad, en annan ville inte behandla honom längre. Han log för sig själv. Idioter, det var vad de var allihop.

Varför öppnade inte Tanja?

Han lade huvudet bakåt och ropade upp mot balkongen och fönstret. Han ropade att han ville prata med henne.

Han vände sig om och tittade upp mot Franks fönster. Fastighetsskötaren var ett slags vän. Han kände Carlos. Ivar hade varit och hälsat på honom i sällskap med Carlos. Han gillade Frank. Ivar kunde tänka sig att själv bli fastighetsskötare en dag. Det var ett arbete som han visste att han skulle klara av. Han var stark som en björn. Han kunde bära saker och hjälpa gamla damer, skotta snö och byta glödlampor. Det var ett arbete som vilken idiot som helst kunde klara av.

Tanja hade kysst honom en gång, inte på munnen. På kinden. Han hade försökt vrida sig, så att hon skulle kyssa honom på munnen, men då hade hon skrattat. Och han hade skrattat, och de andra hade skrattat. Men hon ville inte kyssa honom på munnen.

Han sparkade irriterat i snödrivan ett par gånger till och kikade upp mot fönstret. Tanjas sovrumsfönster. Det blev rött inuti honom när han tänkte på henne. Men sedan blev det svart.

Han tittade bort på barnen som lekte på lekplatsen. Det var en pojke och en flicka. De var små. Han tyckte inte om små barn. Man visste liksom aldrig var man hade dem. Ibland kändes det som om de var starkare än han. Om det var något som provocerade honom så var det känslan av att känna sig underlägsen. Han visste det. Terapeuten hade sagt att han skulle försöka undvika sådana situationer. Vilket han också gjorde. Men ibland var det nästan omöjligt. Ibland blev det bara så att saker och ting hände i en bestämd ordningsföljd. Man kunde inte styra allting här i livet.

MÅNDAGEN DEN 4 JANUARI infann sig Karen Geber på polishuset vid avtalad tid. Hon skulle ha kommit tidigare men hade haft fullt upp med slutskrivningar i skolan. Hon anlände i sällskap med fadern, som fick sitta och vänta i en sittgrupp ute i korridoren. "Jag är ledsen", sa Cato Isaksen, "men faktum är att vi helst vill tala med henne i enrum."

"Ja, ja", sa Rolf Geber buttert, "det går väl an." Men hela hans kroppshållning visade att han inte tyckte om det.

Karen Geber var sexton år. Hon hade gemensamma drag med både Therese och Tanja, men det var nog Tanja hon påminde mest om, även om hon var litet kraftigare. Hon hade klassiskt vackra drag och var strikt klädd i blå långbyxor och en elegant täckjacka.

"Det blir kanske varmt", sa Cato Isaksen med en nick mot jackan.

Karen Geber drog ner blixtlåset.

"Är det något du vill ha?" frågade kommissarien och nickade åt Randi, som tyst kom in i rummet.

"Nej, tack", sa Karen Geber lågt.

"Jag hoppas du förstår att det här bara är en formalitet", sa Cato Isaksen lugnande.

Flickan på stolen skrapade med ena foten i golvet. "Javisst", sa hon.

"Vi förstår mycket väl att det är svårt för dig", sa Randi Johansen, "efter allt du har gått igenom."

Karen Geber började gråta tyst.

Randi rev av en bit av hushållspapperet som låg i den översta skrivbordslådan och räckte det till henne.

"Mår du bra?" frågade Cato Isaksen försiktigt.

Karen Geber tittade hastigt upp på honom. "Jag förstår inte vad ni vill att jag ska säga", sa hon. "Jag vet ingenting."

"Det förväntar vi oss inte heller."

Karen Geber krängde av sig den tjocka jackan och drog ner tröjärmarna över handlederna.

"Har du ett bra förhållande till din mamma?" frågade Cato Isaksen.

Karen Geber nickade snabbt. "Ja, *jag* har det", sa hon.

"Men inte Tanja?"

"Jo, *Tanja* har det", sa Karen Geber buttert.

"Vi vet att Therese var i opposition mot det mesta", log Cato Isaksen avväpnande, "vi fäster inte så stor vikt vid det."

Karen Geber svarade inte.

"Din pappa, då?"

"Han är inte hemma så ofta. Han reser väldigt mycket och jobbar hela tiden. Fast ..." – hon drog litet på det – "han har ändå en himla koll på allt vi gör. Vi får liksom inte göra så mycket."

"Det är väl inte så lätt att vara pappa till tre, förlåt, två flickor, kan jag tänka", sa Cato Isaksen.

Karen Geber såg på honom. "Du är Gards pappa, eller hur?" frågade hon.

Cato Isaksen skruvade nervöst på sig på stolen. "Ja", sa han snabbt. "Känner du honom?"

Karen Geber ryckte på axlarna. "Jag känner Mongo", sa hon, "och Tone."

"Tone?"

"Hans flickvän."

"Mongos flickvän?"

"Nej, Gards. Hon är syster till Marius, som är ihop med Tanja."

Cato Isaksen skämdes över att vara så ovetande. Han tog sin chans. "Vad tycker du om den här Tone, då?"

Karen Geber såg på honom. "Vet du inte vem hon är?" frågade hon förvånat.

"Jag vill gärna höra din uppfattning."

Hon fixerade honom med sina blå ögon. "Hon är en toppentjej", sa hon. "Hon går i min klass. Hon är duktigast av alla."

Cato Isaksen kände en röd glädje rusa genom kroppen. Han svalde ett par gånger. "Då återgår vi till din pappa", sa han en aning barskare än han hade avsett.

Karen Geber suckade. "Han följer efter oss", sa hon, "när det är fest och så. Han spionerade på tvillingarna till att börja med, när de hade flyttat. Han var fly förbaskad på dem. I synnerhet på Therese, eftersom han ansåg att alltihop var hennes fel."

"Vad var det som var hennes fel?"

"Ja, att de hade flyttat och så. Han tyckte att de var för unga. Det tyckte mamma också. Jag är glad över att det inte var Tanja."

"Att det inte var Tanja som dog, menar du?" frågade Cato Isaksen allvarligt.

Karen Geber skruvade sig på stolen. "Ja", sa hon.

"Det är väl ganska vanligt med konflikter när barnen blir tonåringar", sa Cato Isaksen.

"Jovisst", sa Karen Geber, "men vissa föräldrar är liksom inte så gammalmodiga som våra. Mamma tänker ju bara på Gud och så. Det blir liksom litet speciellt."

"Och din pappa?"

"Han är inte sådan."

"Hurdan är han, då?"

"Tja, han jobbar ganska mycket, men egentligen är han okej. Får de veta vad jag säger?"

"Dina föräldrar, menar du?"

"Ja."

"Nej då." Cato Isaksen skakade på huvudet. "Det här är inte så viktigt, men vi försöker skapa oss en bild, förstår du, ett slags överblick."

"Och då kan minsta detalj vara väldigt viktig", sa Randi och log, "men vi berättar ingenting av det här för dina föräldrar."

"Bra", sa Karen Geber lättat och fortsatte: "Mamma är ganska okej hon också, men hon är litet besvärlig ibland. Hon vill oss bara väl, men hon får oss liksom att känna oss … misslyckade … elaka. Ja … på sätt och vis i alla fall."

"Därför att ni inte är kristna?"

Karen Geber ryckte på axlarna. "Litet kristna är vi väl … på sätt och vis. Vi är ju vana vid att vara med i kyrkan och så. Jag konfirmerades i fjol och tyckte det var fint. Jag tror på sätt och vis på Gud. Men man kan ju … ha litet roligt i alla fall. Och dansa och så."

"Det tycker din mamma inte om?"

"Nej." Karen Geber skakade på huvudet.

"Har du bra kontakt med Tanja?"

"Ja", sa Karen och log försiktigt, "väldigt bra. Hon säger att vi kanske kan flytta ihop. Skaffa oss en egen lägenhet."

Cato Isaksen betraktade henne medan hon pratade. Hon verkade avspänd.

"Vad säger dina föräldrar om det, då?"

"Å, är du galen, de har ingen aning om det. Mamma kommer att … ja. Jag är ju bara sexton", avslutade hon med en sorgsen blick upp på honom.

VÄNNERNA SYNADES PÅ NYTT i sömmarna. Den här gången ännu grundligare. Sådant var utredningsarbetet. Upprepning in i det absurda. Den här gången sökte utredarna även upp vännerna i deras hem.

Mongo bodde tillsammans med modern och styvfadern i en trerummare, en källarlägenhet i Borgen. Det avlånga huset låg alldeles i början av Huldreveien, några hundra meter från huset där Stine Marlen Kvarme bodde.

Han var inte inne när Cato Isaksen och Roger Høibakk tittade in på väg från Gullhella och Idas mor, Agnes Hansen.

Mongos styvfar var i trettiofemårsåldern, en mager, aningen vek man med ansiktet fullt av ärr efter acne. Han var prydligt klädd i ljusblå skjorta och jeans. På fötterna hade han tofflor. Det luktade kakbak i lägenheten, och Cato Isaksen bad om ursäkt för att de kom oläglig.

Styvfadern skakade på huvudet och sa att de naturligtvis var välkomna.

"Stig på bara", sa han vänligt.

En mörk, fyllig kvinna kom ut ur köket. Hon kunde inte vara längre än en och femtio. Hon var strax över fyrtio. Hon torkade av händerna på förklädet och hälsade allvarligt på dem. "Lone Vogel", sa hon med tydlig dansk accent. "Jag ska inte ta i handen, jag är kladdig av kakdeg."

Cato Isaksen presenterade sig och Roger Høibakk och talade om att de kom från Oslopolisens mordrotel.

"Det är hemskt med de här flickorna", sa hon. "Och så Stine

336

Marlen." Hon såg bedrövad ut. "Vi kände henne inte, men vår äldsta dotter har lekt med henne några gånger."

"Vi är livrädda för våra båda", sa styvfadern bittert. "De får inte vara ute en sekund ensamma."

Två småflickor kom skuttande ut ur köket. De var söta, med bruna ögon som var en aning sneda. De hade röda rosor på kinderna. De kunde inte vara mer än tre fyra år gamla. De hade blommiga förkläden över de röda strumpbyxorna. Den äldsta hade kakdeg på kinden och på händerna. Den yngsta hade smör i luggen.

"Det här är Maria och Celine", sa pappan stolt, "våra gemensamma döttrar", tillade han med ett leende.

"Ja, Rudolph är min son", sa Lone Vogel och visade in utredarna i det mörka vardagsrummet. Hon bad dem slå sig ner i den blå soffan och plockade undan några tidningar som låg i en hög på bordet.

"Rudolphs pappa …", började Cato Isaksen, "bara för formalitetens skull", sa han.

Lone Vogel, som hade satt sig längst ut på en stol med de kladdiga händerna i knäet, såg sorgset på honom. "Ja", sa hon, "han bor på något härbärge inne i stan. Jag vet inte riktigt var. Han heter Hans Egil Johnsen. Jag har inte träffat honom på minst fem år. Rudolph tror att han är i Canada." Hon ryckte på axlarna. "Jag vet att jag borde ha sagt sanningen till honom, men det är bättre så här."

"Han är ingen bra människa", suckade styvpappan. "Tyvärr."

Småflickorna hade börjat slåss ute i köket. Nu tjöt de ikapp, och pappan reste sig och log ursäktande. "Barn", sa han uppgivet.

Cato Isaksen satt och betraktade Lone Vogel. Han önskade Roger Høibakk dit pepparn växte. Det fanns några saker han gärna skulle vilja nämna för henne. Mongo hade suttit bredvid Gard på Therese Gebers begravning. Kanske rörde de sig i samma kretsar. Eller, rättare sagt, hade rört sig i samma kretsar. Han ville gärna lita på Gard när han sa att han hade brutit med de gamla vännerna. Kanhända använde Mongo droger.

Som om Roger Høibakk kunde läsa hans tankar reste han sig plötsligt och bad att få låna toaletten.

När dörren slog igen om honom frågade Cato Isaksen rent ut om modern misstänkte att sonen använde droger.

Lone Vogel såg ut som fallen från skyarna.

"Droger, Rudolph?" Hon log nervöst. "Han avskyr droger", sa hon. "Han pratar ofta om det. Hur idiotiskt och fördummande det är. Han dricker nästan inte heller", sa hon. "Rudolph är världens bästa pojke."

"Och du litar på honom?"

"Naturligtvis", sa hon indignerat.

Cato Isaksen gav henne ett snabbt leende. "Bra", sa han.

Roger Høibakk kom tillbaka från toaletten. Och styvpappan och de båda småflickorna kom ut ur köket.

HAN SPÄNDE UPP DRÖMFÅNGAREN mellan två stolar. Han hade flätat in Ida Henriksens hår i en skinnremsa tillsammans med fem färgade pärlor. Han svettades. Han visste plötsligt inte om drömmen fanns i drömfångaren eller om drömfångaren fanns i drömmen. Men han kände igen symtomen. Oron som värkte i kroppen. Han visste att han måste fullfölja det arbete som han hade påbörjat. Nu var det bara en kvar.

För en timme sedan hade han hjälpt en gammal kvinna att bära upp ett bord. Det var för stort för att hon skulle få in det i hissen. Hon hade ringt på och bett honom om hjälp. Han hade lyft tills det värkte i ryggen. Han förbannade den gamla kvinnan. Efteråt, när han skulle gå upp till sig, hade hon givit honom en chokladask till tack. Han tog vänligt emot den och sa att det var alldeles för mycket. Han såg på den gamla kvinnan i dörröppningen. Han såg in, bakom henne. Bortom den gamla kvinnan skymtade han en brun aura. Det var döden.

Han mindes indianen som hade sålt drömfångaren till honom. Han hade stått bredvid ett skjul i rosa och gult. Han hade varit klädd i jeans, rutig skjorta och joggingskor. På huvudet hade han haft en vit keps. Ur en liten radio strömmade enkel popmusik.

"Det är en kopia", hade han sagt och skakat på huvudet. "Riktiga drömfångare hittar man inte längre. De antika kostar en förmögenhet."

"Men fungerar den, då?" Han hade stuckit in fingrarna mellan remsorna med pärlor och fjädrar. Han hade hållit upp den till näsan och luktat på den.

"Det är äkta skinn", hade indianen sagt. "Och den fungerar, om man vill att den ska fungera." Han hade kastat huvudet bakåt och skrattat. "Den fungerar, visst fungerar den."

Den jeansklädda indianen hade sagt att drömfångaren speglade styrkan i livet och tiden. Det finns en tid för allt, inte sant? Han hade knäppt med fingrarna och visat hela den blänkande vita tandraden. En av framtänderna var avslagen. "If you listen to the good forces, they'll steer you in the right direction. But, if you listen to the bad forces, they'll steer you in the wrong direction and hurt you. The spider speaks." Han hade tagit ifrån honom drömfångaren och brett ut den och visat honom att den påminde om ett spindelnät. "Look at this perfect center with a hole in it. You see?" Han hade lett stolt. "Buy it, Mister. You won't regret."

"Drömfångarens ursprung kan spåras så långt tillbaka som till när ordet var nytt", sa en gammal kvinna. "Och det är länge sedan", sa hon och skrattade med sina svarta, torra läppar. Färgstrimmorna i hennes ansikte påminde honom om en karta.

Han hade köpt drömfångaren och senare också fått veta att hålet i mitten fanns där för att de onda drömmarna skulle rinna igenom det och försvinna. Och redan då hade han vetat att han skulle komma att göra dumheter. Ja, han hade egentligen bestämt sig där och då. Därför att världen där nedifrån fick ett helt annat perspektiv. Han ville det goda men visste att han måste igenom det onda för att nå dit.

Drömfångaren var vacker. Men den hade en kraft som skrämde honom. Den hade en tusen år gammal makt. Pärlorna visade styrka. Och i fjädrarna låg ondskan gömd.

BENTE ISAKSEN VISSTE INTE vad hon skulle ta sig till. Hon måste ge sig i väg till kvällspasset om en och en halv timme, och Cato hade inte kommit hem som han hade lovat. Det var lördagen den 16 januari, och klockan var halv två. Efter en tämligen häftig diskussion för ett par dagar sedan hade Cato till sist kapitulerat och lovat att lägga om stil när det gällde barnen. Han höll med om att han ägnade för litet tid åt dem alla tre men att det var mest märkbart när det gällde Georg. "Jag vet inte vad Sigrid skulle ha sagt om hon hade vetat att det var mig pojken var hos och inte dig", hade Bente sagt spydigt.

Han hade givetvis kommit med de sedvanliga undanflykterna, att de snart skulle vara klara med fallet, att det verkligen kunde anas en ljusning. Det gällde bara en kortare tid. Men Bente visste att det inte var sant. När ett fall var uppklarat stod ett nytt för dörren.

"Dessa förbannade mord", mumlade Bente för sig själv och klädde på Georg och gav honom en smörgås i handen.

"Vi ska åka till pappa", sa hon vänligt. "Du och jag."

"Till Hamza?" frågade pojken och tittade allvarligt upp på henne med sina klara ögon. Han tuggade på det halvtorra brödet och hade redan hunnit smula ner en stor del av hallgolvet.

"Nej, till pappa", betonade Bente och gav honom en klapp på kinden. "Kom, vännen min", sa hon och räckte honom handen.

Hon fumlade när hon skulle fästa barnstolen ordentligt. I bilen in mot stan sjöng de alla visor de kunde komma på. Pojken var verkligen duktig på att sjunga, och Bente smålog mot honom i backspegeln. "Du är duktig", sa hon, "jätteduktig."

"Ja", sa Georg. Mössan hade glidit ner över ögonen på honom, och han kämpade för att peta upp den igen.

De körde förbi Sandvika. "Och så har du fått en sådan fin baby", fortsatte Bente.

"Hon får sitta i sele på mammas mage, det får inte jag", sa han.

Bente skrattade. "Du är ju så stor du, Georg", sa hon.

"Nej", sa han, "jag är inte så stor. Två båtar", sa han och pekade ut mot vattnet.

"Ja", sa Bente, "på sommaren finns det många båtar här."

"Ja", sa Georg, "med segel."

Cato Isaksen satt mitt i ett möte när han kallades ut till receptionen. Du har besök, fick han veta.

"Jag är tillbaka om en minut", sa Cato Isaksen och gick irriterat mot dörren.

Ingeborg Myklebust reste sig och gick runt till andra sidan bordet för att titta på brevet som Roger Høibakk just hade fått från TV 3.

"Klart att vi måste testa det", sa hon, "vi har ju ingenting att förlora."

De andra instämde; i synnerhet Asle Tengs påpekade att de så sent som för en månad sedan hade fått in många värdefulla tips efter att ha deltagit i programmet Efterlyst. "Jag tror att de har fått tag i rånaren. Han med penningtransporten."

Bente stod och pratade med receptionisten när han kom ut i korridoren. Georg stod bredvid henne och hoppade upp och ner. På fötterna hade han de blå, litet för stora allvädersstövlarna som han hade ärvt efter Vetle.

Bente fick syn på sin äkta man och vände sig mot honom.

"Hej", sa hon, påtagligt vänligt.

"Hej", sa han medan det sakta gick upp för honom vad han hade att vänta.

"Du kom ju inte som vi hade kommit överens om", sa hon lugnt, "så då tänkte jag att det kanske var bättre att överlämna Georg här inne."

"Jaha", sa han kort och undvek receptionistens nyfikna blick.

"Ja, för jag ska ju börja jobba om trekvart", sa Bente. "Och då var väl det här den bästa lösningen, eller hur?"

Cato Isaksen betraktade henne. Han försökte bevara sitt lugn. "Men jag kommer inte ifrån än på en stund", sa han.

"Nehej", sa Bente och började dra på sig handskarna. "Han har ätit en smörgås", sa hon, "men han blir säkert hungrig igen om någon timme."

Cato Isaksen stod kvar och stirrade efter henne när hon gick. Georg, som hängde i armarna i receptionsdisken, ramlade plötsligt ner och slog pannan i golvet med en ljudlig duns. Han började ögonblickligen tjuta.

Cato Isaksen kände raseriet välla genom kroppen.

"Fan ta henne för det här." Han gick bort till Georg och lyfte upp honom. Pojken drog ett djupt andetag för att samla krafter till ett nytt illtjut.

Ingeborg Myklebust stack ut huvudet genom dörren. "Vad är det som pågår här?" frågade hon och fick syn på Cato Isaksen som satt på huk och tröstade en liten pojke.

"Ingenting", sa han i lätt ton. "Absolut ingenting", log han och kom emot henne med pojken på armen.

Allihop stirrade på honom när han kom tillbaka in i rummet. Pojken tjöt fortfarande, och blankt snor rann i strida strömmar ur näsan på honom.

Randi Johansen hämtade en rulle hushållspapper. Cato Isaksen tog emot papperet och torkade av det mesta av snoret. Men han blev ändå kladdig på halsen när pojken generat tryckte ansiktet mot honom för att gömma sig. "Jag vill inte", skrek han.

"Vad är det du inte vill?" frågade Cato lågt. "Vad då?"

"Vill inte", sa pojken en gång till och sparkade så hårt han kunde med de smutsiga allväderssstövlarna. Cato Isaksen satte irriterat ner sonen på golvet.

"Jösses", sa Roger Høibakk och flinade.

Ingeborg Myklebust hade gått bort till fönstret och öppnat det. Nu stod hon och blossade på en cigarrett. Hon var ursinnig. Asle Tengs, som hade ett barnbarn i ungefär samma ålder, frågade om pojken ville rita en fin bil som de kunde hänga på väggen som prydnad.

Georg funderade ett ögonblick. Han tittade skeptiskt på den äldre utredaren och slickade bort resten av snoret som hade samlats kring munnen på honom.

Asle Tengs reste sig och tog fram papper och blyertspenna ur en av lådorna i Cato Isaksens skrivbord.

"Jösses", sa Roger Høibakk en gång till.

"Och hans mamma?" Ingeborg Myklebust hade fimpat cigarretten på ett kaffefat.

"Hon är inte här nu", sa Cato Isaksen snabbt och tittade bort på Randi, som hjälplöst ryckte på axlarna.

Georg fick papperet och två pennor och blev upplyft på en stol av Asle Tengs. "Så där ja", sa han, "nu kan vi fortsätta."

Utredarna slog sig ner runt bordet igen. Georg började rita.

"Okej", sa Cato frustrerat, "låt oss pröva med TV 3."

"Du ställer upp som representant för oss?" Ingeborg Myklebust såg på Cato Isaksen. "Det är du som är chef för utredningen."

"Visst, gärna det", sa Cato Isaksen.

"Det här är ingen bil", sa Georg och sneglade upp på Asle Tengs medan han fortsatte rita.

"Jaså, vad är det då?" Den jovialiske utredaren log ner mot pojken.

"Det är korv", sa han, "med ketchup."

Roger Høibakk började skratta. "I helskotta heller", sa han.

"Men hinner de filma rekonstruktionen så snabbt?" frågade Ingeborg Myklebust.

Randi Johansen lutade sig fram över bordet. "Det kommer inte att sändas på TV förrän om några veckor", sa hon. "Det tar ju litet tid att spela in båda morden. Eller att rekonstruera dem, menar jag."

"Det finns inte särskilt mycket att rekonstruera", sa Cato Isaksen. "Vi vet ju egentligen ingenting."

"Det är en stor korv", sa Georg och pekade på sin teckning. Sedan körde han upp ett finger i näsan. "Det är en McDonald's-korv", sa han och skruvade sig rastlöst på stolen.

"Sitt still", sa Cato Isaksen från andra sidan bordet. Men Georg sköt ut stolen han satt på från bordet och visade tydligt att han ville ner. Asle Tengs tog honom leende i överarmen och hjälpte honom ner på golvet. "Pappa är dum", sa Georg.

"Fy fan", sa Roger Høibakk lågt och tog upp sin kam igen.

Utredarna enades om att Asle Tengs skulle kontakta TV-teamet för en närmare genomgång. Han skulle ta ansvaret för att rekonstruktionerna blev så korrekta som möjligt.

Dörren öppnades och Preben Ulriksen kom in. "Hej", sa han, "jag kommer direkt från…"

Georg hade gått bort till fönstret. Han drog med sina små fingrar över värmeelementet. "Varmt", sa han och tittade på fadern, som satt och bläddrade i några papper.

"Varmt", ropade han ännu högre.

Preben Ulriksen stirrade förundrat på pojken.

"Det är Catos", sa Randi och gav honom kopior av utkastet till inslaget i Efterlyst på TV 3.

"Jaså", sa Preben Ulriksen. Han satte sig och fördjupade sig i papperen.

När mötet var avslutat kom Ingeborg Myklebust bort till Cato Isaksen och sa att hon tyckte det var märkligt att pojkens mamma bara hade lämnat ungen till honom när han var mitt uppe i ett så besvärligt fall. "Jag hoppas verkligen att hon förstår allvaret i det vi sysslar med", sa hon. "Att hon respekterar det du håller på med."

"Ja", sa Cato Isaksen spänt. "Det gör hon faktiskt", tillade han.

Roger Høibakk kom bort till dem. "Var det mamman som lämnade honom, jag trodde det var din fru", flinade han, klappade sig muntert på bakfickan och försvann ut ur rummet. Sedan stack han in huvudet igen. "Nej förresten, hon är väl kanske inte din fru längre. Ni är väl skilda?"

Cato Isaksen mötte Ingeborg Myklebusts allvarliga blick.

"Roger är en skitstövel", sa han och lyfte upp pojken, som klängde sig fast vid hans ena ben. "Jag vill ha läsk", sa Georg och tittade upp på sin pappa. "Nu", sa han. "En stor, med sugrör. Och en sådan där Musse Pigg-leksak som de har på McDonald's. En sådan där med smala ben och öron som går att vrida fram och tillbaka."

HUSET VAR EN GAMMAL VILLA i schweizerstil med träsniderier utmed takskägget och ovanför fönstren. Bara en väg och några åkrar skilde huset från Askers kyrka. På avstånd kunde man även här höra dånet från motorvägen.

Trävirket hade sannerligen behövt ett par lager färg. Trädgården såg mer eller mindre ut som en vildmark under det tunna snötäcket. Spretiga buskar och gulbruna blomstjälkar stack upp ur rabatterna utmed väggen. Ett gammalt bilvrak stod parkerat på gårdsplanen. Ett fallfärdigt garage fullkomnade bilden.

Cato Isaksen rörde sig försiktigt på det hala underlaget. På armen hade han Georg. "Om du är snäll nu", sa han och gav honom en puss på kinden, "ska vi gå till McDonald's efteråt, du och jag. Men jag måste prata med några personer först."

"Ja", sa pojken, "bara du och jag, inte Vetle. Och så får jag en sådan där Musse Pigg med smala ben."

Cato Isaksen log. "Ja", sa han.

Georg skrattade och sparkade lyckligt med benen.

"Men då får du inte krångla." Cato Isaksen böjde sig fram och satte ner pojken på förstukvisten. "Om du krånglar blir det inget McDonald's, har du förstått?"

"Okej", sa Georg kavat.

Det lyste ur köksfönstret, men för övrigt vilade huset i mörker. Dörrklockan gav ifrån sig ett svagt, dämpat ljud. En hund började genast skälla inne i huset. Georg sträckte sig på tå för att ringa på han också.

"Nej", sa Cato Isaksen. "En gång räcker."

"Okej", sa Georg, vände sig om och tittade på den gamla bilen. "Den kan inte köra", konstaterade han och böjde huvudet bakåt för att titta upp på fadern. En genomskinlig rand av snor rann ur ena näsborren på honom.

"Nej", svarade Cato Isaksen, "den kan inte köra."

Det var Hanne Marie Skage själv som öppnade dörren. En vit katt slank ut mellan benen på henne. Cato Isaksen blev lika överväldigad varje gång. Han kände sig illa berörd vid anblicken av den tjocka flickan. Hennes blick flackade. Anletsdragen försvann liksom in i det feta ansiktet.

Hanne Marie kände genast igen den taktiska utredaren. En häftig rodnad spred sig över det fräkniga ansiktet. "Har det hänt något mer?" frågade hon oroligt.

"Nej då." Cato Isaksen log och bad om ursäkt för att han hade med sig sin son. "Hoppas det går bra", sa han och frågade om han bara kunde få ställa några frågor till henne. "Jag har varit hos alla de andra också", sa han för att lugna henne.

"Det är en gammal bil", sa Georg.

När den inre dörren öppnades passade en fågelhund lyckligt på att slinka ut. Den var svart- och vitfläckig. Den viftade på svansen och snodde runt och bar sig åt och ylade av lycka. Georg blev slickad i ansiktet. Han skrattade högt och försökte värja sig med sina små händer.

"Herrejisses", sa Hanne Marie Skage trött och tog hunden i nackskinnet.

Det var kanske inte så dumt att ha med Georg ändå. Ingenting verkade lika allvarligt med pojken i närheten.

Georg kunde knappt stå still av iver att få klappa hunden igen.

Hanne Marie log. Det var första gången Cato Isaksen hade sett henne le. Hon var riktigt söt när hon log. Hela hennes ansiktsuttryck förändrades. "Den är inte farlig", sa hon och tvingade hunden att sitta fint.

En liten, krokryggig man med rutig skjorta och hängslen kom ut genom en dörr inne i den stora, dunkelt upplysta hallen. Han tittade nyfiket på Cato Isaksen och pojken. Det såg ut som om han hade sovit. Utredaren presenterade sig och förklarade snabbt sitt ärende. Han ursäktade sig även inför mannen över att ha varit tvungen att ta med sig barnet. Hanne Maries far bevärdigade emellertid inte pojken med en blick utan hävde raskt ur sig en harang om hur förskräckligt det var, allt det där med morden. "Vi har allt funderat en del", sa han på klingande vestlandsdialekt. "Hanne Marie går väl inte säker, hon heller." Han såg skarpt på utredaren. "Flickungen vågar nästan inte gå ut", sa han.

"Ni har blivit erbjudna bevakning", sa Cato Isaksen.

"Ja, bevakning. Det är väl också litet väl dramatiskt."

Hunden gnällde ljudligt och vägrade lugna ner sig. Hanne Marie höll fortfarande ett stadigt tag i nackskinnet på den, men hunden darrade i hela kroppen av återhållen nyfikenhet. Georg gömde sig bakom faderns byxben och pep av förtjusning när djuret nästan nådde fram till honom med nosen.

"Ta honom härifrån, Hanne Marie", sa fadern bestämt. "Stäng in honom i skrubben."

"Vem är det, Halvor?" En grov kvinnoröst ropade inifrån vad som måste vara vardagsrummet.

Hanne Marie stängde in hunden i en liten skrubb bredvid dörren in till ett stort, gammaldags kök.

Den grova rösten upprepade frågan. "Vem är det?"

Halvor Skage stack in huvudet genom vardagsrumsdörren och meddelade lugnt på sin sjungande dialekt att det var polisen.

"Polisen? Vad är det nu?" frågade rösten oroligt.

"Det är bara några rutinfrågor", upprepade Cato Isaksen och såg på Hanne Marie, som verkade uppenbart illa till mods.

"Säg det till henne själv." Halvor Skage öppnade dörren helt, och Cato Isaksen steg in i vardagsrummet. Georg klängde sig fast vid hans hand.

Den stora kvinnan liknade ingenting han tidigare hade sett. Hon satt i en fåtölj borta vid fönstret. Hon var grotesk. De feta benen såg ut som timmerstockar i de nedkippade tofflorna, och dubbelhakorna var så många att de gick i ett med bröstet.

Det fanns nästan ingen belysning i rummet, men ingen föreslog att de skulle tända fler lampor. Georg drog fadern i armen och sa att han ville ut igen, men Cato Isaksen böjde sig ner och sa att han skulle vara snäll och drog med sig pojken bort till jättekvinnan i fåtöljen.

Han sträckte fram handen. "Kriminalkommissarie Cato Isaksen vid mordroteln i Oslo. Det är jag som är chef för utredningen", sa han.

Kvinnan tog hans hand. Utredaren lade märke till att klockan runt hennes handled nästan inte var synlig för allt hull som vällde ut på båda sidor om armbandet.

Det stank svett om henne, och det bruna håret var samlat i en slarvig knut uppe på huvudet. Kvinnan presenterade sig som Reidun Skage, Hanne Maries mor.

Hon pekade på soffan och bad honom slå sig ner. "Det är ju rent förskräckligt det här", började hon. "Jag kan inte fatta att de låter flickorna bo i den där lägenheten ensamma. Alla borde ju ha förstått att det skulle bli problem."

"Är det något särskilt du tänker på?" frågade Cato Isaksen nyfiket.

Georg klättrade upp i hans knä och slog armarna om halsen på honom. Cato Isaksen sköt honom varsamt ifrån sig. Han kunde inte ha pojken hängande som en boa runt halsen.

Georg hoppade ner, ställde sig framför honom och formade händerna till en tratt. "Pappa", viskade han. "Pappa, är tanten kroppsbyggare?" En strimma av ljuset från den ensamma lampetten på väggen föll över det lilla barnansiktet.

Reidun Skage harklade sig och bad maken hämta en näsduk åt henne.

Cato Isaksen hamnade i svårigheter. Skrattet bubblade från magen upp i halsen på honom. För att ta sig igenom den pinsamma situationen tog han hårt i pojken och försökte få honom att lugna ner sig. "Ska vi gå på McDonald's efteråt eller inte?" frågade han.

Pojken fattade vinken. "Vi ska", sa han efter en stunds betänketid och tittade på pappan med skälmsk min. Sedan kapitulerade han, kravlade snällt upp i soffan, lutade sig lugnt tillbaka och lade sina små händer på knäna.

Cato Isaksen vände sig till Reidun Skage igen. Hanne Marie hade satt sig på en stol borta vid dörren, och fadern stod kvar bredvid henne och betraktade frun och kriminalutredaren.

"Vad jag menade", sa Reidun Skage och ansträngde sig tydligt för att hitta de rätta orden, "är att man inte kan låta så unga flickor bo ensamma. Alla visste ju hur det skulle komma att sluta. Hanne Marie har minsann berättat om pojkhistorierna och allt det där."

Hanne Marie kröp ihop på stolen.

"Vi tycker inte om att Hanne Marie umgås med dem. Vi visste inte heller, förrän det här hände, att det var där hon höll till."

Georg började sparka med benen. Han dunkade vaderna mot soffkanten. Snart bankade hans fötter taktfast mot undersidan av det bruna, trista soffbordet. "Bom, bom, bom", skrattade han och spanade efter gillande i de allvarliga ansiktena.

Cato Isaksen tog tag i hans ena fot och höll fast den hårt. Georg började skratta. "Nej, pappa", skrek han men hejdade sig när han lade märke till hunden, som gnällde och krafsade på dörren till städskrubben ute i hallen.

Cato Isaksen utnyttjade tillfället till att be att få tala med Hanne Marie i enrum.

"Varför det?" Modern tittade misstänksamt på utredaren.

"Det är en formalitet", hävdade Cato Isaksen bestämt, "jag måste förhöra alla som på något sätt är inblandade i fallet."

"Hon har ju redan blivit förhörd, och inblandad är hon väl inte precis", sa fadern och satte sig i fåtöljen mittemot utredaren.

"Jo, det är hon", sa Cato Isaksen hårt. "Hon befann sig faktiskt på Arcimboldo tillsammans med Ida och Tanja när det första mordet skedde."

Hanne Marie reste sig från stolen hon satt på. "Vi kan sätta oss ute i köket", sa hon och strök undan en hårtest ur pannan.

"Bra", sa Cato Isaksen och reste sig han med. Han vände sig till Halvor Skage. "Skulle du möjligen kunna släppa ut hunden ur skrubben så att Georg kan få hälsa på den medan jag pratar med Hanne Marie?" frågade han.

Fadern gav honom en oförstående blick. Han hade av allt att döma glömt bort pojken. "Ja, ja, ja", sa han snabbt.

"Han kan väl bli kvar inne hos oss under tiden", sa Reidun Skage.

"Nej", sa Georg högt.

"Jo", sa hans pappa. "Nu stannar du här. Och efteråt går vi på McDonald's, okej?"

"Okej då", sa pojken spakt. Fadern brukade inte låta så sträng på rösten. Men han tyckte inte om de här människorna. Tyckte inte om den stora kvinnan och den lille mannen och det nästan mörka rummet. Men han sken upp när hunden blev utsläppt ur skrubben.

HANNE MARIE SKAGE såg olycklig ut. Hon hade satt sig vid laminatbordet ute i köket. Nu stödde hon hakan i händerna och såg avvaktande och en smula ängsligt på honom.

"Jag vill veta litet mer om de här pojkvännerna", började Cato Isaksen. Han hade tagit upp ett litet block och en penna ur fickan.

Hanne Marie tittade ner i bordet och gjorde en grimas. "Då är inte jag rätt person att fråga", sa hon.

"Varför inte?"

Hon ryckte på axlarna. "Jag var inte med på det", sa hon.

"På vad då?"

"Det där med killar."

Cato Isaksen såg på henne. "Just därför har du kanske lagt märke till ett och annat."

"Har du förhört allihop?" En glimt tändes i den unga kvinnans ögon.

Cato Isaksen nickade. "Therese hade ett förhållande med fastighetsskötaren, eller hur?"

Hanne Marie nickade. "Han är över trettio", sa hon trumpet.

"Ja", sa Cato Isaksen, "jag vet." Han försökte betrakta flickan på andra sidan bordet med objektiva ögon. Hennes ansikte var egentligen sött. Ögonen hade långa fransar, och munnen var ganska fyllig. "Har du haft någon pojkvän?" frågade han och försökte göra det lättare för henne att svara genom att uttryckslöst stirra ut genom fönstret.

"Nej", sa hon snabbt, "det var en som var litet intresserad en gång, men ... det blev liksom aldrig någonting av det."

Hon väntade en stund innan hon fortsatte: "De retades ganska mycket. Jag vet inte om de menade något med det, men jag blev ganska trött på dem."

"På Therese och Ida?"

"På allihop", sa hon trumpet.

"På Tanja också?"

"Nej, Tanja är inte sådan", sa hon snabbt. "Tanja vill hjälpa mig. Hon menar det. Hon bryr sig om mig. Hon har pratat med doktor Bru. Jag ska få börja hos honom för att gå ner i vikt och så." Hanne Marie sänkte blicken. "Men jag vet ju inte om jag klarar det", sa hon mer dämpat. "Fast jag har inte tänkt bli sjuk, som Tanja blev."

Cato Isaksen såg på henne. "Det är säkert inte så lätt", sa han.

"Nej", sa Hanne Marie. "Det är ju en fråga om arv också. Mamma äter hela tiden. Chips och bullar och lagad mat och allt möjligt. Min pappa äter nästan lika mycket, men han blir helt enkelt inte tjock."

"Nej, det är väl så det är", sa Cato Isaksen. "Kan du inte börja motionera litet, då?"

"Jovisst. Tanja och jag ska ta promenader tillsammans. Vi ska ta med Tertit, min hund. Vi har bestämt oss för att börja när snön är borta. Vi har pratat om att flytta ihop. Det skulle vara en dröm. Bara Tanja och jag." Hon tystnade. "Men nu är hon ju tillsammans med Marius", suckade hon.

"Den tjocka tanten hade stora muskler", sa Georg och stoppade in tre pommes frites i munnen.

Cato Isaksen log hastigt mot pojken. Han tittade ner på maten och analyserade vad som egentligen hade kommit fram under samtalet med Hanne Marie Skage. Det var någonting vekt över den tjocka flickan. Något obestämbart och svagt och liksom oskyldigt. Han litade inte på henne. Vad hade hon egentligen för slags motiv där hon flöt omkring i utkanten av vänkretsen? Mat, tänkte han, kunde mat ha något med saken att göra? Någonting hade börjat surra i tankarna på honom. Någonting som inte riktigt stämde. Två saker som skavde mot varandra, som järn och bomull. Som liksom inte passade ihop. Som över huvud taget inte passade ihop.

Cato Isaksen såg på den lille sonen som tog fram plastleksaken han hade fått tillsammans med maten i Happy Meal-kartongen.

"I'm a Barbie girl, in a Barbie wooorld", sjöng Georg och lät Musse Pigg-figuren dansa på den blanka bordsskivan.

TIDIGT PÅ KVÄLLEN tisdagen den 26 januari var allt klart för tagning på trottoaren utanför Kunstnernes Hus. En ung elev från polishögskolan spelade Therese Geber. Hon var inte riktigt lik henne. Hon var kortare och inte lika blond, men hon hade samma slags tröja och byxor på sig. Cato Isaksen och Roger Høibakk stod i bakgrunden och följde filmteamet på avstånd. Luften var råkall, och låga, blygrå moln hängde över Oslo.

Cato Isaksen vände sig om och tittade in i Slottsparken. Träden var kala och reste sig med svarta, spretande grenar. Han undrade vad som egentligen hade hänt. Var mordet hade skett. Var det här eller någon annanstans? Han hoppades innerligt att de snart skulle få något att arbeta vidare med. Någon måste väl ha sett någonting. En bagatell. Två bagateller. Något som kunde fogas ihop och byggas upp till ett ansikte.

En liten skara nyfikna hade samlats. Regissören hade en blå jacka med TV 3:s logo på ryggen. Han kunde inte vara mer än några och tjugo. "Okej", sa han, "tystnad för tagning!" Han vände sig mot den lilla gruppen nyfikna och varnade dem med blicken. "Klara", ropade han.

Therese Geber uppenbarade sig på yttertrappan. *På avstånd såg hon ut som en marionett. Det var något stelt och onaturligt över henne.* Hon hade inga ytterkläder. I handen höll hon en nyckelknippa. Hennes fötter kilade lätt nedför stentrappan. På några sekunder var hon nere. Bilarna körde förbi i båda riktningarna. Hon stannade och såg sig om till höger och vänster innan hon gick över gatan. En man väntade på henne bakom den bruna Opeln som stod parkerad exakt där den hade stått onsdagen den 16 september i fjol.

Tagningen blev lyckad. "Bra", ropade regissören belåtet och uppmanade poliseleven att göra exakt samma sak en gång till, med den skillnaden att hon den här gången skulle sätta sig i bilen och köra därifrån. "Version två", ropade han.

Tidigare samma dag hade filmteamet varit ute i Asker och filmat trappuppgången och hissen och området runt Hagaløkka. En annan, mörkare poliselev hade spelat Ida Henriksen.

De hade filmat källarutrymmet och Ida Henriksens cykel som stod prydligt lutad mot ena väggen.

Hon anade något som hade formen av en människa, men hon ville inte se det. Hon sprang bakåt, åt sidan, framåt. Gult och svart. Ljust och mörkt.

I förra veckan hade de varit i Borgen och spelat in femåriga Stine Marlens försvinnande. De hade fått en sexårig flicka från Groruds barnteater att spela Stine Marlen. Anita Kvarme var bortrest när inspelningen gjordes. *Den blonda lilla flickan hade för litet kläder på sig. Höstdagen var kylig. Hon skuttade fram längs gångvägen. Lyfte först ena knäet, sedan det andra och dansade framåt. Hon sjöng. Hon stannade och tittade åt båda håll innan hon lugnt gick över vägen och fortsatte ner mot det lilla huset i lekparken. Där vek hon av och gick förbi de stora träden och vidare längs vägen som delade åkern mitt itu.*

Anita Kvarme orkade inte vara med vid inspelningen. Hon hade tagit med sig en väninna och rest till Sandvika Storsenter. Thomas var hos sin pappa. Det var det positiva som hade hänt. Pappan hade tagit sig samman. Han hade straffat exfrun färdigt. Nu träffade han sin son ett par gånger i veckan. Han och Anita hade också haft ett fint samtal. Sorgen och rädslan för vad som hade hänt tvingade föräldrarna att kommunicera. Han sa att han var ledsen över att han hade försummat barnen för att straffa henne.

Cato Isaksen kände en vag oro fram till den 11 februari, då Efterlyst skulle sändas. Han var spänd på om programmet kunde locka några vittnen att träda fram. Men det var någonting annat också. Detaljer som malde i hjärnan. Han hade en känsla av att det var något han hade förbisett. Han visste att det var något han hade förbisett. Det handlade om detaljer som han inte hade haft förutsättningar att tolka. Iakttagelser som han hade gjort och som ännu inte hade hittat sina rätta platser. Det var ofta så. Sedda ur en annan vinkel, eller i ett annat ljus, kunde detaljerna framstå på ett annat sätt.

Cato Isaksen fick meddelande om att Vidar Edland från Asker og Bærum-polisen också ville vara med i programmet som skulle sändas nästa torsdag. Han hade ingenting att invända.

Det var en orolig och spänd, närmast nervös stämning i studion. Tekniker med headset och ljussättare gick fram och tillbaka och justerade allt. Programledaren Per Henrik Stenstrøm var en sympatisk man i trettiofemårsåldern klädd i mörk kavaj och slips. Han och en assistent gav dem snabba instruktioner, visade dem var de skulle stå och berättade vad som skulle komma att hända. Cato Isaksen var dagen till ära klädd i uniform. Han hade sina papper i handen. Vidar Edland från Asker og Bærum-polisen rotade i sin attachéväska för att hitta något att anteckna på.

"Det gläder oss att ni kunde komma till studion", sa programledaren och bad dem att tills vidare slå sig ner i den lilla skinngruppen som stod utanför TV-bilden. Två andra aktörer var också på plats. En försäkringstjänsteman och en Securitasvakt.

De båda utredarna samtalade lågmält sinsemellan. De erkände inför varandra att båda två var spända på vilka tips programmet skulle kunna leda till. "Jag hoppas verkligen att vi kan klara upp Stine Marlen-fallet", sa Vidar Edland allvarligt och skakade på huvudet. "Det känns faktiskt som en stor personlig belastning för mig."

"Jag förstår vad du menar", sa Cato Isaksen.

"Det är värre för föräldrarna när de inte vet vad som har hänt."

Cato Isaksen nickade kort. Han kände det i magen. En iskyla som spred sig utåt. I hjärnan hade han många rum. En gråaktig känsla vällde upp inom honom. Han såg på belysningen och kameran. Linsen var blank och klar, som ett intensivt stirrande öga.

"Ni är i sändning", ropade en av teknikerna. Cato Isaksen och Vidar Edland stod bredvid programledaren. Den skarpa belysningen kändes varm mot pannan.

Programledaren inledde med att säga att polisen tidigare hade fått in tips som hade lett till att fall klarats upp. Han hänvisade bland annat till rånet av värdetransporten som klarats upp tack vare vittnesobservationer efter det förra programmet.

Ett kort sammanfattande samtal föregick visningen av de tre filmerna. Först de båda versionerna av Therese Geber-mordet. Sedan Stine Marlens försvinnande och till sist rekonstruktionen av mordet på Ida Henriksen.

Per Henrik Stenstrøm tittade rakt in i kameran och bad tittarna ringa in sina tips på telefonnumret 23 00 51 10. Han upprepade numret, som också visades på TV-skärmen. "Kom ihåg att det här är Norges största dörr-till-dörr-aktion", sa han och presenterade de båda mordutredarna för tittarna. Men han påpekade att det hittills fanns ytterst få hållpunkter i fallet och att man inte hade några formella misstankar mot någon konkret person. Samtidigt underströk han emellertid att polisen arbetade kontinuerligt med fallen och att det givetvis fanns uppslag som de ville undersöka närmare.

Vidar Edland bidrog med information om Stine Marlen-fallet och påpekade hur tungt det var för familjen att inte veta vad som hade hänt.

Telefonerna hade redan börjat ringa i panelen längst bak i studion, där ett par polisaspiranter och flera utredare satt redo att sortera tipsen.

Programledaren tog över och avslutade sekvensen. "Ett tips till Efterlyst kan vara till stor nytta", upprepade han och bad tittarna överlåta åt polisen att värdera om tipsen var viktiga. "Även den mest bagatellartade iakttagelse kan visa sig vara synnerligen betydelsefull", avslutade han.

SAMMANLAGT ARTON TIPS kom in gällande de tre fallen. De nummer de ringdes in från kom upp på skärmen och antecknades omsorgsfullt innan tipsen noterades i stickordsform på datorn.

Cato Isaksen och Vidar Edland lutade sig fram över aspiranterna och följde spänt med. Det var många 66-nummer, från Asker, som kom upp. Men också tre 22-nummer, från Oslos innerstad, och två nummer från Nordnorge och ett från Mandal.

"Kom ihåg att det är många galningar som ringer in bara för att ringa", sa programledaren som hade kommit bort till dem medan en ny rekonstruktionsfilm rullade över skärmarna.

"Ida Henriksens bror bedriver knarkförsäljning", skrev en av aspiranterna in på skärmen. "Han förmedlar affärerna vid stationen i Asker. Flera ungdomar i och utanför skateboardkretsarna säljer åt honom." Den som ringde in tipset ville vara anonym. Telefonnumret samtalet ringdes från noterades ändå tillsammans med tipset.

En man från Oslo påstod att han trodde att hans granne var mördaren. "Han är synnerligen intresserad av unga kvinnor och springer mycket på Kunstnernes Hus", sa mannen och uppgav vederbörandes fullständiga namn.

Tre äldre kvinnor hade ringt in och tipsat. En av dem, en hysterisk kvinna med Bergendialekt, påstod att Stine Marlen var död men att hon inte hade lidit. Hon bad dem sluta leta efter henne. "Säg till föräldrarna att hon är hos Gud", sa hon, "och att hon har det bra. Det är allt jag vill säga."

En man ringde från en telefonkiosk i Asker. Det framgick tydligt av pipandet och klickandet att han ringde från en automat.

"Det är Noll Nalen", sa han viskande.

"Kan du tala litet högre", bad aspiranten som tog emot tipset. "Noll vad då … ?" frågade han. "Kan du upprepa det?"

"Det handlar om att fånga sina drömmar." Mannens röst var fortfarande låg och otydlig. "Använd hellre er tid åt viktigare saker. Hjälp dem som verkligen behöver det. Drägg förtjänar inte att leva." Det uppstod en liten paus. I bakgrunden hördes slammer från en buss eller ett tåg. "Ungen från Borgen har ingenting med de här drömmarna att göra", sa den uppringande och höjde rösten en smula.

"Kan du ta om det där?" Polisaspiranten väntade spänt. Men mannen i andra änden hade redan lagt på luren.

Aspiranten som skrev in det kryptiska uttalandet skakade på huvudet och vände sig mot utredaren, som böjde sig fram över hans axel och log. "Knäppskalle", konstaterade han. Telefonnumret antecknades i alla fall.

En äldre kvinna som presenterade sig som Agnes Elise Hjorth sa att hon var åttioett år och att hon hade gått förbi Kunstnernes Hus exakt vid den aktuella tidpunkten. "Jag hade varit hos en väninna, förstår ni, och firat hennes födelsedag. Ja, jag har kontrollerat i min almanacka att det var just den dagen. Jag gav henne nämligen en roman som jag så gärna ville ha själv." Kvinnan skrattade lågt. Aspiranten lyssnade tålmodigt men bad henne vänligt att komma till saken eftersom det var fler som väntade på att komma fram på linjerna.

"Ja. Ni kan få mitt telefonnummer", sa kvinnan och började rabbla upp 22-numret.

"Vi har numret", sa aspiranten och frågade om hon hade lagt märke till något särskilt den kvällen.

"Javisst", svarade kvinnan med darrande röst. "Det var nämligen en väskryckare där. Jag tror nästan att han kom ut ur parken. Ja, jag såg honom inte först, förstår ni, därför att jag gick och tittade på bilmärkena." Kvinnan fortsatte med en harang om sitt barnbarnsbarn och hans skarpa iakttagelseförmåga trots att han bara var fem år. "Men han var förmodligen ingen väskryckare ändå", sa hon. "Han hade jord i ansiktet. Han brydde sig inte alls om mig, böjde sig bara ner och tog upp en bilnyckel, och sedan satte han sig i bilen och körde därifrån. Efter vad jag kunde se på filmen tror jag att bilen stod ungefär på samma ställe där den unga flickan stannade. Men i filmen var det ju den unga flickan som körde därifrån", sa kvinnan förvirrat.

"Bara i den ena versionen", sa aspiranten lugnt. "Vi vet inte riktigt vad som hände, och därför har vi spelat in två olika versioner."

"Å, jaså", sa kvinnan. "Jag tror nog att det var mannen som körde. Om hon satt i bilen vet jag inte, men jag tror att han kom direkt ut ur parken."

"Tusen tack", sa aspiranten och lovade återkomma vid senare tillfälle.

INTENDENT INGEBORG MYKLEBUST gav klartecken till att Carlos de Silva skulle efterspanas. Åklagarna samtyckte. Narkotikatipsen som hade kommit in i samband med TV-programmet, plus det faktum att de ekonomistudier han påstod sig bedriva i Spanien inte existerade, gjorde att de hade juridiskt godtagbara skäl för spaningarna.

De hade lyckats spåra faderns släktingar, som bodde utanför Madrid. De bekräftade att Carlos bodde där när han vistades i landet men vad han egentligen sysslade med var obekant även för dem.

Exakt vilka lägenheter Ida Henriksens bror ägde var också föremål för utredning.

Ingeborg Myklebust informerade utredarna om att kriminalchefen önskade en heltäckande rapport om Geber- och Henriksenfallen. "Han är inte riktigt nöjd med att vi inte kommer någonvart", sa hon.

Tipsarna från Efterlyst kontaktades i tur och ordning. Den äldre kvinnan från Wergelandsveien var intressant. Hennes iakttagelse verkade äkta. Men hon mindes inte hur mannen hade sett ut eller hur gammal han var. Det hon berättade stödde sannolikheten för att Therese Geber hade blivit mördad intill jordhögarna i Slottsparken.

Cato Isaksen lämnade polishuset i sällskap med Ellen Grue. De stod i hissen ner till garaget. Han berättade att han skulle ut till Blakstads sjukhus igen.

"Finns det något att hämta där?" frågade hon.

"Vet inte", sa han.

Då såg hon plötsligt på honom och log.

"Vad är det?" frågade han.

"Ingenting", sa hon. "Om du kan vänta en stund med att åka ut till Blakstad … jag tror att vi behöver varandra nu."

Han skakade på huvudet och log sorgset. "Du ger litet för många motstridiga signaler", sa han. "Jag orkar inte med det här."

"Jag har inte tänkt stjäla dig", sa hon. "Jag vill egentligen inte ha någon man. Jag har fått nog av män." Hon betraktade honom stint. "Men jag har bestämt mig för att göra det bästa av det."

"Av vad då?"

"Av livet. Vi är ju ändå fast i det", sa hon.

"Mår du inget vidare just nu?" Cato Isaksen lade handen på hennes axel. "Eller gör du?"

Hon skakade på huvudet, stack ner handen i fickan och tog upp bilnycklarna.

"Det gör ingen av oss", sa hon och steg ur hissen.

"Ellen…"

"Jag kör före", sa hon.

Han skakade på huvudet. "Jag är ledsen, Ellen", sa han, "men jag tror att jag håller på att bli vuxen."

CATO ISAKSEN VAR TILLBAKA på Blakstads sjukhus för att tala med psykologen som hade ansvaret för Ivar Hansen. Det var en kvinna. Hon var i trettiofemårsåldern, hade en blank vigselring på fingret och pärlor i öronen. Hennes hår var samlat i en hästsvans. Cato Isaksen visades in på hennes sterila kontor. Väggarna var vita och pryddes bara av en inramad affisch från Henie Onstad Kunstsenter.

"Ni har väl fått veta att han rymde igen?" sa hon allvarligt.

"Ja", sa Cato Isaksen, "det är därför jag är här. Hur är det möjligt för honom att ta sig härifrån så lätt?"

"Ivar är ett ganska speciellt fall", sa psykologen. "Ja, det är ju givetvis alla här", tillade hon, "men Ivar är litet svår att komma inpå livet. För att vara helt uppriktig vet jag inte själv var jag har honom. Han har ju varit här i många år, men … Han kan verka väldigt avspänd, ja nästan helt normal emellanåt. Han vet mycket om sin egen situation och är bland annat mycket beläst. Men ibland är han också mycket aggressiv och bråkig. Då beklagar han sig och uppträder hotfullt och är på det hela taget omöjlig att nå fram till. Han går naturligtvis på mediciner, men det är möjligt att han inte har tagit dem som han borde."

"Står han inte under övervakning?"

"Övervakning och övervakning, det beror på vad du menar. Ivar Hansen fungerar i stort sett mycket bra", sa hon. "Vi har inte resurser att följa upp alla till hundra procent." Hon skakade på huvudet. "Det bara är så", sa hon.

"Jag har blivit upplyst om att han var borta den natten då Ida

Henriksen försvann", sa Cato Isaksen.

"Ja", sa psykologen, "men modern säger ju att han sov hemma hos henne."

"Det känner jag till", sa Cato Isaksen, "men jag tycker inte om det. Och ni kan ju inte med säkerhet säga om han faktiskt hade rymt även den dagen då Therese Geber blev mördad."

"Nej, vi beklagar det, men vi är, liksom sjukvården i övrigt, starkt underbemannade." Psykologen lutade sig tillbaka på stolen. "Jag inser att ni utreder ett mord."

"*Två* mord", sa Cato Isaksen snabbt.

"Ja, två då, men … sin egen syster."

"Ja", sa Cato Isaksen. "Men mördare är inte som andra lotto-miljonärer", sa han sarkastiskt. "Sven Wangberg har en del med honom att göra, eller hur?"

"Ja", svarade psykologen.

Cato Isaksen suckade.

"Är det något som inte är som det ska?" frågade psykologen.

"Nej då", svarade utredaren snabbt, "det är bara min hjärna som arbetar. Systern till det första mordoffret är patient hos samma psykiater", sa han lågt.

"Och?"

"Det har antagligen ingenting med saken att göra." Han log ett hastigt leende. "Men alla uppslag är viktiga för oss, som du förstår."

Psykologen nickade allvarligt. "Så ni tror verkligen att Ivar Hansen har något med det här att göra?"

"Nej då", sa Cato Isaksen och skakade snabbt på huvudet. "Men den där dagen Stine Marlen Kvarme försvann. Är det möj-ligt att han kan ha varit borta några timmar utan att ni lade märke till det?"

Psykologen nickade. "Ja", sa hon. "Jag skäms nästan över att säga det, det måste ju verka som om det inte var någon ordning alls här. Och det är det egentligen inte", tillade hon. "Men tyvärr kan vi inte utesluta att han var ute en sväng den dagen också."

MONGO OCH MORTEN satt i kafeterian på IKEA och smidde planer. Kafeterian hade blivit deras fasta mötesplats. Stationsområdet i Asker var inte längre säkert. Carlos påstod sig ha sett spanare smyga omkring.

Omkring dem myllrade det av familjer med barn, gamla kvinnor och äldre gifta par som åt middag för trettionio och femtio. Köttbullar med potatismos och lingon, inkokt lax eller sallader. Den grälla belysningen stack i ögonen. De hade givit upp ansträngningarna att få med sig Gard. Tone Berner hade helt och hållet slagit klorna i honom. "Jag tror ta mig fan att han är förälskad", sa Morten trumpet och gäspade. "Han är en jävla mes."

"Men det är lika bra att vi är av med honom. Hans farsa är ju snut. Det är inte precis någon fördel."

Mongo var trött och ur form. Huvudet kändes tomt. Han drack kaffet han hade beställt. Någonting av den gamla spänningen, den han hade känt till att börja med, höll på att försvinna.

Morten bläddrade på måfå i IKEA-katalogen. Plötsligt uppenbarade sig Carlos de Silva borta vid dörren. Hans blick for osäkert över lokalen. Han var tydligt nervös och verkade illa till mods. Han sjönk ner vid bordet och såg allvarligt på dem i tur och ordning.

"Vi måste ligga lågt", sa han bestämt. "Jag känner på mig att någonting är på gång."

Pojkarna böjde sig nyfiket fram mot honom.

"Varför det?" frågade Mongo.

Carlos de Silva skakade på huvudet. "Det har blivit trassel", sa han. "Ni följer med upp i lägenheten och hämtar det jag har där, och sedan gör vi ett uppehåll."

"Hur länge då?" Mongo lutade sig fram över bordet.

"Det får vi se", sa Carlos och drog handen genom det svarta håret.

Pojkarna nickade. Carlos de Silva lutade sig tillbaka. "Jag måste bara få en bit mat först", sa han och reste sig.

En man med en mycket ung flickvän gick förbi. Mannen höll armen om den unga kvinnans axel. Hon skrattade högt åt något som han sa. De båda hittade ett bord med god utsikt över Carlos de Silva och de båda tonårspojkarna. Mannen gick bort och ställde sig bakom Carlos de Silva i kön. Kvinnan vid bordet tog upp ett läppstift och strök ut den röda färgen jämnt över läpparna. Sedan stoppade hon tillbaka det i sminkväskan igen och log mot ett litet barn som gick förbi med en ljusgrön IKEA-nalle under armen.

SIGNE THIIS KLARADE inte av pressen längre. Den äldre kvinnan hade försökt skjuta ifrån sig bilden av den lilla flickkroppen. Hon hade lyckats också, länge. Men sedan det där programmet sändes på TV hade allt förändrats. Hon fick ont i magen och huvudvärk. Hon kände sig illamående och sjuk och försökte tränga undan bilden, men den tvingade sig fram, om och om igen.

Hennes son hade också sett programmet. De satt vid köksbordet och pratade om det. Huset där den lilla flickan hade bott låg alldeles bakom träden som hon kunde se från köksfönstret.

Plötsligt hade allt blivit till en varm sorg som sprängde innanför pannan. Gråtande hade hon lutat huvudet i händerna och berättat allt för sonen.

Först hade han inte trott på henne. De satt i hennes kök som om ingenting hade hänt och drack kaffe ur keramikkoppar som hon själv hade tillverkat. Han stirrade på modern. Hon var sjuttiofem år gammal och hade rakklippt, grått hår. Hon var klädd i en av klänningarna som hon själv hade sytt. Den var dekorerad med blå och lila band. På fingret hade hon en stor tennring som föreställde ett blad. Hon var en duktig konsthantverkare. Ursprungligen var hon från Bergen, men hon hade bott i Asker i över fyrtio år, tillsammans med sin man som hade dött för två år sedan.

Hon var aktiv och ungdomlig. Hon bodde i ett rött gammalt hus och hade sin verkstad i källaren. Bara några träd och en liten åker skilde henne från flerfamiljshusen.

Sonen trodde henne inte. Han försökte le. Men hon reste sig, dukade av kopparna och ställde ner dem i diskhon. Sedan tog hon lugnt på sig sin kappa och bad honom följa med henne ner i garaget.

Han gick efter henne med skräcken pirrande i kroppen. Hade det slagit alldeles slint för henne? Höll hon på att bli senil?

Signe Thiis öppnade garageporten. Hon vände sig om ett ögonblick och såg på sonen. Hon var stolt över honom. Han var stilig och framgångsrik. Han var advokat, precis som fadern hade varit, och hade nyligen fyllt fyrtiofem. Tiden gick. Hon tyckte inte att det var länge sedan han sprang över åkrarna tillsammans med sin hund och sina bröder.

Hon hade tårar i ögonen men kände samtidigt en enorm lättnad. Hon borde aldrig ha gömt barnet. Det är klart att de skulle ha trott på henne om hon hade sagt som det var, att det var en olyckshändelse. Men hon hade gripits av panik. Inte kunnat tänka klart.

Flickungen hade kommit springande längs vägen. Signe Thiis hade egentligen inte sett henne, trodde hon. Höstsolen var skarp och stod lågt. Hon hade suttit i andra tankar bakom ratten. I samma ögonblick som hon böjde sig fram och letade efter solglasögonen i handskfacket hade det ryckt till i bilen. Det hade gått så fort. Hon förstod inte vad som hade hänt. Rycket fick henne att stanna omedelbart. Hon satt kvar med hjärtat hamrande i bröstet. Kanhända hade hon kört över en katt. Hon kunde inte tänka klart. Fantasi och verklighet strålade samman till en hög ton inne i huvudet. Hon lade i backen. Hon måste komma bort från det som låg under bilen. Efteråt förstod hon att hon inte borde ha gjort det.

Barnet låg i en blodpöl. Det vitblonda håret låg utbrett över grusvägen. Ena armen låg vriden på ett fruktansvärt onaturligt sätt. I handen hade hon några våta löv. Hennes ena sko låg kvar under bilen.

Signe Thiis tog sig för pannan. Sonen var strax bakom henne. Hon mindes inte riktigt vad som hade hänt sedan. Bara att hon hade lyft upp flickan och burit in henne i garaget och lagt henne i sandkistan. På bottnen låg det litet grus och sand från i fjol. Hon hade rusat upp i köket, hämtat ett hänglås och låst kistan. Sedan tog hon ner en spade från garageväggen och skrapade bort det översta gruslagret på vägen. De gråblå stenarna var mörka av blod.

Efteråt tog hon tre sömntabletter och gick och lade sig. Hon sov bort bilderna som for omkring i huvudet. Sov tills hon inte orkade sova längre. Sömnen hade gjort minnena döva, blinda och färglösa. Till slut löstes de upp och försvann.

Sonen lyfte blicken från den öppna sandkistan. Han såg på modern. Hans ögon var mörka av smärta. Han grät.

"Jag förträngde det", sa hon lugnt och körde ner händerna i de stora, dekorerade fickorna. Hon ryckte på axlarna. "Jag trodde också att det var en kidnappare … eller … jag ville tro det."

Hans ansikte gick sakta i upplösning. Några hesa snyftningar kom över hans läppar. "Fan ta dig", skrek han och sprang därifrån. Hon såg hans kalla rygg. Hans mörker dröjde kvar efter honom. Han rusade uppför trappan och in i huset.

"Jag trodde …" Signe Thiis suckade och gick ut ur garaget. "Ja, ja", sa hon och satte sig på den snöiga bänken. Hon lade tafatt händerna i knäet. "Jag trodde …", sa hon till sig själv, "… att det kanske var någon annan … som hade gjort det."

Hon såg på de kala träden. Genom grenverket skymtade hon flerfamiljshusen. När våren kom och löven växte ut dolde de allt. Hon såg fram mot det. Hon visste namnen på alla träden. Ek och alm och silverlönn. Och en och annan vildapel.

"PAPPA! DU SA NÅGON GÅNG för hundra år sedan att jag kunde ringa dig när som helst." Gards mörka röst ljöd i mobiltelefonen.

"Ja, givetvis", sa Cato Isaksen oroligt, "är det något särskilt?"

"Var är du?"

"Jag är faktiskt på väg ut till Asker", sa han snabbt. "För att träffa Vidar Edland. Det verkar som om Stine Marlen-fallet är löst. Vi fick ett samtal från en advokat. Hans mor hade tydligen kört på henne och –"

Det blev tyst i andra änden. Han kunde höra att sonen ringde från en automat.

"Gard?"

"Ja."

"Vad är det?"

"Kan du träffa mig?"

"Nu?"

"Ja, nu."

Cato Isaksen suckade omärkligt. Han kände svetten bryta fram i armhålorna och kring halsen. Tillfället kunde inte ha varit sämre valt.

"Var då någonstans?" frågade han.

"Det passar väl inte, antar jag", sa Gard hårt. "Det är väl jävligt viktigt det du har för dig."

Smärtan i sonens tonfall gjorde honom livrädd. Grå bilder sköt som blixtar genom hans hjärna. Gard på en gata i Oslo, i trasiga och smutsiga kläder. På Oslo S på natten, i sällskap med likasinnade, misslyckade, olyckliga människor. Och till slut döden. Gard liggande på golvet på någon offentlig toalett. Död av en överdos. Grällt ljus från taklampan. Han mötte sin blick i backspegeln.

"Jag ringer bara för att säga att från och med nästa vecka går jag antagligen inte i skolan längre. Det är finito", fortsatte han. "Jag har för mycket frånvaro. Jag har inte lämnat in de uppgifter jag skulle heller. Jag klarar inte av någonting."

Cato Isaksen suckade. "Vill du att jag ska prata med rektorn?"

"Nej, för fan", sa Gard hårt, "det är inte därför jag ringer." Han brast i gråt.

"Gard?"

"Jag är så jävla less på skolpsykologen och kuratorn och allihop. Jag är så less på att mamma gråter hela tiden och att du är besviken. Och att ni skäller på varandra och på mig. Jag orkar inte längre. Jag är så förbannat less på alltihop, fattar du?"

"Ja", sa Cato Isaksen allvarligt.

"Jag är så förbannat less på de där jäkla urinproven", fortsatte han. "Jag står fan inte ut längre. Antingen får ni lita på mig eller också får ni lämna mig i fred. I morse sa Vetle att han önskade att jag var död."

"Sa Vetle det?"

"Ja, för fan, det sa han. Och det värsta är ju att jag håller med honom."

Cato Isaksen tittade ner på sin klocka och bestämde sig. "Jag kommer, Gard", sa han.

"Nu?" Pojken lät förbluffad.

"Ja, nu", sa fadern. "Var är du?"

GARD STOD MED VÄSKAN i handen och sparkade lätt med benet så att den studsade upp och ner. Cato Isaksen körde in på parkeringen framför stationen i Asker och stannade. Han lutade sig över passagerarsätet och öppnade dörren.

Gard hoppade snabbt in. Han tog med sig en portion vinterluft in i bilen. Han smällde igen dörren efter sig.

Cato Isaksen lade i ettan och svängde ut på vägen igen. De körde en stund utan att säga något. "Vart ska vi åka?" frågade han.

"Jag vet inte", sa Gard mörkt, "jag hade inte trott att du kunde komma."

Cato Isaksen vände på huvudet och såg på sonen. Orden sved som syra i honom. Gard satt och stirrade rakt framför sig. Hans ögon var våta. "Klart att jag kommer när jag säger det", sa Cato Isaksen.

"Det gjorde du inte förut", sa Gard hårt, "inte förrän du upptäckte att jag använde droger."

Cato Isaksen suckade. "Nej", sa han, "det har du kanske rätt i. Jag är en usling."

"Ja, det är du", sa pojken hårt. Han fingrade nervöst på väskan han hade i knäet.

Cato Isaksen körde genom rondellen och ut på motorvägen. Han hade meddelat Vidar Edland att något allvarligt hade kommit emellan. Roger Høibakk och Asle Tengs var på väg ut för att bistå honom.

"Vi åker till Sandvika", sa han. "Vi ska ha oss något att äta."

"Okej", sa Gard och vände sig mot honom i mörkret. "Men det är dit alla åker. För att gå på bio och så, menar jag", sa han. "Jag vill inte träffa någon jag känner."

"Vi åker dit i alla fall", sa fadern.

De parkerade i parkeringshuset som hörde till Sandvika Storsenter. De hamnade på Egon, en hyfsad pastarestaurang alldeles intill den nya biografen. Cato Isaksen bad att få bordet längst in i hörnet, och servitören tog med sig två matsedlar och visade vägen. "Var så goda", sa han.

Gard beställde spagetti och Coca-Cola. Cato Isaksen nöjde sig med en kopp kaffe.

"Jag kan få jobb på Seven Eleven", sa Gard ivrigt, "det är inga problem. Eller på Rimi."

Fadern såg allvarligt på honom.

"Jag lägger av med skolan", sa han.

Cato Isaksen lutade sig bekymrat bakåt på stolen. Han undrade hur det gick uppe i Borgen.

"Jag använder inte droger längre", sa Gard plötsligt.

Fadern såg allvarligt på honom. "Jag hoppas du talar sanning", sa han. "Dina vänner, då?"

"Jag skiter i dem. Men jag skvallrar inte, det kan du glömma", sa han hårt. "Hasch är dessutom inte farligt", tillade han. "Det är det andra som inte är bra."

"Det andra?" Cato Isaksen såg irriterat på honom.

"Jag har lagt av för din och mammas skull."

"För vår skull, herregud, Gard! Hasch är det farligaste av allt", sa Cato Isaksen långsamt. "Det är där det börjar."

Gard skakade häftigt på huvudet och lutade sig bakåt på stolen.

"Hasch är inte farligt", upprepade han medan han nervöst vickade på ena knäet. "Det är inte ens vanebildande. Det är mindre farligt än alkohol."

"På vilket sätt då, menar du?"

"Om man inte röker för ofta", sa Gard.

"Hasch skapar beroende. Det är skadligt och leder till personlighetsförändringar. Varför tror du att det klassas som narkotika och jämställs med heroin? Kom inte här och försök lära mig någonting om droger. Jag har sett för mycket elände för det." Cato Isaksen var förbannad.

Gard fnös. "Det är statsministern och det kristna gänget kring honom som bestämmer den saken. Inte folk som begriper något."

"Du tar miste, Gard", sa fadern allvarligt. "Det här begriper du faktiskt inte. Du är hjärntvättad. Alla narkomaner börjar med hasch."

Gard fnös igen. "Du är jävligt gammalmodig", sa han snabbt. "Narkomaner injicerar. Det har jag fanimej aldrig gjort."

Cato Isaksen kände hur raseriet växte inom honom. Här satt den lilla bortskämda skitungen och försökte undervisa honom.

"Det är inte straffbart att inneha hasch för personligt bruk", sa Gard.

"Skitsnack", sa Cato Isaksen sammanbitet. "Jag kan få dig inburad i morgon dag, om det är vad du vill."

Sonen log försiktigt. Nu var det han som var kung. Han som bestämde.

Plötsligt gick det upp för fadern vad som höll på att ske. Han ville avsluta det här destruktiva samtalet. Han böjde sig fram över bordet.

"Nu hör du på! De där gamla hippieargumenten får du dra längre ut på landet med. Narkotika produceras för att skurkar ska tjäna pengar. Det förekommer i skära och ljusgula tabletter. I tuggummi och lakrits. Och i regel börjar det med hasch. Sanningen är att hasch påverkar dig negativt. De sinnesvidgande egenskaper du babblar om är tidsförvrängning, sinnesförvirring och koncentrationsproblem. Och jag lovar dig en sak…" Cato Isaksen slog knytnäven lätt i bordet. "Jag kommer aldrig att ge dig förlorad. Jag kommer att förfölja dig och se till att få dig inburad. Jag ska klå upp dig igen, vad som helst", sa han ursinnigt. "Ända tills du förstår."

Gard såg på fadern. Han nickade. En antydan till ett leende skymtade på hans läppar. "Jag orkar inte gå i skolan längre", sa han.

Maten och kaffet kom på bordet. Gard kastade sig över spagettin. Cato Isaksen tog ett par klunkar av kaffet. "Vem är det du umgås med nuförtiden?" frågade han.

Gard tuggade ur munnen och tog en klunk av läsken. "Tone", sa han, "jag är ihop med henne. Hon stöttar mig, säger att det är lika bra att skaffa sig ett jobb om man inte klarar skolan."

"Jaså, det säger hon."

"Ja", sa Gard. "Hon säger att det viktigaste är att tro på sig själv. Inte att göra vad alla andra vill att man ska göra."

DEN TRAGISKA UPPLÖSNINGEN av Stine Marlen-fallet redovisades utförligt på TV-nyheterna samma kväll. Huset som tillhörde den gamla kvinna som hade kört på och dödat femåringen flimrade över TV-skärmen. Hennes garage, där liket hade förvarats, och den lilla vägen där olyckan hade skett visades också. Grannar intervjuades. Stine Marlens mor och bror filmades när de med sänkta huvuden lämnade lägenheten och steg in i en väntande bil. Bilen kördes av barnens far.

Cato Isaksen kände illamåendet stiga i bröstet. Han hade svårt att andas. Bente hade givit sig i väg till nattpasset, och Vetle satt i köket och gjorde läxor. Gard hade gått ut för att träffa Tone.

Cato Isaksen reste sig och drog ner TV-ljudet. Georg hade antagligen gömt fjärrkontrollen igen.

Han kände skräcken rusa genom kroppen. Han hade tre barn. Barn var själva inkarnationen av potential och framtidsmöjligheter. Tänk om någonting hände något av dem? Tänk om Gard inte kom tillbaka hem i kväll? Tänk om Vetle blev ihjälkörd av en bil på väg till skolan? Eller om Georg ramlade ut genom fönstret i huset där han bodde med Sigrid och Hamza och krossades mot gatstenarna fem våningar längre ner?

Han tänkte på ett annat fall som han hade löst. Minnena vällde över honom. Kvinnan som hade legat strypt i badkaret. Barnet som gick omkring med sin nalle under armen. Hur gammal hade flickan varit – ett par tre år kanske? Ungefär som Georg. Hon hade tassat omkring och tryckt sitt gosedjur mot bröstet. Hennes pyjamas var vit med små röda prickar. Nallen hade varit ljusblå, och han mindes att ena örat hade sugits smalt och vått.

Vetle ropade på honom utifrån köket. Ville att han skulle hjälpa honom med något. Cato Isaksen tog sig samman med en kraftansträngning och reste sig. I samma ögonblick öppnades ytterdörren och Gard och en söt, blond flicka kom in i hallen. "Fy sjutton, vilket väder", skrattade de. "Det snöar", sa Gard.

Cato Isaksen nickade åt flickan. Hon log snabbt och kom emot honom med framsträckt hand. "Hej, jag heter Tone Berner", sa hon. Cato Isaksen såg på henne. Hennes handslag var fast. Hon hade stora, grå ögon. Några snöflingor klibbade fast vid hennes lugg.

TISDAGEN DEN 16 FEBRUARI rymde Ivar Hansen från Blakstads sjukhus igen. Den här gången underrättades polisen omedelbart.

Ivar Hansen gick inåt bland träden. Det hade börjat mörkna. För säkerhets skull vände han sig om flera gånger och tittade tillbaka på sjukhuset. När han hade förvissat sig om att ingen följde efter honom gick han ut på vägen och fortsatte bort till busshållplatsen. Men eftersom det stod folk där, två kvinnor och en ung pojke, ändrade han sig och gick in i den lilla skogen igen. Han var väl förtrogen med stigen han gick på. Han hade gått där många gånger. Han hade lekt där som barn, tillsammans med Carlos och hans kamrater. Han hade fått vara med dem ibland. De tyckte egentligen inte om honom eftersom han kommenderade dem och hotade dem. Han ville att de skulle göra som han sa. De måste göra honom tjänster. Äckliga saker som de inte alls gillade. Han log för sig själv. En gång hade han tvingat brodern att dra vingarna av en luden insekt.

När han var tillsammans med Tanja liknade han den han egentligen var. Därför att hon talade till honom som om han var en människa. Han visste att han i själva verket inte var någon människa. Han hade alltid försvunnit bakom sig själv. Men han kunde skilja på vilka som behandlade honom som en människa och vilka som behandlade honom som ett djur.

Snön låg som ett grått, vått ylletäcke mellan träden. Från de frusna grenarna hängde istappar ner som spetsiga tänder. En kråkas knivskarpa kraxande skar genom luften. Himlen var ett enda stort gap.

Han hade bara lågskor på fötterna och halkade nästan hela tiden på den isiga stigen. Han använde alltid samma skor. Han sträckte ut händerna. Fick tag i några grenar och lyckades återvinna balansen. Han tänkte på att han inte var något djur. Han ville inte vara ett djur. Han ångrade att han hade slagit modern. Hon hade också sagt att han var ett djur. Men han ville slå henne. Det kändes skönt att slå henne. Han ville slå Carlos också, men Carlos hade blivit stor och stark. Och elak.

Han körde ner ena handen i fickan och kände på mobiltelefonen han hade tagit med sig. Den hade legat på ett bord i kafeterian medan ägaren stod framme vid disken och beställde. Han hade lugnt gått förbi bordet, tagit telefonen och stoppat den i fickan. Bara tagit den, som om den var hans. Han ville att den skulle vara hans. Det var så saker och ting måste göras, som om de inte var ett dugg märkvärdiga.

När telefonen ringde nere i fickan på täckjackan lät han den ringa. Han var inte dum. Han förstod att de ringde för att ta reda på vart telefonen hade tagit vägen. Han kunde ringa själv. Det var en helt annan sak.

Han tittade ner på marken. På ett ställe syntes många små gula hål, av urin. Allting var för jävligt. Fan, han skulle åka till Amerika någon gång. Han skulle stanna där länge, det hade han bestämt sig för. Han ville inte låta sig styras. Han ville göra vad han bestämde sig för att göra.

Polisen kontaktade Agnes Hansen när sonen hade varit borta i nästan två timmar. De frågade vad modern ansåg att de borde göra.

"Ingenting", sa hon uppgivet. "Ivar kommer tillbaka igen. Han gör ju ingen människa något förnär. Han vill väl bara få en nypa frisk luft. Han brukar alltid kontakta mig. Jag ska säga till om jag ser till honom", avslutade hon. Men hon var irriterad när hon lade på luren. Varför kunde de inte se efter honom litet bättre? Hon ville inte släppa honom innanför sin egen dörr. Inte när hon inte visste vilket humör han var på. Hon visste ju inte om han hade tagit sina mediciner eller inte. Han hade övernattat hos Teddy Holm några gånger, men det tjänade ingenting till att tala om det för polisen. Det var onödigt att blanda in Teddy. Han hade tillräckligt ändå, stackaren. Och nu när Ida var död ville väl inte han heller ha mer med Ivar att göra.

Agnes Hansen gick bort till skafferiet och tog fram den halvfulla ginflaskan. Hon förbannade sitt liv. Vem som helst måste väl förstå att det var förstört. Hon hade ingenstans att ta vägen. Hon ville bara bort från all olycka runt omkring sig. Hon ville klä sig snyggt och sminka sig och använda handskar igen. Hon ville höra ljudet av sina höga klackar mot trottoaren. Hon orkade inte gråta mer. Hon sjönk ner i den slitna fåtöljen och drack. Hon drömde sig bort. Hon ville tillbaka till glansen. Till håret i sommarbrisen. Hon ville ta fram sina skor. De röda med de höga klackarna. Och blusen med de silverglänsande blommorna.

NOLL NALEN STOD I MÖRKRET intill trädstammen och iakt-
tog henne genom det stora, upplysta fönstret. Ljuset inifrån föll
ut över den vita snön som en gul, fyrkantig matta. Utebelysning-
en på väggen fick trädet att kasta en spretig skugga. Den lade sig
in över den gula fyrkanten och bildade ett nytt, platt träd på
marken. Det susade svagt i den kala trädkronan. Det var tisda-
gen den 16 februari.

Han bestämde sig för att hon skulle få äran att möta honom
dagen därpå. Då skulle han komma tillbaka. Små kvinnor var
dumma när de slogs mot stora män. Snart skulle allt vara över.
Och då menade han allt. Drömmen skulle bli tillgänglig för hen-
ne. Drömmen om ett liv i lugn och ro.

Han drog den bruna skinnjackan hårdare om sig. Hans ansik-
te var allvarligt och koncentrerat. Han stod bara femton meter
ifrån henne. Det enda som skilde henne från honom var en trä-
vägg och en dörr. En liten trävägg och en liten dörr. Kanske skul-
le hon snart öppna dörren för att släppa in litet frisk luft. Kanske
skulle hon öppna om han knackade på. Men han ville vänta till i
morgon. För hon visste inte att han stod och väntade på henne.
Hon visste inte att han hade följt efter henne flera gånger. Hon
visste inte ens vem han var.

Han hade inte tyckt om rekonstruktionerna på TV. Givetvis
hade han blivit upphetsad. Han hade kastat sig i bilen och kört
ner till stationen i Asker och ringt till redaktionen från en auto-
mat. Hans pratbubbla hade exploderat.

Han bestämde sig på fläcken för att fullfölja det han hade påbörjat. För att avsluta det. Sedan skulle han säga upp lägenheten och flytta. Han ville tillbaka till det vanliga livet igen.

CARLOS DE SILVA satt i förhörsrummet och väntade. Det var onsdagen den 17 februari. Ivar Hansen var fortfarande spårlöst försvunnen.

Carlos var rasande. Han visste inte att Morten och Mongo hade blivit gripna i går kväll i samma ögonblick som de kom ut ur höghuset. Polisen hade beslagtagit ett halvt kilo hasch plus tvåhundra ecstasytabletter som pojkarna hade haft på sig. Carlos visste ännu inte att de hade lagt alla korten på bordet.

Själv hade han stannat kvar uppe i lägenheten en liten stund innan han tog hissen ner, hejdades av polisen och togs in för förhör. Han blev tvungen att tillbringa natten i en cell. De sa att han kunde ringa till en advokat, men han ville inte. Hade inget behov av det, sa han.

Han tittade irriterat på Ingeborg Myklebust som satt och väntade tillsammans med honom. "Vad fan sysslar ni med egentligen?" frågade han. Han rökte hela tiden och väntade på att förhöret skulle komma i gång. Han var orolig och arg. Han hade inte sovit en blund i natt. Det kalla skenet från lysröret i taket förstärkte den spända atmosfären. Askkoppen var till brädden fylld med cigarrettfimpar. Det passade Ingeborg Myklebust bra. Hon tände sin tredje cigarrett på en halvtimme.

Cato Isaksen stack in huvudet och bad Ingeborg Myklebust att komma ut ett ögonblick. Hon fimpade cigarretten, reste sig och lämnade rummet.

"Jag är ledsen", sa Cato Isaksen jäktat, "men jag måste ge mig i väg."

"Ge dig i väg?" Ingeborg Myklebust satte händerna i sidorna, som om hon var en lågstadielärarinna som talade med en bråkig elev. "Carlos de Silva sitter där inne och väntar på dig", betonade hon.

"Som om jag inte visste det", sa Cato Isaksen irriterat, "men du får låta några andra ta över förhöret. Jag måste helt enkelt ge mig i väg", upprepade han.

"Cato?" Ingeborg Myklebust såg forskande på honom. "Har du problem?"

"Nej", sa han snabbt, "det handlar inte om det." Han försökte se oberörd ut, men inom sig kokade han av vrede. Han visste att han inte skulle kunna lägga band på sig om han blev sittande ansikte mot ansikte med mannen som hade försett hans son med droger. "Det har dykt upp en sak", ljög han, "något som har med fallet att göra. Jag måste helt enkelt kolla upp det."

"Just nu?"

"Just nu", sa han. "Jag tror det är viktigt." Han tittade på klockan. "Jag måste vara där klockan sju."

Ingeborg Myklebust gav honom ett forskande ögonkast.

"Okej", sa hon, "skicka in Randi. Hon får ta över."

Ingeborg Myklebust drog med sig sin stol bort i ett hörn. Randi Johansen började med att ta upp det påstådda våldtäktsförsöket mot Tanja Geber. Carlos de Silva fnös. Sa att de var inne på helt fel spår.

Hon övergick direkt till lägenheterna han ägde. Carlos de Silva verkade besvärad.

"Ja", sa han, "än sen då? Jag ärvde pengarna efter min far. Det här har jag sagt förut."

"Du äger en lägenhet i varje hus?"

Han skakade på huvudet. "Jag äger två i det översta huset och så den som flickorna bodde i, i nummer femtiosju."

"Sammanlagt tre lägenheter, alltså?"

Han nickade.

"Vilka har du hyrt ut till?"

Carlos de Silva berättade det.

"Teddy Holm kände vi ju till", sa Randi frånvarande och antecknade det nya namnet i sitt block. "Kan du styrka att du har ärvt alla de här pengarna?"

"Ja", sa han irriterat.

"Vi har indikationer på att du smugglar droger från Spanien och att du gömmer dem i lägenheten där din syster och de andra flickorna bodde. Det står en sekretär inne i din systers rum ..."

Carlos de Silva kastade arrogant huvudet bakåt och skrattade.

"Jag har ärvt pengarna", upprepade han.

"Vad sysslade din far med, innan han dog?" Ingeborg Myklebust viftade bort röken.

Carlos de Silva svarade inte.

Randi Johansen kände illamåendet komma i vågor. Till sist stod hon inte ut längre. "Ursäkta mig", sa hon, "men jag är faktiskt med barn, och jag står inte ut med röken längre."

Ingeborg Myklebust såg förskräckt på henne. "Det visste jag ingenting om", sa hon.

CATO ISAKSEN HADE en obehaglig känsla. Det var som om den hade utlösts av insikten om att Carlos de Silva försåg Asker-ungdomarna med droger. Vreden hade aktiverat hans hjärn-kapacitet och fått honom att försöka se hela situationen i ett större sammanhang. Det fanns så många skenbart slumpartade sammanträffanden. Men allt hängde ihop. En plötslig klarsyn hade resulterat i ett lapptäcke av tankar. Alltsammans hade legat och malt inom honom länge, och det hade med Lionsklubben att göra. De var med där allihop. Tanjas far och läkare och psykiater. Märkligt sammanträffande, tänkte han. Eller kanske inte ändå? Han visste inte.

Läkaren, Torkel Bru, var bestämt sekreterare. Han hade pro-tokollen hemma hos sig. "Lustig prick, han är så glömsk", hade den snälle grannen Bent Kraft sagt. Han hade förresten tittat in flera gånger för att erbjuda dem att låna stugan igen. Han hade sagt att Torkel Bru var den som oftast var frånvarande och att de borde utse en ny sekreterare. Sedan hade han hoppat direkt över till ett annat samtalsämne. Upprepat att de måste låna stugan igen om de ville. "Det blev ju så dumt för er senast", hade han sagt.

Cato Isaksen hade tackat och avslutat samtalet så snabbt han kunde. Det surrade och malde i huvudet på honom. Var det inte Lionsmöte samma kväll som Therese Geber mördades? Den obehagliga känslan hade sakta vuxit fram. Sven Wangberg hade både Ivar Hansen och Tanja Geber som patienter. Carlos de Sil-va var Ida Henriksens och Ivar Hansens halvbror. Torkel Bru hade alla flickorna som patienter. Vilken härva!

Hanne Marie Skage och Tanja Geber var hjälplösa, var och en på sitt sätt. Det var så de hade funnit varandra. Ida Henriksen och Therese Geber hade bägge varit mycket starka och självständiga. Och Rudolph Vogel och Morten var båda två vänner till Gard. Carlos de Silva utnyttjade pojkarna för att få drogerna han smugglade med sig från Spanien sålda. I utkanten flöt Teddy Holm och Frank Wergeland Halvorsen omkring.

Cato Isaksen tog sig för pannan. Någonting grumlade bilden. Han kunde inte förklara eller definiera det. Det satt i bröstet och värkte. Fantasibilderna var mörka och dystra. Och nästan oacceptabla. Skräcken för att han skulle ha rätt sprängde innanför pannan.

CATO ISAKSEN KÖRDE förbi Lysaker. Det var onsdagen den 17 februari. Den tredje onsdagen i månaden. I kväll var det Lions-möte igen. Han tittade på sin klocka. Den var 18.40. Det återstod tjugo minuter tills mötet skulle börja.

Han sköt ifrån sig de kaotiska tankarna och tänkte på Bente. Han kände sig lättad över att han hade lyckats avvisa Ellen Grue. Det hade kostat på. Det var på tiden att han stadgade sig. Han hade bestämt sig för att fria till Bente. Han skulle göra det så snart det här fallet var löst. Han måste bara hitta det rätta tillfäl-let. Han skulle bjuda ut henne och fråga henne om hon ville gif-ta sig med honom en gång till. Han visste att det skulle ligga en stor smärta i frieriet. Både för henne och för honom. Kanske mest för henne. Men han var nästan säker på att hon skulle svara ja.

Gard hade slutat skolan. Han hade fått jobb på Rimi. Han ver-kade belåten, även om det var långa dagar och pojken var trött när han kom hem.

Tone Berner hade gott inflytande på honom. Bente var alldeles till sig av lycka över sonens förtjusande flickvän. "Det är ett under", upprepade hon hela tiden. "Det är det verkligen. Den flickan vet inte vilken ängel hon är egentligen."

Cato Isaksen svängde av mot Asker medan han tänkte på vad Gard hade sagt i går kväll om att han och Tone skulle gå på bio. "*Shakespeare in love*", hade han sagt medan han lassade in om-växlande chips och choklad i munnen. "Det är visst en tjejfilm, men okej." Sonen hade haft något spjuveraktigt i blicken.

Marmelad hade lagt sig till rätta i Gards knä. Cato Isaksen log för sig själv medan han letade efter en parkeringsplats.

LIONSMÖTET HÖLLS PÅ GAMLA ärevördiga Venskaben mitt i Askers centrum. Det långa, vita trähuset låg på en liten kulle bakom det nya Trekanten Senter. Till vänster ruvade den grå, kvadratiska rådhusbyggnaden. Cato Isaksen gick in i den gamla lokalen.

Rockar och jackor hängde i rad på stången i garderoben. Längre in såg han åtta tio män som stod och pratade lågmält med varandra. Mötet hade ännu inte börjat.

Han lade genast märke till att varken Torkel Bru eller Sven Wangberg var där. Han nickade kort åt Bent Kraft, som blev synbart förvånad över att se honom. "Har du tänkt sälla dig till oss, eller?" frågade han leende.

"Kanske det", sa Cato Isaksen och hälsade på Rolf Geber.

"Det har väl inte hänt något?" frågade denne oroligt.

"Nej då, nej då." Cato Isaksen lugnade honom. "Tanja mår bara bra."

"Hur länge ska vi behöva hålla på så här?" frågade Rolf Geber lågt.

"Jag vet inte", sa Cato Isaksen. "Förhoppningsvis inte så länge till." Så snart han hade uttalat orden gick det upp för honom att det låg en odetonerad bomb i svaret. Vad kunde egentligen få bukt med situationen annat än en ny och klarläggande tragedi?

"Det var fruktansvärt med den lilla flickan", fortsatte Rolf Geber allvarligt. Han strök sig trött över pannan.

Cato Isaksen instämde.

Två kvinnor befann sig också i lokalen. En av dem gick förbi med en smörgåsbricka i den ena handen och en blank termoskanna i den andra. Hon nickade mot honom och log. Hon var liten och mörk och hade ett mycket särpräglat utseende. Hon kom tillbaka och sa att hon kände igen honom från Efterlyst på TV. Hon presenterade sig som Nita Wangberg, Sven Wangbergs fru.

"Han har pratat om dig", sa hon vänligt.

"Jaså, har han?" sa Cato Isaksen. "Är det vanligt att fruarna rycker in och serverar?"

Den mörka kvinnan log. "Nej", sa hon, "bara ibland."

"Torkel Brus fru, är hon också här?"

"Torkel Bru är inte gift", sa Nita Wangberg och gav honom en undrande blick innan hon försvann ut i köket igen.

TEDDY HOLM OCH Marius Berner var på väg ut mot Slemmestad. De körde utmed vattnet. Frostdimman drev över isen. De körde förbi de vita husen i sydnorsk stil i Vollen och vidare förbi den elektriskt upplysta skridskobanan i Bjerkås, där sju åtta barn tävlade om att komma först till pucken.

Teddy Holms stora händer vilade på ratten. Utåt verkade han okej, men Marius visste att det här med Ida hade tagit honom hårt.

Tanja hade inte kunnat låta bli att berätta var hon höll hus. Hon längtade sig sjuk efter honom, sa hon. "Jag vill att du ska veta var de gömmer mig. Om du lovar att inte föra det vidare."

Marius Berner log för sig själv. Han hade lovat att hålla tyst, men han hade berättat det för Teddy i alla fall. Teddy skvallrade inte. Marius var förtvivlad över att han inte hade fått låna faderns bil. Inte hann han med att skriva färdigt arbetet som skulle lämnas in dagen därpå heller. Han bara måste se till att ta sig ut till Tanja. När Teddy hade sagt att han kunde skjutsa honom hade han naturligtvis tackat ja. Teddy var hygglig, och han knep käft.

"Det är inte klokt det här", mumlade Teddy.

"Vilket då?"

"Ja, allting." Teddy Holm lade i en högre växel.

Marius höll med. "Hoppas att det snart är över", sa han.

"Och hur tror du det blir sen då?"

"Nej, att de får tag i galningen, menar jag."

396

"Är det okej om jag tänder en cigg?" Teddy Holm grävde i handskfacket.

Marius nickade. "Om du öppnar fönstret", sa han och tog ett hårdare grepp om den svarta ficklampan han hade i knäet.

FRANK WERGELAND HALVORSEN bestämde sig för att gå och ringa på hos henne. Han hade suttit inne hela helgen och läst och arbetat med C-uppsatsen. Han var trött på skrivandet. Trött på att vända ut och in på hjärnan för att hitta de riktiga formuleringarna. Han behövde semester, behövde resa bort. Han älskade att resa. Han hade tagit ut traktorn tidigare i dag och plogat efter det senaste snöfallet. Han hade sandat alla gång-vägarna framför och mellan de båda husen. Medan han arbeta-de malde tankarna runt i huvudet på honom.

Han hade träffat den unga kvinnan i trappuppgången här-omdagen. Hon påminde honom om någon annan. Hon hade flyttat in på nedre botten och var ensamstående mamma med en flicka på fyra år. De hade kommit i samspråk, och han hade er-bjudit sig att hjälpa henne. "Om det är något du vill ha lagat el-ler så", sa han hurtigt. "Fastighetsskötare ordnar allt, vet du." Hon hade skrattat högt. Han gillade henne omedelbart, gillade hennes skratt också. Kände att det var något speciellt med hen-ne. Hon hade tackat honom och sagt att hon faktiskt behövde hjälp. Hon berättade att hon kom från Bodø, där hon hade bott i fem år. "Det är härligt att komma tillbaka till Østlandet igen", hade hon sagt med ett leende. "Men jag tycker inte om de här morden på flickorna i huset nedanför", anförtrodde hon ho-nom. Han hade bagatelliserat det hela, sagt att det säkert var en tillfällighet. "För vad vi vet kan hon ju helt enkelt ha tagit livet av sig", sa han.

"Men hon blev väl strypt?"

"Ja kanske det", sa han oberört och började prata om något annat.

Frank Wergeland Halvorsen undrade vart barnets far hade tagit vägen. Men han frågade henne inte. Ville inte gå för fort fram.

Samma kväll hade han hjälpt henne att bära in soffan. Hon hade tackat genom att bjuda in honom på kaffe och köpt sockerkaka. "När jag kommer i ordning ska jag baka själv", hade hon sagt. "Jag tror det kommer att bli jättebra här. Det finns många barn här, ser jag, det blir fint för min dotter."

Senare, när han gick upp till sig igen, kände han sig plötsligt väldigt ensam. Tomheten i lägenheten vällde emot honom redan när han öppnade dörren. Han orkade inte arbeta med uppsatsen. Han visste vad han längtade efter. Vad som kunde göra tillvaron fullkomlig. En familj och ett annat jobb. Ett jobb där han fick träffa likasinnade och inte larvade omkring som en underbetald dräng.

Han bestämde sig för att gå ner till kvinnan med en flaska vin. Ibland måste man bara följa sin intuition.

Han tog en snabb dusch och bytte underkläder och tröja. Han tog hissen ner och blev stående ett ögonblick framför hennes dörr innan han ändrade sig. Modet svek honom. Han tog hissen upp igen och ställde ifrån sig vinflaskan. Rastlösheten drev honom fram och tillbaka, från rum till rum. Till slut stod han inte ut längre. Han tog på sig den svarta jackan, låste dörren och tog hissen ner. Vågor av kyla slog emot honom när han öppnade ytterdörren och försvann ut i mörkret.

TANJA GEBER STOD och tittade ut genom fönstret igen. Havet fascinerade henne. Hon tyckte att hon kunde höra ljudet av det mörka vattnet genom glaset. Isen hade lagt sig, men inne vid land fanns det råkar och öppet vatten.

Den stora, tomma fabriksbyggnaden ruvade på andra sidan av den lilla viken. I fåtöljen satt den kvinnliga polisen och sov. Hon var ny och hade tydligen inte fått en blund i ögonen natten innan. Hon hette Lise Koppernes och verkade tämligen nervös. Hon var ideligen i kontakt med polisstationen i Asker. "Bara för att höra efter om det är något nytt", som hon sa.

Tanja saknade Randi Johansen. Hon hade haft ett lugnande inflytande på henne. Det gick att prata med henne. De pratade om barnet hon väntade. Hon berättade att de redan hade börjat diskutera namn. Hennes man ville att barnet skulle heta Jon om det blev en pojke. Randi tyckte att det var för tråkigt. "Jon Johansen, vad är det för ett namn?" De hade skrattat. "Nej, det måste bli Cornelius eller Adam, eller Peer med två e. Eller kanske Ferdinand." Tanja log snabbt mot fönstret och undrade om hennes kropp någonsin skulle klara av att föda fram ett barn.

Rastlösheten värkte i kroppen. Hon visste att Marius var på väg ut. Hon hade inte kunnat låta bli att berätta för honom var hon höll hus. Det var bara larv alltihop. Stackars Marius hade ju ingenting med någonting att göra. I skolan i dag hade hon berättat det. Hon måste få se honom, ta på honom, vara nära honom.

De senaste dagarna hade hon också känt något annat. Det förvånade henne. Hon saknade modern. Saknade henne verkligen. Hennes gester. Hennes lukt. Hennes sätt att tala och att se på henne.

Tiden närmast efter systerns död hade varit hemsk. Men allteftersom veckorna och månaderna gick märkte Tanja att hennes sinnen skärptes. Varje kväll stod hon vid fönstret och stirrade ut över det skummande havet. I tankarna var hon barn igen. Hon var på stranden med modern och systrarna. Det var sommar. Modern var brun och det ljusa håret ljusare än vanligt. Modern var ung. Hon hade en turkos klänning med tryckta prästkragar på. Den lilla gula cirkeln i varje blomma gjorde tyget spännande. Hon var vacker. Tanja mindes hur fin modern hade varit. Och hon mindes känslan av att älska henne. Men hennes ansikte var otydligt. Hon lyckades inte mana fram hennes anletsdrag. Hela tiden, medan hon såg bilden inne i huvudet, hörde hon havets rytm. Ljuden smälte ihop med varandra. Ljuden från den gången och från nu.

Hon måste prata med modern. Berätta för henne vem hon hade blivit. Kanske visste hon vad som skulle komma att ske. Hon tänkte på drömmen hon hade haft i natt. Therese hade plötsligt stått vid hennes säng. *Vad då?* hade hon sagt. *Kan du förutspå framtiden genom att se det förflutna kanske, är det vad du tror?*

Hon tittade ut genom fönstret. Mörkret fyllde allt. På dagarna, när det var ljust, kände hon ett slags tomhet. Men när mörkret kom utplånades tomheten. Plötsligt ryckte hon till. Bortifrån fabriksbyggnaden kom flera små ljusglimtar efter varandra. Det var någon som tecknade åt henne med en ficklampa.

HÖGHUSEN MED DE TUSEN ÖGONEN låg uppe på höjden och blickade ner mot Askers centrum. Cato Isaksen stod utanför porten och betraktade flerfamiljshusen uppe på åsen. Härifrån hade han god överblick. Asker höll på att bli en liten stad. Han tittade bort på det nya stationshuset av glas och stål. Han hörde hur man ropade i högtalarna att tåget från flygplatsen just hade kört in vid perrongen. Han såg på Trekanten Senter, som hade byggts ut rejält de senaste två åren. Han tittade bort mot de nya hyreshusen, som just höll på att färdigställas. Asker hade verkligen förändrats. Förr slog samhället igen om nätterna och hade lediga parkeringsplatser och gräsbevuxna ytor sommartid. Nu var allting fullkomligt tatuerat av sten. Asker vilade aldrig. Ett vagt brummande steg från byggnaderna. Och från gatorna.

Cato Isaksen huttrade till. Vinden piskade iskalla budskap i ansiktet på honom. Han väntade på de båda som inte hade kommit, Torkel Bru och Sven Wangberg. Han kände sig illa till mods. Klockan var tio över sju.

Han hade känt en mörk oro ända sedan i morse. Den hade byggts upp under dagen. Nu höll den nästan på att förlama honom. Signalerna från omgivningen gjorde honom förvirrad. Det var någonting han hade förbisett. Brottstycken av information och intuition surrade intensivt omkring i hans hjärna. Problemet var att han inte kunde se helhetsbilden. Han kunde inte sortera informationen. Hans undermedvetna arbetade febrilt med att koppla ihop de röda trådarna. Det var precis som om hans kropp mindes något. Fragment av viktiga iakttagelser. Bilden av mannen i fönstret, till exempel. Men vad hade den med saken att göra?

Det var något annat också, något som Tanja hade sagt om beskydd. Han mindes inte riktigt i vilket sammanhang hon hade nämnt det.

Cato Isaksen kände sig olustig. Han väntade spänt på ett telefonsamtal. Han visste inte från vem eller om vad.

Tidigare under dagen hade han försökt samordna all information. Han hade satt sig vid dataskärmen och bläddrat igenom dokumenten. Sida upp och sida ner. Bild för bild. Han hade antecknat namn på personer och försökt koppla ihop dem. Ändrat på ordningsföljden och dragit streck från den ena till den andra. Det hjälpte inte ett dugg. När en tankebild kopplades till föll en annan bort.

Han stirrade på de fem kolosserna. Härifrån verkade husen enorma, som om de gick i ett. Mörkret hade suddat ut väggarna. Det enda som återstod var fönstren, som på det här avståndet såg ut som gula, intensiva ögon.

Han tänkte på mannen han hade sett i fönstret. Den mörka silhuetten. Händerna som vilade mot glaset. Fingrarna som såg ut som klor.

TEDDY HOLM SATT PÅ PUBEN i Gamle Slemmestad Sent-rum. Lokalen var rökfylld. Här gällde bestämt inga regler om rökförbud. Stället var mörkt och nedslitet, närmast snuskigt. Fem sex människor satt vid ett långbord och pratade och skrattade. På en av väggarna hängde en affisch med ett band som hette "Damerna först". Han lade särskilt märke till en liten lustig man med glasögon som låg utsträckt framtill på bilden. Bandet skulle spela på puben nästa lördag.

Teddy Holm gick bort till disken och beställde en öl. Han bad att få låna VG, som låg innanför disken bredvid ett ölfat.

Han kände sig nervös och illa till mods. Polisen visste ingenting om att Marius hade åkt för att träffa Tanja. Polisen visste ingenting. Marius hade berättat att det egentligen var en hemlighet, att Tanja hade brutit ett löfte genom att berätta det. Det kändes obehagligt. Marius hade bett honom vänta i en timme. Om han inte var tillbaka då kunde han köra hem igen. "Jag tar en buss tillbaka", hade han sagt.

Teddy Holm visste inte varför han alltid ställde upp för alla människor. Han kände sig i grund och botten ensam. Han visste att han inte var god nog åt dem, att han inte hörde hemma bland dem. Egentligen var de inte hans vänner. Han trodde att han hade genomskådat dem. De utnyttjade honom på något sätt, allihop. Kanhända hade Ida gjort det, hon också. Han visste inte. Han ville inte tänka tanken. Han försökte föreställa sig hur hon hade sett ut sista gången han träffade henne. Hon hade vänt sig om och lyft ena handen till en liten vinkning. Han ville vara ärlig mot sig själv. Men han kunde liksom inte tränga djupare ner i det undermedvetna. Han ville egentligen inte veta.

HANNE MARIE SKAGE hade fått ett sammanbrott och låg till sängs med fördragna gardiner. Det hade legat och pyrt inom henne länge. Hon hade plötsligt rest sig och gått uppför trappan till övervåningen. Det brann en eld inom henne. En torr, sprakande eld.

Föräldrarna hade inte reagerat med detsamma. Men när det blev alldeles tyst och hon inte kom ner igen hade fadern gått upp till henne. Han hittade henne i sängen. Hon sov inte, men hennes ansikte var ändå frånvarande. Hon svarade inte när han tilltalade henne. Hon kunde inte svara, kunde inte resa sig. Hon hade resignerat. Kände hur hennes tunga kropp vilade mot underlaget. Nu hade den tagit över kommandot. Hon blev inte kvitt kroppen. Skulle aldrig bli kvitt den. Den hade segrat. Det var slut. Kanhända skulle hennes kropp försvinna, kanske bara bli till en genomskinlig bild av sig själv. Om hon låg alldeles stilla. Om hon inte åt mer, inte drack något. Inte levde.

Hon tittade bort på fönstret. Gardinerna var fördragna. Hon visste allt om mönstret i det gräsliga tyget. Var bekant med varenda tråd. Var gång en bil körde förbi ute på vägen kröp ljuset från lyktorna in i tyget och bildade främmande, hemska mönster. Gardintrådarna var egentligen en vävd trädgård. Med bär och blommor och en och annan insekt.

Hon mindes plötsligt något som de hade läst i skolan. Det var Samuel Beckett som hade skrivit det: *Vanan är länken som binder hunden vid dess egna spyor.*

Det var så det var alltihop. Hon var bunden vid sig själv. Vid allt det äckliga. Precis som modern som satt nere i vardagsrummet och var bunden vid stolen, vid det mörka rummet. Vad väntade hon egentligen på? Varför väntade hon? När skulle något hända?

Hanne Marie slöt ögonen. Allt hade fått ett annat ljud. Hon hörde tingens hjärtslag. Tingen klibbade fast vid insidan av hennes ögonlock. Hon kände att hon var trött på sina ting. Hon längtade bara efter en enda sak, och det var att bli fri från dem.

Hennes känslighet, som aldrig hade varit legitim därför att hon var så tjock, hade börjat visa sitt ansikte.

Hon hörde att fadern ringde efter Torkel Bru och bad honom att komma med detsamma. "Ja tack", sa han, "det är bråttom."

Hanne Marie slöt ögonen. Hon kände sig trött. Det fanns ingenting kvar att leva för. Det var solförmörkelse och natt på en och samma gång. Det var time out.

BERIT GEBER VAR ENSAM hemma. Maken hade åkt till Lionsmötet för tjugo minuter sedan. Han hade varit tvungen att ta sig samman för att orka gå. "Jag har nästan inga krafter kvar", hade han sagt. Men hon uppmuntrade honom. Hon kände ett enormt behov av att vara ensam. Karen var på simträningen. Efteråt skulle hon sova över hos en väninna.

Det var så mycket som var konstigt numera. Ingen kunde klandra henne för att hon kände sig orolig. Hon saknade Tanja. Såg hur hon kämpade med sig själv och sina relationer till andra. Modern hade bett till Gud för henne otaliga gånger. Men på senaste tiden hade hon slutat med det. Hon kunde inte se att Han hade bidragit med något som helst under den här svåra tiden. Hon visste inte. Kanske ville Gud straffa henne för någonting. I så fall hade Han lyckats. Kanske var det så som det stod i Bibeln: *Och när de så plågas, uppstiger röken därav i evigheters evigheter, och de hava ingen ro, varken dag eller natt, de som tillbedja vilddjuret och dess bild, eller som låta märka sig med dess namn.*

Varje kväll drog hon sig undan. Orkade inte umgås med de båda andra. Både Rolf och Karen led. Men hon led mest själv. Saknaden efter Tanja och Therese var enorm. Therese var död. Tanja levde.

Hon orkade inte gråta längre. Hon föredrog att tänka på hur hon skulle leva vidare. Kanske måste hon staka ut en ny kurs. Börja tänka på ett nytt sätt. Livet hädanefter var annorlunda. Det skulle aldrig bli detsamma igen.

Hon stod i vardagsrummet och föreställde sig att Tanja satt i soffan. Hon gick tyst bort till henne och lade händerna på hennes axlar. I samma ögonblick som hon snuddade vid den varma, smala kroppen insåg hon hur dumt och konstigt hon betedde sig. Hon greps av panik. "Jag är alldeles ensam", sa hon till sig själv. Och så snart hon hade uttalat orden gick det upp för henne att det var det som var problemet. Hon var verkligen ensam, alldeles ensam.

Just då var det något som rörde sig utanför fönstret. Ett slags skugga, en grå bild som flimrade förbi ute i den mörka trädgården. Bilden var levande och ondskefull. Den skar igenom henne som glasbitar. Det var någon där ute i mörkret. Någon som stod där ute bakom trädet och iakttog henne. Hon såg på trädets skugga som föll över ljuset på snön. Skuggan delade sig på mitten. Den rörde sig och förändrades. Intuitivt visste hon att det var någon där ute som ville henne illa.

TORKEL BRUS STORA, mörka Volvo svängde in på gårdsplanen. Ljuskäglorna svepte över den grå väggen med den flagnande målarfärgen. Han tänkte på vilket stiligt hus det här kunde ha varit. Den vita katten kilade förbi som en pälsklädd pil och gömde sig bakom några lådor i det fallfärdiga garaget.

Februarihimlen var tung och full av instängd snö. Som om den höll tillbaka ett grått raseri.

Han tittade upp mot fönstret medan han trevade efter sin väska. Gardinerna var helt fördragna. Han öppnade läkarväskan och kontrollerade att alla instrumenten låg på plats.

Medan han låste bildörren tänkte han på människornas öden. Ingen visste hurdant livet skulle bli. Rädsla och sorg hade dygnetruntöppet. Han visste allt om krigen inuti kroppen. De små och de stora. De oskyldiga och de farliga.

Ljudet av läkarens skor mot det vita underlaget fick katten att kila i väg igen. Den här gången in under en av stenarna i muren som delade trädgården mitt itu. In i ett hål av kyla och trygghet. Mellan de andra stenarna. Med ett bankande djurhjärta.

TANJA GEBER GICK längs de släta berghällarna. De var blanka, närmast polerade av vattnet. På en del ställen var de också täckta av en tunn ishinna. Hon stannade, fick för sig att hon hörde något men intalade sig att det bara var vattnet som mumlade. Rrrädsla. Ssskräck. Aaakttta dig. Aaakttta dig.

Hon drog jackan hårdare om sig och var försiktig så att hon inte skulle ramla. Kvällen var verkligen mörk. En skarp isvind bet i kinderna. Aaakttta dig, ropade havet.

Tanja Geber gick vidare över den frusna gräsmattan. Snön hade svårt att lägga sig här, alldeles nere vid vattnet. Hon stirrade ut över den mörka, oroliga havsytan. Vattnet visade musklerna. Som ett golv i rörelse. Suget i havet var enormt. Dyningen slog med rå kraft in mot berget. Vinden trängde otåligt in under jackan på henne. Kylan värkte i handlederna.

Plötsligt fick hon syn på ljusglimtarna igen. Tre stycken efter varandra. Blink, blink, blink. Hon tyckte att hon såg en gestalt som långsamt blev mörkare. Hon log snabbt. Kylan förvandlade henne. Hon blev till ett med landskapet. Blev till en brun berghäll med skåror av isliv och stenliv. Ådror av granit i blodet. Hon längtade efter att känna hans värme. Det var de båda för alltid. Hon kände det så. De skulle hålla ihop. "Kan du tänka dig", hade han frågat i skolan samma dag, "att vi någonsin kommer att gå ifrån varandra?"

"Nej", hade hon svarat, "aldrig."

Han hade lett och kysst henne på pannan. "Jag älskar dig, Tanja", hade han sagt. Det var sådan han var. Sa snälla saker hela tiden. Fick henne att känna sig trygg. Hon älskade honom också. Det var nästan för bra för att vara sant. Tanja Geber kastade en snabb blick ut över det grönsvarta djupet. Hon var rädd för bra saker. De brukade ta slut.

HAT OCH ONDSKA är farliga drivkrafter när de kombineras med en dålig självbild. De utlöser en krans av kyla. Han stod i mörkret och kände vinden borra sig in i låren och vaderna. Han hade stått stilla en hel liten evighet.

Hatet arbetade sig upp igenom honom. Han tänkte på modern som hade sagt att han var oduglig, att han var lat och värdelös och dum. Inte alls som systern, som kavlade upp ärmarna och hjälpte till på moderns premisser. När det blev för illa satte han sig i bilen och körde sin väg. Ner till centrum, bort längs vägen eller in i skogen. Vart som helst. Han kunde köra så, fram och tillbaka, länge.

Han var inte så dum att han gav modern skulden. Det var hans eget fel, men han tyckte inte om att tänka på sig själv på det sättet. Han var en kompetent person. Han fullgjorde sina plikter. Han kunde umgås med andra människor på ett normalt sätt. Han pratade vänligt med gamla damer och ungdomar och vuxna. Alltefter vem han hade att göra med. Han var ingen enstöring som hade dragit sig undan från livet. Tvärtom var han en kompetent, tänkande, självständig individ. Hans problem var att han inte stod ut med att se att andra hade det svårt. Det var hans öde. Det var tungt att bära.

Han hade hjälpt en gammal kvinna att bära upp ett nytt köksbord häromdagen. Hade han inte suttit i en halvtimme och lyssnat medan hon berättade hur ensam hon var? Och hade han inte tagit trappstädningen för tre dagar sedan, fastän det inte var hans tur? Han gjorde det visserligen på natten. Klockan var halv tre. Jättehuset var knäpp tyst. Det luktade sten i trappan. Trasan kändes kall mot handen. Han lade handflatan på golvet. Han tyckte om att ta på sten. Väggarna talade. De berättade för honom om alla som bodde där. Om alla som hade bott där, och om alla som skulle komma att bo där. De här husen var fyllda med olika människor hela tiden. Folk köpte lägenheterna därför att de var billiga. Det var en start. Men ingen ville bo där resten av livet. Ingen ville åldras i de små lägenheterna.

Han visste inte hur han skulle bli av med sitt raseri. Han hade degraderat sina handlingar till det: *beteende*. Inte dråp, inte mord, utan beteende. Det var hans sätt att bringa reda i sitt liv.

Noll Nalen orkade inte vänta längre. Det var hennes tur. Nu skulle även hon äntligen få äran att möta honom.

BERIT GEBER SLÄCKTE alla lamporna i rummet och ringde till Torkel Bru på mobiltelefonen. Det var nätt och jämnt att hon kunde se siffrorna på telefonen i det svaga skenet från utebelysningen utanför råglasfönstret i ytterdörren. Signalerna gick fram, men han svarade inte. En röst upplyste om att hon kunde lämna ett meddelande efter pipet. Hon tryckte på knappen, letade i den översta byrålådan och hittade sin lilla adressbok. Hon bläddrade febrilt i den och slog numret till Sven Wangbergs mobiltelefon. Han svarade med detsamma. Hon var hysterisk. Förklarade vad hon hade sett, att det var någon utanför fönstret. "Det är faktiskt sant", bedyrade hon. "Tro mig, är du snäll. Det är inga fantasier, jag lovar. Var är du?" frågade hon.

"Jag är i bilen, på väg till Lionsmötet. Jag är litet sent ute", sa han, "jag hade en patient…"

"Men du måste komma", snyftade hon, "nu med detsamma. Är du långt härifrån?"

"Jag är nere vid Essomacken, alldeles vid rondellen."

"Kom, är du snäll", upprepade hon gråtande. "Jag är desperat. Jag tror att jag håller på att bryta samman. Jag såg verkligen någon utanför. Och Tanja satt i soffan fastän hon inte är här." Berit Geber började darra och satte handen för munnen. "Jag såg hennes smala hals, och hennes nacke. Jag tror att jag håller på att bli galen. Du måste ge mig någonting."

Han suckade hörbart. "Kan vi inte ta det i morgon?" frågade han trött.

"Nej", tjöt Berit Geber. "Snälla du."

"Okej", sa han, "jag vänder. Jag kommer så fort jag kan."

CATO ISAKSEN GICK IN i den gamla byggnaden igen. Han tog sin jacka från kroken. Mötet hade börjat. Männen satt runt ett avlångt bord och samtalade lågt med varandra. De diskuterade hur mycket pengar de skulle bevilja till ett barnhem i Rumänien. Varken Sven Wangberg eller Torkel Bru hade kommit än.

Mobiltelefonen ringde medan han var på väg att lämna byggnaden. Han tryckte på den gröna knappen och förde telefonen till örat. Det var Randi Johansen som berättade att Tanja Geber var försvunnen. "Vakten somnade", sa hon och fortsatte: "Jag är på väg dit ut nu, tillsammans med Asle."

"Bra", sa Cato Isaksen oroligt. "Men det var förbannat klantigt."

"Hon är väldigt olycklig", sa Randi Johansen.

"Är det något jag ska göra?"

"Vad menar du?"

"Ska jag följa med er?"

"Jag tror inte det behövs", sa Randi Johansen lugnt. "Hon har säkert bara tagit sig en nypa frisk luft. Det ligger en kiosk alldeles intill och en pub också."

"Var försiktig bara", sa han, "med barnet och allt…"

"Jag vet, från och med nästa vecka blir det bara skrivbordsarbete för min del", sa hon.

"Kom det fram något nytt vid förhöret med de Silva?" frågade Cato Isaksen nyfiket.

"Egentligen inte. Han nekar till allt", sa Randi kort. "Men vi har mer än tillräckligt på honom. Mongo har lagt alla korten på bordet och berättat att Ida visste om att han sålde knark, men inte de andra."

Cato Isaksen nickade för sig själv. "Och för övrigt?"

"Ingenting annat än att han äger tre lägenheter och inte två."

"*Tre* lägenheter?"

"Ja."

Det blev tyst i telefonen.

"Är du kvar?"

"Ja", sa han. "*Tre* lägenheter och inte två?"

"Ja."

"I vilket av husen ligger den tredje lägenheten?"

"I vilket av husen?"

"Ja?"

"Såvitt jag minns var det i det övre, på femte eller sjätte våningen", sa Randi Johansen och berättade vem han hade hyrt ut den åt.

"Fan", sa Cato Isaksen högt. Signalerna rusade genom hans hjärna. Fotnoterna stod i kö.

Det blev alldeles tyst i luren.

"Vad är det? Det har väl ingenting med det här fallet att göra?" Randi Johansen lät uppgiven på rösten. "Förresten", fortsatte hon, "är Ivar Hansen fortfarande på fri fot. Han blev visst iakttagen tidigare i dag, intill någon bensinmack i Asker. Jag gillar definitivt inte situationen."

TORKEL BRU ANLÄNDE snabbare än vad Halvor Skage hade vågat hoppas på.

Han öppnade dörren så snart det knackade. "Vi är så oroliga för henne", sa han och såg på läkaren. "Hon är så olycklig hela tiden, och nu orkar hon visst inte längre. Det är inte så konstigt med tanke på allt som har hänt. Det är som om hon hade en tung börda att släpa på", suckade han.

Från skrubben under trappan skällde fågelhunden ilsket. Som om den ville varna för något. "Det där är inget att bry sig om", sa Halvor Skage och nickade mot skåpdörren.

Läkaren försökte lugna fadern. "Det kan hända att det bara är ett virus", sa han och böjde sig ner för att ta av sig galoscherna. "Det är så mycket konstigt som går så här års."

"Nej, nej, behåll skorna på, för all del. Det är hur som helst inte rent här", sa Halvor Skage.

Reidun Skage ropade inifrån vardagsrummet. "Skynda dig då, stå inte där och babbla med min man." Hennes mörka röst skummade av irritation.

Halvor Skage gav läkaren en uppgiven blick. "Ingen fara", ropade han in till frun. "Han är på väg upp nu."

Torkel Bru sa att han helst ville vara ensam med patienten när han undersökte henne. "Det är bäst så", sa han, "för alla parter."

Halvor Skage nickade och gick in i det mörka vardagsrummet och stängde dörren tyst efter sig.

Torkel Bru gick tungt uppför trappan. Stegen knakade under hans tyngd. Och hunden skällde som besatt inne i skrubben.

Han gick längs den lilla korridoren och lade handen på dörr-vredet. Stod kvar ett ögonblick och lyssnade innan han tryckte ner handtaget och tyst steg in i rummet.

DET KNACKADE PÅ DÖRREN. Berit Geber smög ljudlöst ned-
för trappan. Hon vände sig ideligen om och höll ett öga på fön-
stret. Hon gick mot dörren. Lampan utanför gjorde att hon kun-
de se konturerna av en man genom råglaset i ytterdörren. Hon
lade munnen ända intill dörrspringan.

"Sven?" sa hon lågt.

"Ja", sa han, "öppna."

Han slank fort in och skyndade sig att stänga dörren bakom
sig. "Ta det lugnt", sa han och tittade allvarligt ner på henne.
Några våta snöflingor hade lagt sig i håret på honom.

"Det är någon ute i trädgården", viskade hon upphetsat. "Jag
är hundraprocentigt säker. Egentligen började det med en käns-
la … jag …"

"Sch", avbröt han henne och lade varnande pekfingret över
munnen. "Jag vet", sa han lugnt, "jag såg honom."

"Såg du honom?" Berit Geber kröp ihop och tittade ängsligt
upp på psykiatern.

"Ja", sa han, "jag fick syn på honom när jag kom körande."

"Var han på den här sidan av huset?"

Sven Wangberg nickade. "Han stod och lyssnade vid dörren",
sa han, "innan han försvann runt hörnet igen."

"Å, herregud." Berit Geber jämrade sig. "Han tror antagligen
att Tanja är här", mumlade hon.

"Antagligen", sa Sven Wangberg allvarligt.

"Tror du att han har någon möjlighet att ta sig in i huset?"

Sven Wangberg skakade på huvudet. "Det tror jag inte", sa

han. "Och som du själv säger är det Tanja han är ute efter."

De gick sakta uppför den lilla halvtrappan till vardagsrummet. "Jag har inte ringt till polisen", sa hon. "Vi måste göra det nu."

"Jag ska göra det", sa psykiatern och tog upp sin mobiltelefon.

Berit Geber drog ett djupt andetag. "Tack ska du ha. Bara Tanja är i säkerhet, så", viskade hon ut i mörkret.

HANS HÄNDER VAR ÖVERALLT på henne. Han tryckte henne så hårt intill sig att det gjorde ont. Tanja skrattade. "Ta det lugnt", sa hon.

"Jag har längtat så efter dig." Marius Berner kysste henne omväxlande på pannan och på munnen. Hans läppar var kalla, men munnen var varm.

Det var mörkt i den nedlagda fabriken. De gamla maskinerna var fulla av smuts och damm. Konturerna av dem påminde om groteska järnfigurer med armarna spretande åt alla håll. Några bruna papperssäckar fulla med grått cementpulver stod travade längs ena väggen. I hörnet låg en stor hög med betongklumpar. Intill den låg några tomma jutevävssäckar.

Marius Berner tog de gamla säckarna och lade dem ovanpå varandra. "Så där", sa han. "Den är litet smutsig, men det där är vår säng." Han skrattade till.

"Vi struntar i att det är lortigt", log Tanja.

De lade sig ner. Hon på sidan. Han bakom henne med armarna om henne. Hon kände hans andedräkt i nacken. Varm och stark.

Plötsligt dök en bild upp på näthinnan. Modern sträckte ut handen för att klappa henne på armen. Men Tanja drog sig undan. Stackars mamma, tänkte hon sorgset. Hon älskar mig verkligen.

"Ingen får ta dig ifrån mig", viskade Marius. "Ingen."

Hon log i mörkret. "Det vill jag inte heller", sa hon.

Hon hade ingen aning om vad han menade. Han slog armarna hårt om henne. Hon kände att han hade lindat armarna så hårt om henne att hon kände sig trygg. Som om hans händer var en grimma. Hon tyckte om den känslan.

EN SVART OCH GUL BILD av en man i ett fönster. Var det tillräckligt för att skrida till handling? Definitivt inte. Cato Isaksen var villrådig. Vissheten låg och malde inom honom. Randi Johansen hade yppat namnet på den tredje hyresgästen. Han kunde inte bevisa något som helst, men intuitionen brann som en eld inom honom.

Han funderade en liten stund innan han kastade sig i bilen, startade motorn och tryckte hårt på gaspedalen. På väg upp till Hagaløkka lät han detaljerna virvla genom huvudet. Han försökte systematisera tankarna. Ett plus ett var inte två. Blått och gult blev inte grönt. Vitt och svart blev inte grått. Det blev rött.

Han körde ända fram till porten och störtade ut ur bilen. Små, ettriga snöflingor dansade i den mörka luften. Hissen stod nere, och han slank in och tryckte på knappen till femte våningen.

Dörrskylten lyste mot honom. Här bor: – och så en rad med namn. Han rusade uppför de nästa två trapporna. Dörren utgjorde en trist syn. Ingen dörrskylt. Ingen dörrmatta. Bara ett mörkt titthål som fungerade åt båda håll.

Han tryckte på ringklockan. Den var trasig. Han knackade på dörren och väntade. Ingenting hände. Han bankade på dörren. Smällarna gav eko ner i trappuppgången. Hans hjärta hamrade vilt. Han måste fatta ett beslut.

Cato Isaksen ägnade tio minuter åt att dyrka upp dörren. Medan han höll på trängde husets ljud emot honom. Barn som grät innanför stängda dörrar. En hund som skällde. Röster från en TV-apparat.

Dörren gick upp med ett litet klick. Ljuset var tänt inne i den lilla hallen. Han slank snabbt in och stängde dörren tyst bakom sig. "Hallå", sa han prövande och kikade ut i köket, där en liten lampa lyste ovanför diskbänken. Det vilade en märklig lukt i lägenheten. En blandning av damm och gammal mat och någonting annat. Han såg att diskhon var full av glas och smutsiga tallrikar.

Han gick in i vardagsrummet. Lägenheten var tom. Bara en ensam lampa lyste över det slitna soffbordet. Mitt på bordet låg en nyckel med en grön nyckelring av plast. Thereses namn lyste skarpt emot honom. Det var skrivet med en ung flickas självsäkra handstil. *Therese.*

Cato Isaksen stod ett ögonblick och samlade sig innan han stormade igenom rummen. Han visste inte vad han letade efter. Inne i det minsta sovrummet var gardinerna fördragna. Han drog dem häftigt åt sidan. Fönstren från huset nedanför lyste otaliga emot honom. Han orienterade sig fram till de tre mörklagda fönstren i flickornas lägenhet. De blinda fönstren stirrade intensivt mot honom.

Han rusade ut i badrummet. På badrumshyllan låg en smutsig rakhyvel, och bredvid den tronade en ensam flaska med kontaktlinsvätska. Han hittade ett par skor som stod prydligt intill varandra i badkaret. Han böjde sig ner och tog upp dem. Någonting höll på att brista inuti honom. Skräcken sipprade fram under armarna och på händerna. Han var våt inuti handflatorna. Han tittade ner i skorna. De var av storlek fyrtiotre.

Ett fruktansvärt oväsen genljöd i huvudet på honom. Han kunde inte tänka klart längre. Han hade en känsla av att någonting höll på att hända. Just i detta ögonblick. Men han visste inte var. När skulle detta vansinne få ett slut?

Han vände på skorna och tittade på mönstret under sulan. Han kände omedelbart igen det. Vågmönstret och ringarna, precis som i jorden i Slottsparken.

EN PLÖTSLIG RÖRELSE utanför fönstret fick dem att rycka till. "Herregud." Berit Geber jämrade sig.

"Slappna av", sa Sven Wangberg lugnt. "Jag är här."

"Det kan ha varit trädgrenarna", sa Berit Geber ängsligt och ansträngde sig för att återvinna självbehärskningen. Hon satte sig på huk bakom den blommiga soffan som stod mitt i det mörka rummet. "Sätt dig ner du med", sa hon till Sven Wangberg, "så kanske han försvinner."

Psykiatern kastade en snabb blick ut genom fönstret innan han gjorde som hon sa. De satt alldeles tysta en stund. Berit Geber såg på honom och log ett egendomligt litet leende. "Jag ber om ursäkt för all den här uppståndelsen", sa hon, "men det är som om något inte stod rätt till. Jag är rädd för allting. Överallt ser jag dolda hot. Och så tänker jag hela tiden. På vad som har gått snett, om jag har någon del i det. Om jag kanske har varit för sträng. Eftersom de tycker att jag är så hopplös, menar jag." Hon suckade. "Jag är så fruktansvärt rädd", sa hon.

Sven Wangberg såg på henne. Det var svårt att sitta så här, hopkrupen i den ovana ställningen. "Du har skäl att vara rädd, om den saken råder det inget tvivel", sa han.

TORKEL BRU SATTE SIG tungt på sängkanten. Hanne Maries stora kropp låg orörlig i sängen. Rummet var litet och trist, nästan som ett fängelse. När han kände det så, hur skulle det då inte kännas för henne?

Det mest hopplösa med situationen var att han inte kunde se någon snabb lösning på problemen. Förutsatt att hon inte var samarbetsvillig, förstås. Hon var inte precis känd för att vara det. Egentligen äcklade hon honom. Han kunde inte säga att han tyckte om henne. Det var något med hennes utstrålning. Någonting med hela hennes person.

Hanne Marie vände sig sakta mot honom och tittade upp ett kort ögonblick. Hon såg oroligt på honom. Visste egentligen inte om han ville hjälpa henne, om det var därför han hade kommit.

Han började prata. Försökte etablera kontakt med henne, men hon vände sig genast bort igen. Han lade handen på hennes axel. En liten stund satt han så utan att säga något.

Nå, då fick han ta till andra metoder. Han visste att han kunde nå fram till henne. Han visste vad som plågade henne. Och han visste att hon visste det hon med. Han bestämde sig för vad han skulle göra och böjde sig sakta fram över henne.

TANJA GEBER VISSTE att man kunde ha flera personligheter. Hon lyssnade i fabrikslokalens tystnad. Hon kände sig till hälften som sig själv och till hälften som en främmande. Allt detta nya som hade vuxit fram förvirrade henne och gjorde henne trött. Den här flykten från mig själv som jag har ägnat mig åt är medveten, tänkte hon. Det måste bli ett slut på den.

Marius hade stuckit in handen under hennes tröja. Den sökte sig fram till hennes lilla bröst. Hon log ut i mörkret. Hennes mun var en öppen dörr.

"DU KAN KALLA MIG Noll Nalen", viskade han mot hennes nacke i mörkret. Han hade smugit sig tätt intill henne och bett henne slappna av. Han kände att hon var spänd, att hon var på väg att genomskåda honom. "Vi ligger så här en stund", sa han. "Du ska inte tänka på någonting alls, bara vara. Och känna dig alldeles trygg." Han talade rakt in i hennes varma öra. "Jag vill dig bara väl", sa han.

Hon svarade inte. Försökte vända sig om för att se hurdan han såg ut. Om han skojade eller menade allvar. "Noll Nalen, varför ska jag kalla dig så?" Hon tyckte plötsligt inte om hans röst. Den var främmande. Han utstrålade något som hon inte fick grepp om. Något som skrämde henne. Hon kände hjärtat bulta i halspulsådern. Hans röst hade blivit violett, och hon förstod inte riktigt vad som höll på att hända.

"Vi kan väl sätta oss upp igen i stället", sa hon och försökte resa sig. Han log mot hennes nacke medan händerna vänligt höll henne nere. Han bad henne vara tyst. Hon kunde inte skrika, inte ropa.

Hans ord rann över henne som kallt vatten. Noll Nalen. Namnet fyllde henne med skräck. Tiden smekte henne varsamt över kroppen. Linjen rusade snabbt vidare. Oron kämpade med förnuftet. Nu måste hon ta sig samman. Hon visste ju att han inte var farlig.

"Jag måste resa mig", sa hon. "Jag får så ont av att ligga så här."

Då log han inte längre. Han slog armarna hårt om henne och höll henne nere med våld. "Du gör som jag säger", väste han medan väggarna sänkte sig ner över huvudet på henne och samlade sina röster till ett mäktigt ljud ovanför henne.

DRÖMFÅNGAREN DÅNADE MOT Cato Isaksen. Som om den var en maskin. En ondskans kvarn. Inne i det största sovrummet stod två stolar med ryggarna mot varandra. Uppspänd mellan stolarna satt en märklig, spindelaktig tingest bestående av bruna skinnremsor, pärlor och fjädrar. Och hår.

Fäst vid en av fjädrarna satt en lapp. *Denna drömfångare har lärt mig: sanning, flykt till andra världar, kraft, styrka och seger. Seger!*

Inlindad i håret satt en tillskrynklad pappersremsa där det stod: *Avslitet hår, för sorg. Ett hår av ormar, som hos Medusa. Hämndens gudinna representerar den feminina kraftens onda och tillintetgörande aspekt.*

Cato Isaksen kände hur det gick en kall rysning genom kroppen på honom ...*den feminina kraftens onda och tillintetgörande aspekt?*

Han gick tillbaka ut i vardagsrummet. Nyckeln på bordet lyste mot honom. Det hade ännu inte gått upp för honom varifrån håret i drömmaskinen härrörde. Men han kände den här mannens vansinne sippra fram ur varje vrå i den sparsamt möblerade lägenheten. Han tänkte på fönstret där galningen hade stått och iakttagit flickorna. Hela våren, sommaren, hösten och vintern. Han förbannade sig själv för att han inte hade gjort närmare undersökningar den gången då han upptäckte mannen i fönstret. Men hur skulle han ha kunnat göra det? Han hade ingen indikation på någonting som helst, han hade bara sin intuition. Och den var han uppfostrad att inte lyssna till.

Längs ena vardagsrumsväggen stod ett skrivbord med en dator på. Apparaten var påslagen. Det blå ljuset flimrade mot honom. En massa papper låg utbredda över skrivbordet. Här bodde en arbetande man.

Cato Isaksen gick bort till skrivbordet. Han kände sig upphetsad och ursinnig och orolig på en och samma gång.

På väggen ovanför skrivbordet satt fem gula komihåglappar. På en stod det: *Kära Ida och Therese och* ... På nästa: *Om jag inte hade blivit så provocerad av att se på er genom fönstret skulle ni ha sluppit det här spelet. Och jag skulle ha sluppit det.* På den tredje lappen: *Och polisen skulle ha haft mindre att göra. Men jag har inte vett att lämna er i fred. Det är så jag ser på det.* Fortsättningen kom på den fjärde och femte lappen: *... att vi allesammans har kommit till ett vägskäl där vi möts och där jag bestämmer. Jag möter er i staden, i källaren och i skogen. Det spelar mig ingen roll. Jag iakttar er, och ni vet inte om det. Men till slut får ni äran att möta mig.*

Cato Isaksen stirrade på den första gula lappen igen. Kära Ida och Therese och ... Vems var det tredje namnet på listan? Var fanns vederbörande nu?

En bunt papper, av allt att döma ett halvfärdigt manuskript, låg i en prydlig trave bredvid tangentbordet. Titeln på den halvfärdiga boken var "Drömfångaren – en bok om att tackla problem".

Cato Isaksen började läsa: *Jag till att du ska ge dig själv ett främmande namn. Detta för att du ska få ett annat förhållningssätt till dig själv. Den här metoden, som jag har utvecklat under loppet av många år, har visat sig ge mycket goda resultat. Jag har givit mig själv namnet Noll Nalen.*

Jag vill bevisa att världen inte går framåt på det mänskliga planet. Och att vi måste lära oss att leva med oss själva sådana vi är.

För några år sedan inleddes utgrävningarna av en mindre pyramid som ligger strax intill Pacals gravmonument. Där hittade man skelettet av en kvinna. Hon hade mer än tio stentavlor med sig i graven. Stentavlorna berättade att hon hade många barn, men att hon hade varit en dålig mor.

HAN KÄNDE INGET medlidande med henne. Han njöt av att vara nära henne. Hon låg under honom och kämpade för att göra sig fri. "Du fördärvar henne", väste han. "Precis som de båda andra. Ni ser inte hurdana ni är. Ser inte drömmarna i henne. Låter henne inte vara i fred. Hon är mer värd än ni alla tre tillsammans."

Detta är verkligheten, tänkte han medan han släppte fram signalerna. Han kände inget medlidande med henne. Att hon dog var en nödvändighet. Han skulle knyta in en slinga av hennes hår i sin drömfångare. Det var hans sätt att visa henne ett slags sista förakt. Det var egentligen mer än hon kunde begära.

CATO ISAKSEN HÖLL DRÖMFÅNGAREN i händerna. Chocken arbetade sig genom kroppen på honom. Det hade plötsligt gått upp för honom att det var flickornas hår som var fäst vid skinnspindeln. Längst in var hårrötterna täckta av stelnat blod.

Han kände hur raseriet och skräcken tävlade om att hinna först fram till hans hjärna. Förvirringen var total. Upptäckten av den ohyggliga drömfångaren och papperen han nyss hade bläddrat igenom gjorde honom desperat. Han visste inte var han skulle börja. Han var långsammare än han hade tid med. Han ringde till Randi Johansen på mobilen.

"Vi har inte hittat henne än", sa hon. "Asle springer mot fabriksområdet nu. Jag är på väg efter. Och Ivar Hansen, han …"

"Strunta i Ivar Hansen", skrek Cato Isaksen och bad henne varsko Vidar Edland. "Be honom åka upp till Hanne Marie Skage omedelbart."

"Men …"

"Nu med detsamma!" röt han.

Han ringde till Roger Høibakk på mobilen. "Full beredskap", ropade han. "Kör ut mot Asker omedelbart. Inga frågor", sa han innan Roger hann avbryta. "Du ska få närmare besked. Han är i farten igen. I detta ögonblick. Men så fan att jag vet var han är. Eller vem som blir nästa offer."

I upphetsningen tappade han mobiltelefonen i golvet. Han böjde sig ner och tog upp den igen, samtidigt som han grävde i fickan efter lappen med telefonnumret till Venskaben. Han hittade den, men också den slant ur handen på honom. Papperslappen dalade sakta genom luften, som om den var en vit fjäder. Han fångade den innan den nådde golvet. Samlade sig en aning innan han slog numret och väntade. Hoppades innerligt att mördaren hade infunnit sig till mötet. Han hade ju ingen aning om att han var avslöjad.

Det ringde. Det ringde och ringde och ringde. Han svor och darrade om vartannat. Äntligen var det någon som svarade.

Den ljusa rösten ljöd i luren. Han kände genast igen den lilla indianska kvinnan.

"Hallå", sa hon vänligt.

"Hör på", sa han och glömde bort att säga vem han var. "Din man, har han kommit till mötet än?"

"Vem är det jag talar med?"

"Ursäkta mig, det är jag igen, Cato Isaksen från polisen."

"Å, jaså", sa Nita Wangberg förvånat. "Sven har inte kommit än. Det är inte säkert att han kommer över huvud taget", sa hon. "Det kan ju hända att han har fått ett akutfall. Eller att han arbetar med sin bok."

"Vilken bok?"

"Han håller på att skriva en fackbok om ätstörningar och idéer kring en ny behandlingsmetod", sa hon.

"Var bor ni?" frågade Cato Isaksen hårt.

"Vad gäller det här?" Hennes tonfall var otåligt med en lätt anstrykning av irritation.

"Var bor ni?" röt Cato Isaksen.

"Var vi bor? I Hvalstad", sa hon, "hur så?"

"Inte i Hagaløkka?"

"Å, du menar lägenheten. Sven hyr den för att få lugn och ro så att han kan avsluta sin bok. Han bor en hel del hemma också", fortsatte hon, "men just nu håller han till där uppe ett par tre dagar i veckan. För att få arbetsro. Barnen, du vet, de ..."

HANS HAND PÅMINDE HENNE om en hammare. Den modellerande, maskulina kraften; alla åskgudars attribut. Hammaren slår och krossar. Ett taukors, ett Prahs tecken; hämnaren och förgöraren. Ta ifrån honom ansiktet och du ser en mask. Ta ifrån honom masken och du ser ett ansikte.

Berit Geber jämrade sig. "Snälla", ropade hon och försökte värja sig. "Varför ... ?"

"Därför att du fördärvar henne", skrek han. *När du jagar måste du vara osynlig. Men när du har fångat bytet är det ingen fara, då kan du komma fram igen.*

Allting hade gått upp för henne samtidigt. Sanningen gav fritt lopp åt den verkliga smärtan. Han var dotterns mördare. Hennes liv låg förborgat i döttrarna, men hon hade inte kunnat hitta det än. När hon såg Thereses lik hade det gått upp för henne att hon inte trodde på något evigt liv. En förändring höll på att ske inom henne. Hon hade arbetat med sig själv och var inte längre lika rädd för förändringen. Hon stirrade upp i galningens ansikte. Hans ögon var mörka som svarta sjöar. Hon mindes ett bibelcitat. *Ögat är kroppens lykta.* Han slog henne hårt över ena kinden. "Men mannen i trädgården?" Hon jämrade sig. "Mannen du såg?"

"Det var för helvete ingen man i trädgården. Det var jag. Jag stod bakom trädet när du ringde till mig." Ett bistert leende spred sig över hans läppar. "Du är ju enfaldig som en ... jag vet inte vad."

"Jag förstår inte det här. Ringde du inte till polisen?"

Sven Wangberg skrattade. Sedan blev han allvarlig igen.

"Håll käften. Du har fördärvat tillräckligt. Plågat och förödmjukat henne …"

"Nej! … jag …"

Psykiatern gjorde som med de båda andra. Lade händerna runt halsen på henne och tryckte till.

CATO ISAKSEN SPRANG nedför trapporna. Det hade plötsligt gått upp för honom vem som var psykiaterns nästa offer. Det faktum att du känner avsky när du står och steker kött i ditt kök i dag betyder inte att du för tid och evighet måste känna likadant.

För några år sedan inleddes utgrävningarna av en mindre pyramid som ligger strax intill Pacals gravmonument. Där hittade man skelettet av en kvinna. Hon hade mer än tio stentavlor med sig i graven. Stentavlorna berättade att hon hade många barn, men att hon hade varit en dålig mor.

Himlen hade öppnat sig. Stora, arga snöflingor skar tvärs igenom luften. Utredaren kastade sig in i bilen och backade utan tanke på att han kunde köra in i något eller någon. Han svängde ut från bostadsområdet i rasande fart. Hjulen spann på det hala underlaget. Ena hjulet var ute i snödrivan innan bilen slet sig loss igen och susade vidare.

En dålig mor. Berit Geber var en dålig mor. Och vad var det han hade sagt om Therese? *Tanja hade stora problem med relationen till sin syster. Hon berättade allt om det för mig. Hon ansåg att Therese var arrogant och cool och delvis ond.* Tanja, så sjutton heller. Det var inte *hon* som ansåg det, det var han. *Therese överglänste sin syster. Överglänste sin syster ...*

Han hade hjärntvättat henne. Fått Tanja att se på omgivningen med misstänksamhet. Inte konstigt att hon inte blev frisk.

Mobiltelefonen ringde i samma ögonblick som han fick syn på en bil som stod tvärs över vägen. Han svor högljutt, bromsade in och svarade i telefonen. Det var en upphetsad Roger Høibakk. "Vad är det som händer?" Hans röst fyllde Cato Isaksens öra med oväsen.

"Kör upp till Vardåsen, till Tanja Gebers föräldrars hus. Jag är på väg dit nu, men det har hänt någon jävla olycka här. Det är bråttom", röt han.

"Så du vet vem det är?"

"Det är Sven Wangberg, för tusan. Jag tror att han håller på att mörda Berit Geber."

"Nu?"

"Precis nu!"

"Jag är där om tio minuter", sa Roger Høibakk hårt.

HAN VAR TVUNGEN att börja om från början igen. Berit Ge-
ber ville inte dö. Hon vred sig häftigt och sparkade honom i ryg-
gen. En ilande smärta fortplantades längs ryggraden. Hon skulle
dö. Han hade bestämt sig för det. Det var han som bestämde.
Men den lilla kvinnan var urstark. Han skulle hjälpa Tanja. Hon
skulle bli fri. Han hade lovat henne det. Och Noll Nalen höll vad
han hade lovat.

Berit Geber hämtade de okända krafterna ur mörkret inom sig
själv. Från bottnen av sorgen. För Thereses skull. För Tanjas
skull. För Karens skull. Hon kände att det fanns två av henne.
Kvinnan som låg på golvet och kvinnan som stod upprätt och
kämpade. Hon hade gott om hat i reserv. Skräcken var som
bortblåst. Men strax var den tillbaka igen.

CATO ISAKSEN TOG SIG FÖRBI den idiotiska bilen. Den kvinnliga föraren hade öppnat dörren och vinkade på hjälp. Utredaren skakade ursinnigt på huvudet och susade förbi så att snön sprutade om bakdäcken. Snöflingorna vräkte ner från himlen. Han körde som en besatt på småvägarna tills han kom ut igen på huvudvägen vid Borgens högstadieskola. Han körde om en Honda som kröp fram, fick sladd men lyckades räta upp bilen igen.

På ett ställe passerade han några barn som gick längs vägen. Han började köra uppför den långa backen mot Vardåsen. Ungdomar med snowboards och slalomskidor kom ner på väg hem från backen. Han trampade ilsket på gasen. Bilen fick inte stanna där det var som halast.

Vindrutetorkarna arbetade som besatta. Han kunde se strålkastarna från slalombacken högt där uppe. De slingrade sig som ett gult pärlband genom snödrevet.

Plötsligt dök en bil upp framför honom. Hjulen spann på det hala underlaget.

Cato Isaksen vrålade högt: "Flytta på dig!"

Längre upp kunde han se lyktorna på en bil som var på väg nedför backen. Han chansade, vred om ratten hårt och kastade bilen ut till vänster. Körde förbi bilen framför. Bilen som närmade sig blinkade ursinnigt mot honom. Han svängde in alldeles innan det smällde. Lyckades räta upp bilen och tog sig snabbt uppför den sista biten. En svart Mercedes stod parkerad utmed vägen, alldeles vid infarten till familjen Gebers villa.

Han svängde in på uppfarten och tvärbromsade. Stängde av motorn och lade i handbromsen.

Huset vilade helt i mörker, frånsett en utelampa bredvid entrén. Ilskna snöflingor virvlade i ljusskenet. Han rusade bort till dörren. Bankade och slog och ringde på om vartannat. Lade örat intill dörrspringan och lyssnade. Ropade hennes namn högt flera gånger. "Berit Geber! Fru Geber!"

PLÖTSLIGT LADE HAN märke till de grå fotavtrycken som höll på att fyllas igen av snön. Han följde dem runt hörnet och vidare upp utmed kortsidan av huset. Hela tiden svor han och talade hårt till sig själv.

Ovanför huset utbredde sig den snötäckta gräsmattan och skogen där bakom. En ensam lampa på väggen vid det stora vardagsrumsfönstret och altandörren kastade ett hjälplöst ljus i en cirkel bort mot ett stort, brunt träd. Fotspåren slutade vid trädet. Sedan återvände spåren igen, samma väg som de hade kommit.

Han pulsade vidare genom snön ända bort till det stora vardagsrumsfönstret. Tryckte ansiktet mot den mörka rutan. Hans andedräkt skapade genast fläckar av imma på glaset. Där inne var det helt mörkt, bortsett från en strimma från utelampan som lyste upp soffans blommönster i en avlång rand, som fortsatte vidare ett stycke ut över golvet.

Han stirrade in i rummet. Ögonen vande sig mer och mer vid mörkret. Han tyckte sig höra ett svagt ljud. Men det dog genast bort igen.

Han var just på väg att dra sig tillbaka när någonting rörde sig i ljusstrimman. En fot. Sedan var den borta igen.

Cato Isaksen reagerade blixtsnabbt. Tog en stor vedklabb som låg prydligt staplad i en hög inne vid husväggen. Lyfte den över huvudet och kastade den med all kraft mot glasrutan.

HAN HÖRDE LJUDET av hennes stjärnor när glaset krossades. Han hade sett dem i de blanka ögonen. Den där dagen på sjukhuset för länge sedan. Han mindes henne i sängen. Sängkläderna som skyar omkring henne. Yllefilten som ryggen på ett djur ovanpå. Han hade känt sig så fullkomligt som ett med henne. Inte så som en man känner inför en kvinna. Nej, starkare. Hon var som han. Hon *var* han.

De oskyldiga ögonen som släppte igenom hennes tankar. Och smärtan. Den fjuniga kroppen. Som om hon var ett hjälplöst litet djur.

"Du måste hjälpa mig", vädjade hon.

Han tänkte på det som hon hade berättat för honom, om hur de behandlade henne. Arrogant och ondskefullt. *"Det är bara Hanne Marie som verkligen tycker om mig. Mamma och Therese och Ida ... jag blir nervös av dem. De har pratat om att flytta. Utan mig. Först ville inte Therese att jag skulle flytta ihop med dem, hon sa att jag var för velig, för larvig. Ida höll med, men hon tyckte att de borde ge mig en chans. Hanne Marie är ledsen över att det inte finns plats för henne. Mamma avskyr allt jag gör. Jag vet inte vad jag ska göra för att de ska tycka om mig.*

Han mindes hennes röst. Ljus och tunn som en silvertråd. Han mindes precis hur tunn den var, som om även den hade förändrats tillsammans med hennes kropp. Anpassat sig till storleken.

Han mindes det vita rummet och den blanka sängen. Den lilla spegeln hon hade på nattygsbordet, fasettslipad i kanterna.

Ramen var täckt av små skal. Hon berättade att hon hade hittat dem på en strand när hon var liten. Han mindes att han såg på spegelns yta. Till slut löstes den upp och såg ut som vatten. Ljuset bröts i vattnet, och färgerna blev synliga, som i en regnbåge. Men när han vände på huvudet var det en punkt, en liten fyrkant, där färgerna försvann. Och inne i den lilla fyrkanten kände han igen smärtan. Den var överväldigande, och igenkännandet blev starkare och starkare. Det var i just det ögonblicket som han bestämde sig för att hjälpa henne.

CATO ISAKSEN KASTADE SIG över mannen bakom soffan. Han drog hans huvud hårt bakåt. Använde alla de ursinniga krafter som hade arbetat sig upp inom honom. Orden forsade ur munnen på honom. Hjärtat var ett vilddjur. Händerna var av järn. Han vräkte undan mannen från kvinnan. Sparkade honom hårt i sidan flera gånger. Mördaren skrek av smärta. En rad märkliga skrik som också rymde något annat. En tom sorg, en djup vånda.

Cato Isaksen lyfte upp Berit Geber. Hon vägde ingenting i hans famn. Hennes ansikte genomfors av en krampaktig ryckning. Försiktigt lade han ner henne på soffan.

Mannen på golvet låg tyst och orörlig. Cato Isaksen sjönk flämtande ihop. Han lutade sig mot bordskanten. Då växte plötsligt Roger Høibakks gestalt fram genom den krossade fönsterrutan. Han stod där ett ögonblick, som i en corona funebris, en begravningskrans av glas, med skenet från ytterbelysningen vilande över axlarna. Och snöflingor, likt vita stjärnor, i det mörka håret.

NOLL NALEN VAR PLÖTSLIGT på benen igen. Han tog den lilla trappan i ett enda språng och var med ens nere vid ytterdörren.

Roger Høibakk satte omedelbart efter honom. Han flög nedför trappan och lade handen på mannens axlar i samma ögonblick som denne öppnade dörren för att försvinna ut.

Det drog tvärs igenom huset, både från ytterdörren och in genom det krossade vardagsrumsfönstret.

Han vräkte ner mördaren på golvet, vred armarna bakom ryggen på honom och satte på honom handfängslen.

Berit Geber försökte sätta sig upp. Cato Isaksen gick bort till henne. Han lade handen bakom ryggen på henne och hjälpte till. Hon lutade sig tungt bakåt mot ryggstödet och tog sig med båda händerna om den ömma halsen, där de ilsket rödblå märkena blev mer och mer framträdande. Hon harklade sig försiktigt, försökte säga något.

Cato Isaksen skakade på huvudet och gick ut i köket och hämtade ett glas vatten.

På tillbakavägen tände han en liten lampa.

Hon tog emot glaset med darrande händer, förde munnen till den kalla kanten och tog en liten klunk. Hon harklade sig igen och lyckades pressa fram ett litet ord. ”Tack”, viskade hon.

Cato Isaksen nickade kort och gick ut genom det runda hålet i den krossade fönsterrutan. Den såg verkligen ut som en sorgkrans av glasblommor. Han hörde skrällen av de yrande glasskärvorna om och om igen inne i huvudet.

Han betraktade ljusen borta i slalombacken. Han kunde se dem mellan de svarta träden, som delade upp himlen i småportioner. En avlång strimma med glödlampor. En gul orm som ringlade sig uppåt och vidare uppåt och som slutade i ett allt uppslukande mörker.